D0832725

Das deutsche Geld

Für B., wieder und wieder

© 2005 Parthas Verlag Berlin
Stresemannstraße 30
10969 Berlin
Fon: (030) 88 46 89 - 0
Fax: (030) 88 46 89 - 11
e - mail: info@parthasverlag.de

The German Money © 2003, The Leapfrog Press
95 Commercial Street, Wellfleet, MA 02667-1495, USA

Gestaltung und Satz: Klaus Keller
Umschlag: Birgit Zschunke, Abb. akg-images / Jost Schilgen
Gesamtherstellung: Druckerei Theiss GmbH, A-9431, St Stefan

ISBN: 3-86601-650-6

Lev Raphael

Das deutsche Geld

Roman

Aus dem Amerikanischen
übersetzt von Paul Lukas

Parthas

Früher dachte ich, manche Menschen hätten eine wahre Begabung zum Leben, mehr als nur die Fähigkeit, es zu bewältigen. Nenne es einen Reichtum an Dasein. Während andere wie meine Familie und ich arm waren, dazu verdammt, gegen ihre eigene innere Armut anzukämpfen.

Ich hatte natürlich Unrecht – andererseits aber gibt es immer eine Geschichte, wenn man nur richtig hinsieht.

Meine beginnt hier: Ich dachte eigentlich, ich hätte Glück, als meine Mutter starb. Ich war allein, in einem anderen Bundesstaat, und ich wusste nichts von dem Geld, das sie mir vermacht hatte, dem deutschen Geld, wie wir es immer genannt hatten, Reparationen für ihre Jahre in den Konzentrationslagern der Nazis.

Ich war in eine kleine Hütte am Westufer von Old Mission Peninsula geflüchtet, die mir ein Bibliothekarkollege an der Universität von Michigan geliehen hatte. Old Mission ist eins der isolierteren Fleckchen in Nordmichigan. Dieser sich von Traverse City aus nach Norden erstreckende schmale Streifen welliger Hügel schneidet die Grand Traverse Bay in zwei Teile, und die 36 Meilen lange Strecke um die Halbinsel ist eine der romantischsten in Michigan.

Es war ein perfektes Versteck an einem Ort, den ich mir oft vorgestellt hatte, mit Valerie zu teilen, der Frau, mit der ich am College gegangen war und die ich hätte heiraten sollen. Aber ich war dummerweise vor Jahren aus New York und vor ihr geflüchtet, also war das unmöglich.

Der Winter in Michigan neigt dazu, schon weit vor Thanksgiving zu beginnen, und viele sind ihn Ende März leid, für mich jedoch galt das nicht. Die Zeit, kurz bevor die Knospen groß wurden, wenn die nackten Bäume sich hart gegen die schneebedeckte Erde und den taubengrauen Himmel abhoben und der Anblick überwältigender war als es der einer Skulptur jemals sein könnte, war eine von denen, die ich am meisten liebte. Es gab noch keine Spur von wirklicher Farbe, und man war in erstaunliche Abstufungen von Grau und Braun gehüllt – als lebte man in einer Collage von Braque. Selbst die Sonnenuntergänge waren gedämpft, und jede Sekunde konzentrierter Aufmerksamkeit und des Schweigens offenbarte subtile Strukturen und eine Art von Reichtum, der die Gedanken zur Ruhe bringt.

Ich kappte den Telefonanschluss der Hütte, schaltete mein Handy ab und sprach selbst mit den freundlichen Kassiererinnen kaum, wenn ich die zwanzig Minuten nach Süden zu dem riesigen Einkaufszentrum in Traverse City fuhr, das ein beeindruckendes Sortiment an Lebensmitteln, Haushaltsgeräten, Medikamenten und Kleidern im Sonderangebot bereithielt, um Fisch, Steak und dicke Suppen zu holen.

Durch die Fahrt in den Norden nach Traverse, auf der Route 27 hinauf zu den Hügeln und Farmen und dann auf zweispurigen Straßen nach Westen hatte ich Menschen, Zeit und Worte hinter mir gelassen. Ich las sehr wenig an diesem Wochenende, hörte nie CDs auf dem Player, den ich beinahe mitzubringen vergessen hätte. Meistens wanderte ich einfach ruhig und zufrieden die Hügel auf und ab oder am Ufer entlang. Die Hütte war so nichts sagend, so charakterlos wie eine abgenutzte Puppe ohne Kleider, Haare oder Augen – also war es nicht nur angenehm, hinauszugehen, sondern unerlässlich.

Vom höchsten Kamm der Halbinsel aus konnte ich beide Arme der Bucht sehen und mir weiter westlich den Michigansee vorstellen. Trotz seiner Größe ist der Michigansee letztendlich begrenzt: man kann ihn in Gedanken ebenso gut erfassen wie mit Hilfe einer Karte. Obwohl ich in New York City aufgewachsen bin, war mir der Atlantik doch immer eher wie die *Idee* eines Gewässers, wie eine Theorie oder ein Beispiel vorgekommen.

Ein- oder vielleicht zweimal dachte ich über die telefonische Nachricht nach, die ich etwa eine Woche zuvor von meiner

Mutter erhalten hatte, die erste seit Jahren. Da gab es keinen Gruß, keine wirkliche Information, keine Bitte um Rückruf, nur die schlichte Feststellung: »Hier ist deine Mutter«. Als gäbe es, egal, wie selten ich sie auch hörte, einen Zweifel daran, dass ich ihre Stimme erkennen würde. Zuerst war ich erschrocken, dann verblüfft, dann wütend. Warum rief sie mich an? Und warum hatte sie keine richtige Nachricht hinterlassen können?

Ich rief nicht zurück. Ich tat mich furchtbar schwer damit, auf Nachrichten zu antworten, aber wenn ich einen Tag länger zu Hause in Ann Arbor geblieben wäre oder mein Handy nicht abgeschaltet hätte, hätten mich die Anrufe meines Bruders Simon erreicht, der mir sagen wollte, dass meine Mutter gestorben war, und ich wäre nach New York geflogen.

Simon musste sich um alles alleine kümmern, weil unsere Schwester Dina, wütend auf ihren Mann Serge, ihr Handy unter einen LKW geschleudert hatte, davon gestürmt war und sich in die Bar des Hotels Frontenac in Quebec City gesetzt, eine ganze Flasche Veuve Clicquot getrunken, eine halbe Packung DuMauriers geraucht und mit dem Kellner geflirtet hatte – eine Reihe von Ritualen, die sie sich jedes Mal gönnte, wenn sie zornig war.

Simon regelte die Beerdigung unserer Mutter, und dabei half ihm Mrs. Gordon, eine neue Nachbarin von ihr, die ich nie kennen gelernt hatte, die aber eine sehr enge Beziehung zu ihr entwickelt zu haben schien.

»Mrs. Gordon hat mich gerettet«, wiederholte Simon immer wieder. Und wer sonst hätte das auch tun können? Wir hatten keine engen lebenden Verwandten, und die meisten Freunde meiner Eltern waren gestorben oder hatten sich in Florida zur Ruhe gesetzt.

Ich kannte die Frau nicht, aber ich war eifersüchtig und es schmerzte mich sehr. Warum hatte diese Fremde eine solche Bedeutung?

Mein jüngerer Bruder funktionierte gut in Notfällen, die er nicht verursacht hatte, anschließend aber zermürbte er sich mit Kritik, wurde zum Sklaven dessen, was er hätte tun *sollen*. Wenn man sich seine schlanke Gestalt und sein jugendliches Gesicht ansah, hätte man nie vermutet, dass er eine solche innere Wildheit in sich barg. All die Katastrophen, die sein Leben beschmutzt hatten, schienen eine Art Erfüllung zu sein – als könnte der Hässlichkeit, die er in seinem Inneren spürte, nur durch Scheidung, Schulden, Skandale und vollkommenes Scheitern Ausdruck verliehen werden.

Ich war von der Außenwelt abgeschnitten und nicht zu erreichen, während Simon mit der Beerdigung weitermachte und Dina schmollte auf dem Rückzug von dem letzten in einer Reihe von Männern, die ihr nicht geben konnten, wonach sie sich sehnte. Meine Schwester hatte eine konfuse Karriere der Wut gemacht – hatte auf ihrem Weg von Mann zu Mann zerbrochene Fenster, zerrissene Kleider und mit Lippenstift gekritzelte Nachrichten auf Badezimmerspiegeln hinterlassen, jedenfalls behauptete sie das ein wenig stolz. Im Allgemeinen verziehen sie ihr, zumindest die, denen sie es gestattete.

Das blieb so, bis sie vor sieben Jahren Serge geheiratet hatte, einen reichen und unbarmherzigen Quebecer, der aussah wie ein gallischer Pierce Brosnan. Aus vielerlei Gründen war dies eine schwierige Ehe, und ich wusste das nur durch das Wenige, was Dina mir erzählte. Seine Nervensäge von einer Mutter verachtete es, dass er nicht nur eine englischsprachige Frau und Nichtkatholikin, sondern eine *Jüdin* geheiratet hatte, eine, die des Teufels war. Serge und die anderen Gilberts waren ein grimmiger und stolzer Clan, der seine Abstammung auf die Gründer von New France in Kanada zurückführte. Sobald Dina etwas tat, was Serge nicht mochte, wurde das anscheinend zum Gegenstand der Zensur durch Schwestern, Brüder, Tanten, Onkel, Cousins und wahrscheinlich sogar Babysitter und vielleicht auch mitfühlender Nachbarn. Wenn Serge mit

Dina stritt, trat er auf wie ein Makler, der seine ganze Investmentgesellschaft vertritt – unterstützt durch deren Macht, Autorität und Tradition.

Diese geballte Ablehnung war neu für Dina. Die Männer hatten sich ihren Wutanfällen stets gebeugt, denn sie war eine Wucht: sie hatte blonde lockige Haare, graue Augen, ihr schlanker ausdrucksstarker Körper und ihre Stimme waren sexy, und sie hatte als Frau eine ungeheure Präsenz. Dina hatte auf dem College zu schauspielern versucht, aber das Licht, die Bühnenbilder, die Kostüme und die Maske hatten ihre Wirkung irgendwie geschmälert, sie dazu gezwungen, berechnend vorzugehen, was sie nicht gewöhnt war.

Dina ist die Schöne, Simon ist verkorkst und ich bin der Intellektuelle – zumindest dachten wir so über uns selbst, was eine Menge sagt, oder? Wir waren keine Menschen, wir waren auf unsere Rolle festgelegte Figuren.

Als ich Old Mission verließ und die fünf Stunden zurück nach Ann Arbor fuhr, wo ich Simons telefonische Nachrichten und sein Telegramm vorfand, fühlte ich mich durch die Stille beschützt, die ich stets oben im Norden entdeckte durch meine Strandspaziergänge an der Spitze der Halbinsel (die genau zwischen dem Nordpol und dem Äquator liegt), die klaren Nächte, in denen ich mit offenem Mund zur Milchstraße und einer verwirrenden Masse an Sternen hinaufstarrte, die Nachmittage, an denen ich in der herunterbrennenden Sonne auf dem Sofa döste, drei Tage der Einsamkeit und Ruhe.

Ich stand im Wohnzimmer, schaute auf die ruhige Straße hinaus und spielte die Nachrichten meines Bruders ab. Seine Stimme klang dünner und nasaler als sonst. Der Frühling war hier schon ein bisschen näher als oben im Norden, aber noch hatte der Winter, der vor langer Zeit die großen Ahorne und Eichen ihrer Blätter beraubt hatte, das Kommando. Mein Blick wurde von dramatisch gekrümmten kahlen Ästen eingerahmt und durchwoben, die dadurch die Wichtigkeit bekamen, die sie verdienten. Diese Gegend war voll von hundert Jahre alten Bäumen, und wenn man im Spätherbst und Winter hier auf den Straßen fuhr oder ging, war es, als käme man in eine riesige Halle mit schrulligen Skulpturen.

In Michigan hatte ich oft den Eindruck, als bildeten die Jahreszeiten eine Art Pentimento, bei dem eine Schicht unter der anderen hervorlugt. Vielleicht, weil ich mich durch Reisen und durch Lesen in den Bundesstaat und seine Geschichte verliebt hatte und so oft über den größeren Zyklus der Zeit nachgrübelte. Über die Art und Weise, in der im Laufe der Jahrhunderte auf Trapper Holzfäller und dann Bergarbeiter und nach ihnen die Männer gefolgt waren, die Autos bauten, und wie bestimmte Orte in dem Bundesstaat noch immer und manchmal selbst, nachdem diese weiter gezogen war, mit einer einzigen Industrie identifiziert wurden. Es fiel mir nicht schwer, mir wie im Zeitraffer vorzustellen, wie die staubigen, sich schlängelnden Pfade der Indianer von den Straßen der Holzfäller und letztlich den trostlosen Highways abgelöst wurden.

Während ich aus dem Fenster auf die kahlen Bäume sah und Simons Nachrichten eine seltsame Art von weißem Rauschen darstellten, konnte ich hören, wie Menschen auf Mähmaschinen Blätter aufsaugten und in zerfledderten, weichen Haufen an der Straße abluden, wo sie von riesigen lärmenden LKWs weggeschleppt werden würden, und konnte den scharfen Geruch von Laub riechen, der von den wenigen Zufahrtsstraßen kam, wo es (illegal) verbrannt wurde, und in meine komfortable Wohnung eingedrungen zu sein schien.

Ich hörte mir die Nachricht auf dem Anrufbeantworter wieder und wieder an, hörte vom plötzlichen Tod meiner Mutter, Simons Bitten um Unterstützung und Rat, hörte, von der Beerdigung – die Simon entsprechend der jüdischen Tradition innerhalb von vierundzwanzig Stunden stattfinden lassen wollte – und von Dinas Hysterie, als sie dahinter kam.

Jede dieser tristen Ausführungen hatte zur Folge, dass ich eine Ruhe spürte, die so tief war wie der Schmerz, den zu empfinden ich erwartet hätte.

Ihr Herzanfall überraschte mich, denn meine Mutter war immer bei perfekter Gesundheit gewesen, zumindest glaubte ich das, erinnerte ich mich doch an ihre flotten Spaziergänge auf Manhattans Riverside Drive. Und einmal hatte sie geprahlt, sie hätte das Herz einer halb so alten Frau wie sie.

Aber ich war nicht verängstigt oder deprimiert. Das war es wahrscheinlich, was sich durch meine einsamen Wochenenden auf Old Mission bei mir verändert hatte. Ich hatte, anders als wahrscheinlich Simon, nicht das Gefühl, in ein trostloses Erwachsenenalter hineingestoßen und zur Waise geworden zu sein; oder dass ich wie Dina einer Realität beraubt worden war, die ihre Empörung geprägt hatte. Wenn überhaupt, dann war ich ruhig. Ich fühlte mich bereit, und während ich Vorkehrungen traf, um nach New York zu fliegen, um bei meinem Bruder und meiner Schwester zu sein – die ich seit mehr als fünf Jahren nicht mehr gesehen hatte –, dachte ich immer wieder, was für ein Glück ich doch hatte, dass das Schlimmste vorbei war.

»Eine Einäscherung wäre vernünftiger gewesen«, sagte Dina, als wir von dem riesigen Todespark aus Gras und Stein in New Jersey zurück zu Simons Wohnung in Forest Hills kamen. Ich war verblüfft über den Glanz ihrer Schönheit, die durch den eleganten schwarzen Armani-Anzug und die Schuhe mit hohen Absätzen, die eine leicht ausländische Note an sich hatten, hervorgehoben wurde. Mit ihrem Wust blonder Locken sah Dina aus wie einer jener rosigen, mit verträumtem Blick Laute spielenden Engel auf einem Freskogemälde der Renaissance. Sie war immer anders aufgetreten als ihre Freunde, hatte den

Rücken gerader und den Kopf höher gehalten und trotzdem nicht den Eindruck gemacht, als würde sie sich anstrengen. Als ich zum ersten Mal nach Paris reiste, begriff ich, dass sie sich irgendwie diese Grazie und Selbstbeherrschung zu eigen gemacht hatte, die man bei Frauen um den Place Vendôme oder in der Rue de Rivoli sieht. Sie hatte beneidenswerten Schick, und ich hatte gesehen, wie in New York Frauen im Bus oder in der U-Bahn sie von oben bis unten gemustert und missmutig nach einem Mangel bei ihr gesucht hatten.

Dieses Spießrutenlaufen war nichts im Vergleich zu dem, womit sie aufgewachsen war. Unsere Mutter hatte sie unaufhörlich kritisiert: Dina war nie gut genug, nie hübsch genug, nie elegant genug. Sie setzte Dina zu, weil ihre Haare zu lang oder zu kurz seien, ihr Make-up zu aufdringlich oder zu unauffällig, verurteilte die Farben, die sie auswählte, die Mode, die sie trug oder wenn sie etwas ausrangierte – selbst ihren Nagellack. »Lass sie in Ruhe!«, sagte Dad dann, aber das war weniger ein Vorschlag als das gutmütige, unparteiische sich Einschalten eines Kiebitzes, der bei einem Kartenspiel zuschaut. Meine Mutter kritisierte nicht nur die Form von Dinas Augenbrauen, wenn sie sie zupfte (und wenn sie es nicht tat), sie ging weiter und es ging tiefer: »Du wirst nie einen Mann halten. Dich wird keiner wollen.« Diese Ohrfeigen verteilte sie mit der nüchternen Brutalität eines angewiderten Trainers, der die Spieler seines Teams als »Waschlappen« (oder Schlimmeres) bezeichnet, aber ich glaubte nie, dass meine Mutter versuchte, Dina mit diesem scharfen Ton zu inspirieren. Es kam mir eher vor wie eine Strafe. Dina wehrte sich, aber ihr Zorn war verzweifelt – die letzte Reaktion einer besiegten Bevölkerung auf ihre triumphierenden Invasoren. Und fast immer wurde sie bezwungen oder flüchtete weinend in ihr Zimmer. Später lernte sie, unsere Mutter so lange anzustarren, bis diese aufgab, aber zwischen ihnen bedeutete das keinen Triumph, sondern nur ein von tödlichem Schweigen begleitetes Unentschieden.

»Eine Einäscherung«, wiederholte Dina.

Ich hatte mich fremd gefühlt dort auf dem Friedhof in diesem breiten, glitzernden Meer aus Grabsteinen, wo Welle um Welle eingemeißelter hebräischer Worte um mich herumwirbelte und mich stark daran erinnerte, dass ich nicht bedeutender war als die kleinen Steine oder Kiesel, die die Leute auf den Gedenksteinen zurückließen, um ihre Besuche zu markieren. Ich habe diesen jüdischen Brauch, den mir kein Buch angemessen erklären konnte, nie verstanden. Es schien sinnlos – fielen die Steine nicht herunter? Trotz der Geste hatte sich nichts geändert, war nichts erreicht. Die Menschen verließen den Ort dieses vergeblichen Versuchs genauso vereinzelt, verwirrt und auseinander gedrängt durch das, was sie schon immer voneinander trennte: das Wissen, dass wir alle hier oder an irgendeinem ähnlichen Ort enden würden.

Ich hasste es, nicht genau zu wissen, wo ich stehen sollte, weil jeder Zentimeter Boden für Gräber bestimmt zu sein schien. Als ich mich unbeholfen vom Parkplatz auf das Grab meiner Mutter zu bewegte, hätte ich ein kleines Kind sein können, das versucht, über heißen Sand zu gehen. Hin und wieder hatte mich das Relief auf einem Grabstein oder das Glitzern des Sonnenlichts auf dunklem poliertem Granit oder einfach die Musik eines Namens auf Englisch erreicht, ansonsten aber fühlte ich mich überwältigt, wie zerquetscht.

So viele Leben, so viele Namen. Ich erinnerte mich plötzlich daran, wie Valerie einmal gescherzt hatte, wir könnten, wenn wir sterben würden, nebeneinander Gräber haben, die mit »Seins« und »Ihres« beschriftet wären.

»Aber das würde bedeuten, dass wir verheiratet waren,« war es aus mir herausgeplatzt, und sie hatte sich abgewandt.

Auf dem Friedhof dachte ich, meine Mutter ist hier draußen begraben, aber die Worte haben nicht mehr Bedeutung als ein Werbeslogan, den man kurz auf der Seite eines Busses sieht. Und Dina, Simon und ich waren keine Trauernden, sondern wie Fremde, die aus Neugier vom Ort eines kleineren Unfalls angezogen worden waren. Ich mied die Blicke eines jeden, an dem wir vorübergingen, wollte nicht, dass jemand sah, wie wenig in meinen Augen war. Auch ich war tot.

Die kahle Grabstätte, von der mir schwindelig geworden war, brachte uns auf der anderthalbstündigen Fahrt zurück nach Forest Hills alle zum Schweigen, als wir uns im dichten Verkehr, der mich nach der relativen Ruhe von Michigan ganz benommen machte, den Weg durch die Stadt bahnten. Selbst wenn man – weil man nicht geschnitten werden wollte – mit 85 Meilen pro Stunde auf den Highways rund um Detroit fuhr, war das nicht so chaotisch und erdrückend, was vielleicht daran lag, dass es dort nicht diesen schweren, trüben Hintergrund aus Backstein und Beton gab, der scheinbar im Begriff war, quer über die von den Autos befahrenen Spuren zu stürzen. New York kam mir verärgert und lauernd vor, zum Einsturz bereit.

Als wir oben in Simons Wohnung ankamen, sprach Dina wie üblich als Erste. Und ich zuckte zusammen, als sie »Einäscherung« sagte. Es kam mir derb und widerlich vor – ganz davon abgesehen, dass sie für Juden verboten war. Ich mag zwar nur ansatzweise jüdisch gewesen sein, aber dieses Tabu war trotzdem irgendwie eins, das ich sehr früh verinnerlicht hatte. Genauso wie die Anordnung, niemals irgendetwas Schändliches zu tun, was »der *Gojim*« sehen würde. Meine Mutter hatte zu beiden Themen nie viel gesagt, also nehme ich an, dass beide Verbote auf meinen Vater zurückgingen, besonders aber das Letztere. Er hatte *The Post* oder *The Daily News* gelesen und tsk-tsk-tsk gemacht, wenn er einen Artikel über einen Kriminellen mit einem jüdisch klingenden Namen fand. Diesen las er laut, mit dramatischen Pausen, ob jemand zuzuhören schien oder nicht. Und die Tatsache, dass ein Jude für andere Juden schlechte Reklame machte, schien für ihn schlimmer zu sein als der damit verbundene Gesetzesverstoß, selbst wenn es sich um Mord handelte. Er war als Junge von Russland herübergekommen, tat aber so, als wären die Amerikaner so verrückt wegen der Juden wie die Russen und warteten auf den geringsten Vorwand, um ein Pogrom in die Wege zu leiten.

Als Dina das Wort »Einäscherung« gesagt hatte, beschwor das für mich keine romantischen Bilder von der über dem Meer verstreuten Asche einer Geliebten herauf. Alles, woran ich denken konnte, waren schreckliche hungrige Flammen.

Wir drei waren für einige Augenblicke still.

»Aber Mom war gegen eine Einäscherung«, protestierte Simon, der auf seiner übertrieben gemusterten goldenen Couch verloren aussah. »War es nicht so?«

Dina zuckte die Achseln. »Ich hab sie nie davon reden hören.«

»Es ist widerlich«, sagte er leise. Und obwohl ich abgelenkt war, pflichtete ich ihm bei.

Ich sah Simons neue Einzimmerwohnung zum ersten Mal. Sie war merkwürdig, überraschend geschmacklos, überall glitzerte unechter Kristall, und sie war mit Rot und Gold durchzogen: wie der schlechte Geschmack von jemandem, der Armut gekannt hatte und in der Gestalt und den Farben des Phantasieschlosses eines Kindes Erleichterung fand, dachte ich. Die dicken Gardinen waren voller barocker Ornamente und Verzierungen. Als ich dort saß und aus einer mit Schäferinnen verunzierten Porzellantasse Kaffee trank, betrachtete ich Simon als jemanden, der nicht zu begreifen war. Wie hatte mein Bruder es sich aussuchen können, so zu leben? Es war bizarr, als hätte er sich in Hanf gekleidet und angefangen, sich in einer moderigen Höhle einzunisten. All diesen falschen Tand musste ein früherer Mieter zurückgelassen haben, und vielleicht war es die Tatsache, dass die Wohnung derart komplett war, was meinen Bruder, dem immer irgendetwas zu fehlen schien, an ihr gereizt hatte. Die Wohnung war wie eine äußerst merkwürdige Muschel, in die ein Einsiedlerkrebs gekrochen sein könnte, besonders, wenn man sein jetziges Aussehen berücksichtigte.

Simons blondes Haar war kurz, stand hoch und passte so zu seinem winzigen Spitzbart, und er trug eine ausgebeulte Cargo-Hose, Converse All Stars und einen übergroßen grauen Pullover, dessen Ärmel ihm fast bis zu den Fingerspitzen herunterhingen. Er sah halb so alt aus wie er war, was nicht heißt, dass Kleider ihn hätten viel älter wirken lassen können. Seine Stimme hatte noch immer dieses Brummen, wie man es bei pubertierenden Jungen hört, und er war über die schlaksige Unbeholfenheit eines Teenagers, der sich mit seinem Körper im Krieg zu befinden scheint, gegen ihn ankämpft, um nicht öffentlich gedemütigt zu werden, nie hinausgewachsen. Seine Nase und Lippen waren voll für sein kantiges Gesicht, und er schien oft kurz davor, in sich zusammenzusinken. Dann wurden die Lider seiner gekränkten grünen Augen schwer, die Schultern fielen herab und der Rücken sackte zusammen, als reagierte er auf irgendein inneres Verhör, auf das er nur mit Schweigen antworten konnte.

»Sie verbrennen? Ausgeschlossen. Das ist es doch, was sie Mom im Krieg antun wollten«, fuhr Simon fort. Er fügte nicht hinzu, dass »sie« das allen anderen in ihrer Familie angetan hatten – daran musste uns niemand erinnern. Wenn Familiengeschichten ein Treffpunkt sind wie das Atrium eines altrömischen Hauses, wo sich alle versammeln können, dann war das, worum unser Zuhause gebaut war, eine düsterere Leere: der vollkommene Mangel an Geschichten, zumindest was meine Mutter anging.

Schweigen, Leere und Verlust hatten bei uns zu Hause stets vorgeherrscht. Wir wussten durch Winke und Andeutungen, dass meine Mutter alles und jeden verloren hatte, dass ihr Dorf in der Nähe der polnischen Stadt Wilna (der heutigen Hauptstadt von Litauen) bei einem Wutanfall der Nazis, die die Einwohner erschossen und vergast und deren Häuser niedergebrannt hatten, von der Erdoberfläche getilgt worden war. Jahrhunderte jüdischen Lebens dort waren vernichtet und ausgelöscht; selbst Grabsteine waren aus dem Boden gerissen und zum Pflastern von Straßen verwendet worden. Und auch wenn sie am Leben war, dem Gestank des Todes oder dem Abdruck seiner dunklen Hand war sie nicht entkommen.

Dina runzelte jetzt über das, was Simon sagte, die Stirn.

Aber er ließ es nicht darauf beruhen, er musste es vor uns ausbreiten. »Ich hätte nicht dabei zusehen können, wie ihr Sarg in die Flammen gleitet. Das ist wie bei den Nazis und all den in die Öfen geschaufelten Juden.«

Dina wandte sich ab.

Ich fragte mich, wie der Tod meiner Mutter gewesen war, ob sie gelitten hatte oder sofort gestorben war, wie man es Simon gesagt hatte. Sofort und ohne Schmerzen. Herzversagen. Wie konnte jemand wirklich wissen, wie sich dieser Augenblick des Todes für sie angefühlt hatte?

Aber diese Fragen machten mich nicht gesprächiger – sie waren trocken und theoretisch. Ich konnte sie mit dem frisch ausgehobenen Grab, das ich erst Stunden zuvor gesehen hatte, mit unserer seltsamen Isolation in Simons Wohnzimmer nicht in Verbindung bringen. Wir hingen dort wie die Quasten an seinen Fenstern; voneinander getrennt, ein wenig lächerlich – waren überhaupt keine wirkliche Familie.

»Es ist geschmacklos, eine Leiche in die Erde zu tun«, sagte Dina anklagend, die außerstande war, sich zu setzen. Sie ging wütend im Zimmer auf und ab, ihr Blick war leer und ihr schwarzes Kleid herrlich zerknittert. Selbst die für sie untypischen eingerissenen Nägel und zerzausten Haare waren attraktiv und hatten etwas Demonstratives: sie hatte das *Aussehen* großer Trauer, und hinzu kamen die wirren Unterbrechungen. »Dann der verdammte Grabstein. All dieses so tun, als könne man da hingehen und Anteil nehmen.«

Wenigstens hierin war ich mit ihr einer Meinung. Ich dachte, Dina wollte weinen, und hätte sie vielleicht gern in den Arm genommen, aber so eine Familie waren wir nicht.

Meine Mutter hatte uns nie glücklich umarmt und geküsst oder auch nur mit einem Lächeln empfangen, wenn wir einmal eine Weile nicht da gewesen waren. Ihr blasses, ovales Gesicht unter dem dichten Haufen dunkelblonder Haare, der so künstlich aussah wie eine schlechte Perücke, ließ einen an ein Nachtsäugetier denken, das sich vor seinen Hauptfeinden versteckt. Sie trug sogar dunkle Farben, als versuchte sie sich zu tarnen, obwohl ich an ihrer Figur keine Mängel entdecken konnte. Sie wog ein klein wenig mehr als der Durchschnitt, war schlank und hatte hübsche kleine Hände und Füße, zeigte sich deswegen aber nie eitel, gab nie mit ihren wunderschönen Schuhen an oder verbrachte Stunden damit, ehrfürchtig ihre Hände zu pflegen.

Während Dad ein so herzliches Hallo rief, dass es immer unecht klang, stand meine Mutter da und starrte uns beinahe argwöhnisch an, als rechnete sie mit irgendeiner Art von Verrat. Es war sehr merkwürdig. Sie hatte sicherlich Anmut und Eleganz, aber es war ein kühler und distanzierter Charme, und sie war ruhig mit sich selbst beschäftigt (während Dad eine lautstarke Version derselben Merkmale an den Tag legte). Sie würde sich wegen niemandem irgendwelche Umstände machen. In ihrer Nähe hatte ich mich oft gefühlt wie ein ungehorsamer Höfling, der ein schmerzhaft langes Audienzzimmer durchquert, wo ihn seine Monarchin mit strafendem Blick erwartet. Sie hieß Rose (zu Hause früher Rushka), und das ließ in ihrem Fall nicht an weiche und duftende Blütenblätter, sondern an Dornen denken.

Herzversagen.

Ihr Herz hatte versagt, hatte bei *uns* versagt, vor langer Zeit. Und mein Vater, der als kleiner Junge nach Amerika gekommen war, seinen russisch-polnischen Akzent aber nie abgelegt hatte, war nicht wirklich wärmer – nur laut.

Der Lärmpegel passte perfekt zu seinem Äußeren. Er war klein und dünn, hatte schütteres Haar und eine rote Knollennase, dicke, hochgezogene Augenbrauen und spitze Ohren, wie man sie bei einem Komiker im Varieté erwarten würde. Er sah aus wie ein Clown, führte sich aber auf wie ein Tyrann, und Essen im Restaurant war eine besondere Qual. Er setzte dem Kellner mit feindseligen Fragen zu und versuchte fröhlich, uns dazu zu bringen, dass wir unsere Bestellungen änderten und etwas nahmen, von dem *er* meinte, wir würden es mehr mögen. Nicht einmal bei einer Mahlzeit in einem Deli konnte es friedlich zugehen. »Dina, bist du sicher, dass du ein Kartoffel-Knisch möchtest? Das Fleisch ist hier viel besser. Und Simon, was ist das die ganze Zeit mit den Pastrami-Sandwiches – versuch etwas anderes. Versuchs doch, es wird dir schon schmecken! Ha-ha-ha.«

Unsere Mutter hatte ihre eigenen Vorstellungen davon, wie man sich im Restaurant benahm. Wenn eins von uns Kindern mit dem Kellner plauderte oder Witze machte, grinste sie höhnisch und erinnerte uns – wenn der Kellner gegangen war – schroff daran, dass *sie* nicht in Restaurants ging, um Freundschaften zu schließen.

»Einäscherung«, sagte Dina erneut und diesmal grüblerisch, als wäre es der Name einer einsamen Insel und sie würde darüber nachdenken, dorthin zu fliegen. Sie spielte nervös mit ihren schwarzen Mikimoto-Perlen, einem Geschenk von Serge zum Hochzeitstag.

Ich sah wieder die eine Reihe nach der anderen bildenden grauenhaften Grabsteine vor mir – seltsame verkümmerte Feldfrüchte in unfruchtbarer Erde. In Filmen sind Friedhöfe entweder unheimlich oder romantisch, voll von trostlosen verwachsenen Bäume oder reizenden Wegen und Aussichten. Dieser war nichts davon, nur eine kalte Metropole des Todes.

Dina war wieder aufgebracht. »Daran werde ich dann nächstes Jahr denken, wenn wir die *Yorzeit*-Kerze für Mom anzünden müssen. Dass wir das Falsche getan haben.«

»Aber du wirst doch trotzdem eine anzünden, oder?«, fragte Simon mit versagender Stimme.

»Natürlich.« Dina sah in meine Richtung. »Wie ist es mit dir?«
Ich zögerte, bevor ich sagte: »Ich weiß es nicht.«

Von meiner Antwort angewidert murmelte Dina etwas von einem Nickerchen und stolzierte in Simons Schlafzimmer, das er ihr mit Nachdruck ans Herz gelegt hatte.

»Wenigstens ging es schnell«, sagte Simon zu mir, aber ich wollte das nicht in irgendeiner Weise weiterverfolgen. Er konnte den Tod unserer Mutter gemeint haben und nicht, dass Dina mir den Rücken zugekehrt hatte.

Simon ging in die Küche, um mit dem Mittagessen anzufangen, und ich setzte mich auf seine Couch. Da waren wir also nach mehr als fünf Jahren wieder beisammen und hatten die erste Gelegenheit genutzt, um der Gesellschaft der anderen zu entkommen.

Ich versuchte, mich für eine Zeitschrift zu interessieren. Durch die geschlossene Tür von Simons Schlafzimmer konnte ich ein sehr leise eingestelltes Radio hören und erinnerte mich, wie das Essen in unserer Familie vor Jahren oft damit endete, dass einer wütend war, einer still und einer sich in ein anderes Zimmer zurückgezogen hatte. Ich hatte mich vor den Feiertagen gefürchtet, die uns zu noch mehr Nähe zwangen, und vor den Geburtstagen auch. Wie waren alle fünf im Juni und Juli geboren, und so waren diese zwei Monate eine aufgeregte Zeit der Karten, der Pläne und der Enttäuschungen. Meine Mutter gab das, was wir ihr kauften, normalerweise zurück oder räumte es in ihren Schrank. Dad packte vergnügt seine Geschenke aus, verkündete mit vorgetäuschter Freude, was es war und legte sie anschließend beiseite. Nichts, was wir kauften, gefiel ihnen, oder zumindest schien es so. Warum?

Uns dreien gaben sie normalerweise Geld und schlugen geeignete Geschenke vor, die wir uns selber kaufen könnten. Es war kalt und irgendwie erniedrigend, als wären wir bezahlte Hilfskräfte, die einen Bonus bekamen und zu blöd waren, ihn alleine auszugeben.

Und wir? Dina lachte über ihre Geschenke, aus Verlegenheit, denke ich. Simon war oft still und nachdenklich, und ich riss die Verpackungen und Schachteln mit einem Hunger auf, der mich noch immer überrascht, denn er ist nie weggegangen. Ich weiß nicht, wonach ich suchte.

Würde ich nächstes Jahr für meine Mutter zum Gedenken an ihren Tod eine Kerze anzünden? Ich hatte das noch nie getan, hatte es nie tun müssen, und das Ritual einzuhalten kam mir leicht sonderbar vor – als müsste ich über Nacht eine ganz neue Sprache lernen. Als Familie waren wir nicht sehr offensichtlich jüdisch gewesen. Dad war als Waise nach Amerika gekommen und von sozialistischen Cousins aufgezogen worden, was dazu geführt hatte, dass er den Judaismus absolut gering schätzte, und wir nahmen alle an, dass die Kriegsjahre unserer Mutter dafür gesorgt hatten, dass sie sich sogar noch entschiedener von der Religion abgewandt hatte. Unsere Eltern hatten für karikative jüdische Organisationen gespendet und israelische Wertpapiere gekauft, die Feiertage aber hatten wir ignoriert oder kaum begangen. Und Simon und ich waren nie gedrängt worden, für eine Bar-Mizwa zu lernen – wie hätten sie das auch tun können, wo sie doch nie zur Synagoge gingen oder auch nur davon sprachen, uns dorthin mitzunehmen?

Meine Eltern hatten weder Simon noch mich beschneiden lassen, als wäre selbst eine Metapher eine zu große Bindung an die Vergangenheit. Ich hatte mit Simon nie darüber gesprochen, aber ich weiß, dass dadurch, ohne dass es beabsichtigt gewesen wäre, mein Liebesleben belebt wurde. Meine Ex-Freundin Camilla zum Beispiel war dankbar gewesen: »Das ist ein Happy Meal!«

Obwohl wir nicht rituell gezeichnet waren wie andere jüdische Männer – ist der dunkle Streifen, den die Beschneidung hinterlässt, nicht eine Art Trauring? –, hatten Simon und ich wie Dina mit »unserem Judentum« geliebäugelt. Simon las

Bücher über den Holocaust; ich befasste mich für vielleicht ein Jahr mit übersetzten jiddischen Autoren und dachte kurz darüber nach, irgendwo Judaistik zu studieren. An der Highschool war Dina damit beschäftigt, für derart viele Wohltätigkeitsvereine zu sammeln, dass wir sie als Heilige Dina verspotteten. Aber nichts davon war von Dauer, und unsere Eltern schien es nicht zu kümmern; Dad, der Buchhalter war, hatte einfach nur für unseren Unterhalt sorgen wollen.

Was meine Mutter wollte, weiß ich nicht. Aber ihre Gleichgültigkeit machte gelegentlich seltsamen Ausbrüchen von Feindseligkeit Platz, und ich weiß durchaus, dass sie es hasste, dass Simon über den Holocaust las, auch wenn sie nie ein Wort sagte. An der Highschool verschlang Simon ein furchtbares Jahr lang jedes Buch über die Konzentrationslager, das er finden konnte, und in dem Schlafzimmer, das wir uns teilten, warfen mir Bücher, auf denen Hakenkreuze, Stacheldraht, blutrote Titel und kaputte Davidssterne aufgeprägt waren, brutal und verwirrend heimtückische Blicke zu. Ich mied das Thema, was mir nicht schwer fiel.

Dina explodierte und herrschte Simon an: »Hör auf, dieses Zeug zu lesen – es ist vorbei! Das ist doch verrückt!«

Simon sagte, er müsse das lesen. Aber wenn er es tat, um zu verstehen, warum unsere Mutter nie über ihre Kriegsjahre sprach, oder um unserer Mutter eine Freude zu machen oder sie einfach nur zu erreichen, dann lehnte sie das Angebot ab und ignorierte ihn entschieden, wann immer er etwas über den Holocaust las und darüber zu sprechen versuchte. Ich fand es in gewisser Hinsicht grausam von ihm, wo sie doch so unbedingt vergessen wollte. Im Gegensatz dazu bestand ihre Grausamkeit darin, dass sie schwieg.

Ich weiß nicht, was mein Bruder durch all sein Lesen lernte, und ich fragte Dina nie, ob er sie an irgendetwas davon teilhaben ließ. Die düstere Vergangenheit meiner Mutter war zu erschreckend für mich – wie Dina, wie meine Mutter, war ich nur bemüht, sie von mir wegzuschieben. Ich war froh, dass sie nichts sagte, nichts darüber erzählte.

Ich war vor diesen Schrecken geflohen seit dem Tag, als ich im Kindergarten während einer Pause ein älteres Mädchen, das einem anderen einen komplizierten Tanzschritt beibrachte, leichthin sagen hörte, dass die Deutschen jüdische Babys an den Füßen hochhoben und ihre Schädel an Mauern aufschlugen. »Wie Eier«, sagte sie mit Überzeugung, und die Zöpfe flatterten, während sie sich drehte und herumwirbelte. Ich konnte meine Mutter sehen, wie sie uns Pfannkuchen machte und mit einer Hand geschickt in einer leuchtend blauen Schüssel Eier aufbrach. Ich schauderte.

Wo hatte das Mädchen das gehört? Im Fernsehen? Von ihren Eltern?

Und ich hatte sofort an den kleinen Simon gedacht – der mir als Einjähriger noch vorkam, als bestünde er zur Hälfte aus einer Babydecke und zur anderen aus einem Mund, und mir vorgestellt, wie er gegen die Mauer des Spielplatzes geschleudert wurde. Ich entfloh dem strudelnden Chaos meines Magens, schaffte es aber nicht bis in das höhlenartige Zimmer der coolen Jungs mit seinen riesigen undurchsichtigen Fenstern und beschämte mich gleich hinter der schweren Flügeltür der Eingangshalle.

Durch die warme Aufmerksamkeit meiner Lehrerin, Miss Lerman, und die Busfahrt nach Hause mit meiner Mutter, die angerufen worden war, damit sie mich abholte, war mir schwindelig und kühl geworden. Aber weder das Bett noch eine warme Coca-Cola oder eine Geschichte halfen. Nur Schlaf rettete mich an diesem rauen Nachmittag, als ich fünf Jahre alt war.

Meine Mutter dachte wie Miss Lerman, es wäre eine Grippe. Ich erzählte niemandem, was ich gehört hatte, nicht einmal Jahre später Valerie, weil ihre Eltern beide Überlebende des Holocaust waren. Ich konnte es ihr nicht erzählen – ich erkannte, dass es uns einander so unerträglich nahe gebracht hätte wie Verschwörer auf der Flucht nach einem Verbrechen.

An diesem Tag in Simons Wohnung nach unserer Rückkehr vom Friedhof wunderte ich mich über meine Jahre des Schweigens und über die meiner Mutter, die so viel rätselhafter waren.

~

Simons Mittagessen war köstlich: Brokkolicremesuppe, ein Omelett mit Piment, Paprika und Tomaten, gedeckter Apfelkuchen. Dina aß Simons Essen gerne, und sie umarmten sich, bevor sie sich in der Essecke an den Tisch setzten. Ich erinnerte mich plötzlich, wie ich mich früher über sie geärgert hatte, und nahm ihnen ihre Nähe übel. Als ich noch zu Hause in Manhattan wohnte, kam ich oft zurück und fand sie redend und lachend, die Sätze des anderen beendend und glücklich wie Liebende in Dinas Zimmer vor. Wenn sie mich einluden, mich zu setzen und mit ihnen eine Platte anzuhören, hatte ich das Gefühl, dass sie mich herablassend behandelten, und ich kam mir ausgeschlossen und eher wie ein kleiner Bruder vor und nicht wie der Älteste.

»Also iss«, drängte Simon nun, der komisch zu sein versuchte und unseren Vater imitierte.

Nichts hatte sich geändert. Simon benutzte seine Finger als Messer, um sein Essen herumzuschieben, und Dina schnitt ihres in immer kleinere Portionen, als versuchte sie, es verschwinden zu lassen.

Wir aßen, ohne zu sprechen. Ich dachte an das Lieblingsbild meiner Mutter: ein Gemälde von Diego Rivera, auf dem sich ein Mann unter dem Gewicht eines unglaublich schweren Korbs auf seinem Rücken fast bis zum Boden krümmt. Ich fühlte, wie dieselbe Schwere in meinem Inneren unerbittlich tiefer und tiefer sank.

Ich machte mir Gedanken über dieses Bild. Würden Simon oder Dina es wollen? Wollte ich es? Woran würde es mich erinnern?

Wir saßen da wie eng zusammengedrängte Überlebende einer Überschwemmung, die dankbar sind für ihre Schüssel Suppe vom Roten Kreuz. Aber das war nichts Neues. Unsere Mahlzeiten und selbst die Autoausflüge mit der Familie zu den Cloisters, zum Hyde Park oder zum Montauk Point hatten oft provisorisch gewirkt, als wären wir eine Gruppe bedrohter Fremder, die wissen, dass die Gesellschaft der anderen keine Sicherheit garantiert. Lag es an der Vergangenheit unserer Mutter, der gähnenden Leere im Zentrum unseres Zuhauses, die mir wie der Krater nach dem Einschlag eines Meteors vorkam, eines so riesigen, dass wir es nie auch nur um ihn herum schaffen konnten?

»Als ich hörte, dass Mom tot ist, habe ich geweint, bis mir schlecht war«, platzte Dina heraus. »Aber es hat nichts geändert. Es ging mir nicht besser, ich war nur erschöpft.«

Simon nickte.

Durch Dinas Worte schoss mir eine merkwürdige Erinnerung durch den Kopf: ich sah mich selbst mit drei oder vier, hysterisch und verzweifelt schluchzend im Flur vor einer glänzenden schwarzen Wohnungstür, wissend, dass ich nicht hereingelassen werden würde, bis meine Mutter dazu bereit war – oder nie. Es war dasselbe. Sie hatte mich in der Küche wild von meinem Stuhl gezerrt, in den Flur gestoßen und die schwarze Tür zugeknallt, die schwer wie ein Stein ins Schloss gefallen war. Was hatte ich getan oder gesagt? Ich konnte mich nicht erinnern.

»Wie war's bei dir?«, schreckte Dina mich auf. »Du hast nicht geweint, oder?«

Ich zuckte die Achseln und sagte, ich hätte nicht viel empfunden.

»Hätte ich mir denken können«, schnappte Dina und spießte etwas Ei auf die Gabel.

»Was soll *das* denn heißen?«

Sie wurde rot. »Wirst du denn nie auftauen?«

»Du bist durcheinander«, murmelte Simon und räumte seinen Platz ab.

Dina starrte mich an und war mit ihrem geröteten und verkniffenen Gesicht sogar noch hübscher. Was sollte ich tun? Sie anbrüllen? Ihr sagen, dass sie Unrecht hatte? Sie schütteln?

Ich verließ den Tisch, schnappte mir meinen Mantel und ging spazieren. Obwohl mit Ann Arbor nicht zu vergleichen, ist Forest Hills für eine Gegend in New York doch recht angenehm; eine Straße reiht sich an die andere, mit aus rotem Backstein gebauten Wohnblöcken jeder Größe, es gibt überall ein bisschen Rasen, Büsche und gut beschnittene Bäume. Es ist alles so geordnet, sauber und gut gepflegt, dass die acht Spuren des Queens Boulevards das Gebiet durchschneiden wie ein ordinärer und gefährlicher Witz. Wir waren nicht allzu weit weg von der Gegend in Queens, in der Kitty Genovese in den frühen Sechzigern vergewaltigt und umgebracht wurde, und niemand war ihr zu Hilfe gekommen, obwohl der Alptraum, das Schreien und Stechen stundenlang weiterging. Für mich symbolisierte dies New York genauso sehr wie die Freiheitsstatue.

Ich setzte mich in einem winzigen, mit Bäumen übersäten Dreieck aus Beton auf eine Bank und sonnte mich für eine Weile mit einer Reihe warm angezogener, alter und älterer Juden, die sich russisch, jiddisch und in anderen Sprachen, die ich nicht erkennen konnte, unterhielten. Meine Mutter würde nie ein ruhiges hohes Alter haben, dachte ich, als sich ein Bus mit großen starrenden Fenstern vorbeischleppte. Mir war heiß vor Scham und ich kam mir entlarvt vor. Ich konnte mich nicht einmal an das letzte Mal, als ich meine Mutter gesehen hatte, erinnern oder mich an irgendetwas aus unserem letzten Gespräch entsinnen – wie lange war das her? Dabei dachte ich an einen Ausdruck, den meine Mutter zu verwenden pflegte, hatte ich es doch »nicht einmal für nötig befunden«, sie zurückzurufen, als sie zum ersten Mal seit Jahren bei mir angerufen hatte.

Auf dem Friedhof, während der trostlosen Rückfahrt und beim Essen war ich versucht gewesen, nach der Herzkrankheit meiner Mutter zu fragen. Nahm sie irgendetwas dagegen? Wussten sie davon? War sie in Behandlung? Wie lange war sie krank gewesen, und warum hatten sie mir nichts gesagt? Aber die Fragen kamen mir vor wie eine Falle, durch die ich Dinas Empörung und Simons Frustration darüber zu spüren bekommen würde, dass die Beerdigung ganz allein ihm überlassen geblieben war, auch wenn es ihn nicht viel Mühe gekostet hatte, sie vorzubereiten.

»Das war rücksichtsvoll von Mom«, hatte Dina mehr als einmal beinahe verblüfft gesagt. »Dass sie sich schon vor Jahren um die Beerdigung gekümmert und für alles bezahlt hat. So würde ich es auch machen.«

Ich war mir nicht sicher, ob es Rücksicht war oder sie nicht gewollt hatte, dass wir an irgendwelchen Entscheidungen beteiligt waren, nicht gewollt hatte, dass wir sie vermasselten. Anscheinend hatte ein Anruf von Simon die Dinge ins Rollen gebracht, aber er war derjenige, der gezwungen gewesen war, Kleider für unsere Mutter auszuwählen und zu sehen, wie ihre Leiche weggebracht wurde, und in seinem Schweigen, das angespannter war als sonst, spürte ich seinen gegen uns – und besonders gegen mich, da ich der Älteste war – gerichteten Groll, weil wir nicht da gewesen waren, um ihn zu unterstützen. Jetzt hatte ich Schwierigkeiten, ihm ins Gesicht zu schauen, denn er war mit Recht gekränkt.

Ich war so zufrieden gewesen auf Old Mission, hatte mit mir selbst in Frieden gelebt, als das Leben den Körper meiner Mutter verlassen hatte. Es kam mir schändlich und unverzeihlich vor, dass ich nicht da gewesen war. Wenn sie wüssten, dachte ich und hatte beinahe Angst, die Männer und Frauen um mich herum anzusehen. Ich hatte meine Mutter seit mehr als fünf Jahren nicht gesehen, und nun war sie tot.

Der Lärm, die Hitze, das Knirschen der Räder von Einkaufswagen, das Gewirr der Sprachen und das Englisch mit seinem starken Akzent, die Atmosphäre des »Bullvars« (wie ich Leute in meiner Umgebung hatte sagen hören) als endlose Narbe, und selbst die hübschen Wolken engten mich ein.

Auch wenn jeder sagte, die Stadt sei seit Jahren nicht mehr so sauber und sicher gewesen, konnte ich mit New York nichts anfangen, nachdem ich anderthalb Jahrzehnte in Michigan gelebt hatte. Ich konnte die Aufregung, die Kraft, die ich in dieser Stadt eigentlich spüren und genießen sollte, nicht empfinden – ich kannte nur den Lärm, die bedrückende Atmosphäre, das erdrückende Gewicht all dessen. Hatte ich mir tatsächlich jemals vorgestellt, dass es auf der Welt keinen anderen Ort gab, an dem man leben konnte?

Als ich in die Junior High School kam, zogen unsere Eltern mit uns in die Upper West Side, aufgewachsen aber waren wir in Inwood an der nördlichen Spitze Manhattans in einem deutsch-jüdischen Viertel, das im Schatten des Inwood Hill Park lag, der voller alter indianischer Höhlen war, die vor Tausenden von Jahren Gletscher in den Boden gemeißelt hatten und wo man noch immer indianische Pfeilspitzen finden konnte. Wir Kinder hatten es geliebt, wenn wir Stücke Muskovit-Schiefer entdeckten und deren glänzende Schichten abschälten. Dieser Park war ein mysteriöser Ort mit zweihundert Jahre alten Eichen, ein Zufluchtsort, an dem die Stadt unten nicht nur weit weg, sondern unsichtbar war, eine Oase, deren Stille dem Lärm der Stadt trotzte wie der Ruf der Krähen in den dreißig Meter hohen Wipfeln der Bäume. Da gab es die seltsamen Ginkgos – mit ihren fächerartigen, fleischigen Blättern –, die ursprünglich aus China kamen. Als kleiner Junge war mir das wundersam vorgekommen – Bäume von der anderen Seite der Welt.

Es war alles sauber und ruhig gewesen, und Downtown, der Ort, an dem das eigentliche Leben spielte, war mit der U-Bahn schnell zu erreichen. Aber noch bevor Inwood verfiel, da sich die Stadt drum herum anscheinend selbst mit Dreck besudelte, bevor New York langsam verrückt und unerträglich zu werden schien, bevor wir in die sauberere und sicherere Upper West Side zogen, war ich bereit gewesen, zu gehen, bereit für ein neues Zuhause. Und jetzt, fünfzehn Jahre, nachdem ich New York verlassen hatte, schien die Stadt unerträglicher denn je zu sein. Wenn ich die New York Times durchblätterte, empfand ich den legendären kulturellen Reichtum der Stadt als überwältigend, wie eine teuflische Liste, die immer länger und anstrengender werden würde, egal, was man von ihr strich.

Ich hatte mich schon seit Jahren nicht mehr als New Yorker betrachtet. Wenn Menschen fragten, wo ich herkomme, sagte ich immer, aus Michigan. Ich nehme an, ich hätte auch sagen können, von »nirgendwo«, aber das wäre unverschämt gewesen.

Ich hatte keinen New Yorker Akzent mehr, also war der Schwindel glaubwürdig. Ich sagte »Sack« statt Papiertüte und »Brause« statt Soda, wenn ich bei dortigen Varianten wie »heighth« und »acrosst« auch eine Grenze zog. Ich verstand, dass man die Lage unbekannter Orte in Michigan anderen Michigandern verdeutlichte, indem man seine Hand zeigte und darauf deutete, weil die Lower Peninsula in etwa der Form eines Fäustlings entspricht. Ich sagte lieber »Michigander« als das hochgestochene, wenn auch offizielle »Michiganian«. Ich verfolgte den Konkurrenzkampf zwischen den Football-Teams der Universitäten von Michigan und Ohio State wie auch die innerstaatliche Rivalität mit Michigan State und genoss sie in vollen Zügen. Ich hatte mich unbedingt anpassen oder, genauer, verschwinden wollen.

Vielleicht war ich zu erfolgreich gewesen.

Ich dachte an das nur aus Erde bestehende Grab und stellte mir meine eigene Beerdigung vor. Wer würde kommen – wen würde es kümmern?

Just in diesem Moment bemerkte ich, dass die gut einge-mummelten alten Leute auf der Bank mir gegenüber mich mit dem gierigen Wohlwollen von Bewohnern eines Pflegeheims anlächelten, die den Besucher eines anderen entdecken. Sie sahen derartig hungrig aus, dass ich rufen wollte: »Leckt mich am Arsch! Lasst mich in Ruhe!«

Ich beeilte mich, von meiner Bank wegzukommen.

Forest Hills war (selbst für das revitalisierte New York) sehr sauber, und als ich auf dem Bürgersteig, der so den Schmutz der Stadt wieder heraufzubeschwören schien, zurück zu Simons Wohnung ging, erkannte ich, dass wir drei uns seit unserer Kindheit kaum verändert hatten. Ich erinnerte mich, wie Dina schrie und mit ihren kleinen Füßen aufstampfte, Simon eins dieser Spielzeuge anbot, mit dem Kleinkinder beschwichtigt werden, und ich zu nichts anderem in der Lage war, als zu flüchten. Dinas Zorn war wie das Kreischen von Vögeln in einer Tierhandlung – purer Lärm, dem sich nur schwer eine Bedeutung abgewinnen ließ; er hatte mich stets vertrieben.

In dem kleinen, billig paneelierten Fahrstuhl wurde mir klar, dass ich Dina nie sehr gemocht hatte und Simon nicht gut genug kannte, um mir sicher zu sein. Mein Gott, was waren wir für ein jämmerlicher Haufen.

Als ich oben war, entschuldigte sich Simon.

»Wofür?«

»Wegen Dina. Sie ist durcheinander.«

»Sie ist nicht durcheinander. Sie entwickelt sich zu Mom. Ich dachte immer, sie wollte das Gegenteil sein, aber sieh sie dir an.«

Simon zuckte die Achseln, nicht bereit, mir zuzustimmen oder zu widersprechen. Er sah zu, wie ich auspackte und meine Sachen in einer Ecke des knallbunten Wohnzimmers ausbreitete. Ich lächelte über dieses taktvolle Wort »durcheinander« und fragte mich, wie ich mit ihm reden sollte; normalerweise vermittelte Dina zwischen uns. Das heißt, wenn sie nicht auf mich oder Simon oder die ganze Welt sauer war.

»Mom hat mich eine Woche, bevor sie starb, angerufen«, sagte ich.

Simons Gesicht war ausdruckslos, aber ich konnte an seiner Stimme erkennen, dass er überrascht war. »Was hat sie gesagt?«

»Nichts. Es war nur eine Nachricht auf meinem Anrufbeantworter. Hat sie dir gesagt, dass sie mich anrufen würde?«

Er zuckte die Achseln. »Nein.« Er sah so verblüfft aus, als hätte ich ihm erzählt, der Papst hätte mir eine Nachricht hinterlassen. Meine Mutter war nie der Typ gewesen, der mit jemandem in Kontakt blieb – zumindest nicht mit mir.

Als ich mich aufs Sofa setzte, fragte Simon, ob er etwas sagen könne. Ich zuckte die Achseln, und er setzte sich mit verletztem Blick vertraulich zu mir, sprach aber nicht, und ich wartete ein wenig nervös. Simon hatte so viele harte Prüfungen durchgemacht: hatte Drogen genommen, sich planlos treiben lassen, hatte Autounfälle gehabt, war süchtig gewesen und hatte sich scheiden lassen. Er machte mir Angst. Ein derart andauerndes Scheitern hatte fast etwas Historisches an sich. Wenn man ihn ansah, war es schwer, nicht genauso wie unsere Eltern darüber enttäuscht zu sein, dass er nicht mehr aus seinem Leben gemacht hatte als – mit fünfunddreißig – Taxifahrer zu werden. Ich konnte mir den Hohn meines Vaters vorstellen: »Immigranten tun das – Leute, die kein Englisch sprechen. Du bist Amerikaner!«

Taxi fahren war nicht das, was mein Vater gemeint hatte, als er uns als Kinder alle gedrängt hatte: »Tut etwas Praktisches, wie ich! Auf Zahlen, auf Zahlen kann man sich verlassen!« Die unausgesprochene Botschaft war, dass das Leid, dem er in Osteuropa entkommen war, das Leid, auf das er bestenfalls anspielte, in dem er sagte, »schrecklich – fragt nicht«, jeden von uns erwartete, wenn wir seinem Rat nicht folgten.

Wir wussten, dass sein Vater in einer Art Pogrom getötet worden und seine Mutter an Tuberkulose gestorben war. »Sie starb in meinen Armen«, war alles, was er uns je erzählte. Er war erst zehn oder elf (die Geschichte änderte sich oft), und entfernte Cousins in New York gaben dem Waisenkind ein neues Zuhause, das nicht jedermanns Vorstellung vom Gelobten Land entsprach. Sie waren die wohlhabenden Besitzer eines Geschäfts für Herrenbekleidung und gaben ihm in ihrer riesigen Wohnung in Washington Heights ein winziges kleines Dienstmädchenzimmer und behandelten ihn wie einen Diener, spotteten über seinen Akzent, als er englisch lernte, über seine Hoffnungen, sich zu verbessern, über alles. Geizig und kaltherzig, bestraften sie ihn ständig für *ihren* Mangel an Güte, und sobald er die Highschool abgeschlossen hatte, flüchtete er.

»Es war wie ein Gefängnis«, war eine seiner wenigen düsteren Bemerkungen. »Diese Hurensöhne.« Er hatte als Bote, als Bügler und wer weiß was noch gearbeitet. Aber da er schließlich in der Lage gewesen war, einen sehr guten Lebensunterhalt für seine Familie zu verdienen, war es für meinen Vater ganz klar, dass er Recht hatte, wenn er uns Ratschläge gab.

Meine Mutter hatte ihre eigene Botschaft, zumindest für mich. In der Grundschule war ich von Schulausflügen in den Zoo und Spaziergängen in der Natur angetan und stolz gewesen, dass meine Aufsätze und Berichte über diese Ereignisse von meinen Lehrern gelobt wurden. Meine Mutter hieß die Noten gut, aber nicht die Aufgaben. »Schreiben – was bringt dir das denn?« Sie sagte das so oft, dass sie meine noch kaum entwickelten Träume vom Schreiben, vom Bücherschreiben über das, was ich in der Welt sah, wenn ich ganz still war, damit in Stücke riss. Und so war ich nur ein besserer Hüter anderer Leute Bücher geworden und hatte Angst, Autoren wie Annie Dillard oder auch nur Thoreau zu lesen, weil ich neidisch werden könnte und mich schämen. Sie hatte mich gebrochen, im Gegensatz zu Dina, die auf die ständige Kritik unserer Mutter reagierte, indem sie sich darauf konzentrierte, für andere unwiderstehlich zu werden.

»Paul?«, fragte Simon endlich. »Hast du Angst?«

Ich nickte vorsichtig, da ich das Gefühl hatte, dass dies die gewünschte Antwort war. Man lernt das mit Frauen: leg dich nicht fest, indem du etwas sagst, solange du nicht erkennst, wo das Gespräch hinsteuert. Und selbst dann …

»Ich kann nicht schlafen. Das Taxi fahren macht mich verrückt. Und Dina macht es auch nicht besser.«

»Dina. Sie braucht zu viel Aufmerksamkeit.«

»Das tun wir alle. ›Aufmerksamkeit – Aufmerksamkeit muss schon sein.‹ Erinnerst du dich?«

Das tat ich, und es war mir unangenehm. Vor Jahren hatten Simon und ich eine Wiederaufnahme von *Tod eines Handlungsreisenden* gesehen und uns anschließend betrunken, während wir uns über Dad unterhielten. Simon erzählte mir, Dad gebe ihm stets das Gefühl, er sei nicht gut genug, was komisch war, weil ich gedacht hatte, er wäre zu nachsichtig mit ihm. In jener Nacht war Simon in dem Schlafzimmer, das wir uns teilten, aus seinem Bett gekrochen und hatte mich in den Arm genommen. Die ganze Nacht hatte er mich im Schlaf heftig umarmt wie er es getan hatte, als wir kleine Jungs waren und er einmal etwas gemurmelt hatte, das geklungen hatte wie: »Lass nicht zu, dass sie mich kriegen«. Es war mir peinlich und ich war sogar böse auf ihn, brachte es aber nicht übers Herz, ihn rauszuschmeißen – er war so Mitleid erregend.

Und Jahre später, als er sich erst vor Dina und dann mir als Bisexueller bekannte, kam es mir sogar noch peinlicher vor, weil ich mich gefragt hatte, ob sein Bedürfnis nach Trost zum Teil erotischer Natur war. Es verdarb die Erinnerung noch mehr.

Am Morgen nach dem Theaterstück hatte Simon ausgesehen, als schämte er sich, und nicht mit mir gesprochen, was ich als Erleichterung empfand. Das war keine Episode, die ich in irgendeiner Art und Weise noch einmal erleben wollte.

»Ich bin so müde«, sagte er nun, an meine Schulter gelehnt, und legte dann den Kopf auf meinen Oberschenkel. Auch ich war müde und rückte nicht von ihm weg. Wen zum Teufel juckte das jetzt noch?

Als er schlief, dachte ich darüber nach und ließ es dann aber sein, strich ihm ein- oder zweimal über die Haare, da er es ja nicht mehr mitbekam. Falsch ausgelegt werden konnte es nicht, dachte ich, und es schien mir das Richtige zu sein.

Merkwürdigerweise stellte ich fest, dass ich wünschte, ich könnte um die Mutter, die wir verloren und vielleicht nie gehabt hatten, weinen.

Als Dina nach ihrem Nickerchen wieder auftauchte, lächelte sie über die brüderliche Pieta, und ich kam mir vor wie ein Trottel. Sie rief eine alte Freundin vom College an und lud sich selbst bei ihr zum Essen ein, während Simon und ich uns auf den Weg zu einem nahe gelegenen Deli machten und dort koschere Frankfurter Würstchen und dampfende Kartoffel-Knisches mit knuspriger Schale verschlangen. Wir ergingen uns in dem schlichten, aber duftenden Deli in Erinnerungen an die Freitagabende unserer Kindheit, an denen Dad das Ende der Woche feierte, indem er mit einer Tüte mit Leckerbissen nach der anderen nach Hause kam: frische rechteckige Zwiebelbrötchen, russisches Schwarzbrot, entkernter Roggen, fette, halbsaure Pickles, Pastrami, Zunge, Corned Beef, Kartoffelsalat, Hering in Weinsauce. Er war wie der aus den Kriegen zurückgekehrte Othello, freudig und prahlerisch: »Seht euch das an!« Seine und unsere Aufregung bei diesem Bruch mit der Routine und dem fieberhaften Auspacken baute sich auf, bis wir so ausgelassen waren wie Schulkinder an einem Tag, an dem Schnee fällt, meine Mutter jedoch hielt sich zurück und betrachtete unsere Freude aus einer gebieterischen Distanz.

Diese improvisierten, schludrigen Mahlzeiten stellten für sie kein wirkliches Essen dar, andererseits aber konnte man nie sagen, was unserer Mutter gefallen oder nicht gefallen würde. Wenn auch attraktiv, so war sie doch eine Frau mit einem starren Gesichtsausdruck, lächelte nicht, hatte kleine Augen und ihre Gesten waren steif. Kein Kleid konnte ihren dünnen und starren Körper wirklich weicher machen, sie weniger streng erscheinen lassen. Und ihre Anerkennung war wie etwas, dem man in Träumen hinterher jagt und das man sowohl braucht als auch fürchtet.

»Wir haben ein tolles Deli in Ann Arbor,« sagte ich. »Es ist so voll, dass die Leute Schwierigkeiten haben, rein zu kommen.« Ich hasste die dumme Bemerkung, durch die ich mich anhörte wie ein Depp von der Handelskammer, sofort. Was tat ich da – versuchte ich Simon zu beeindrucken?

Wie es jeder tun würde, den das nicht interessierte, antwortete er mit einem höflichen »Prima.« Und ich dachte über die Tatsache nach, dass ich ihn oder Dina nie eingeladen hatte, mich in Michigan zu besuchen. Und auch sie waren nie darauf zu sprechen gekommen. Das Schweigen in unserer Familie war so eindeutig und dramatisch wie Semaphore.

Plötzlich wollte ich ihm von meinem neuen Auto erzählen. Ich hielt mich eine Weile zurück, aber ich musste es einfach loswerden.

»Ich hab mir gerade einen Grand Prix GTP gekauft«, fing ich an. »Schwarz. Aufgemotzter Motor. Head's up Display. Schiebedach. Beheizbarer Fahrersitz. Digital gesteuertes Armaturenbrett, das dir zeigt, ob der Ölstand niedrig ist, ob die Reifen Luft brauchen, die Türen einen Spalt offen stehen, wie viele Meilen man mit dem Benzin noch fahren kann…« Vielleicht hörte ich mich an wie ein Fanatiker, aber ich machte trotzdem weiter, listete jedes Merkmal auf, an das ich mich erinnern konnte, erzählte ihm, wie unglaublich toll es sei, den Wagen zu fahren. Das tat seine Wirkung, und ich konnte sehen, dass ich ihn dazu verleitete, selber lederne Schalensitze und Speed haben zu wollen. Ich erzählte ihm alles über den Wagen außer das, was der miserable Verkäufer gesagt hatte: »Junge Burschen lieben das.« Und auch wenn ich keine leichte Stirnglatze oder den Ansatz eines Spitzbauchs hatte wie er, so hatte es mich doch geschmerzt, als ich feststellte, dass dieser Kerl mich mit sich in einen Topf warf, uns zu Zuschauern des Vergnügens anderer Leute machte. Natürlich regelte diese eine Bemerkung den Deal, und vielleicht war es das, was er damit bezweckt hatte.

Simon und ich mussten viele Situationen wie diese erlebt haben, als wir aufwuchsen und ich über die Yankees oder über Biologie oder irgendein anderes Thema auf meinen kleinen Bruder einquasselte, in dem ich mich gerade selbst zum Experten erklärt hatte, während Simon sich in meiner relativ weltlichen Gesinnung sonnte oder ich das zumindest glaubte. Ich konnte mich an nichts Bestimmtes erinnern, aber der Rhythmus dieser Momente war beruhigend und vertraut. Simon grinste jetzt, als ich fertig war, und ich schob mir mehr Knisch in den Mund. Ich spürte keinerlei Groll seinerseits, und das Schweigen, in dem wir unsere Mahlzeit fortsetzten, war tatsächlich freundschaftlich. Zumindest konnten wir etwas ohne Anspannung miteinander teilen, dachte ich, auch wenn es nur ein unvollkommenes Essen in einem Deli war.

Während Dina in dieser Nacht noch aus war und Simon auf der Couch fest schlief, lag ich in seiner Nähe in einem Schlafsack auf dem mit goldenen Figuren durchwobenen Teppichboden und dachte an Old Mission. Wie Simon und Dina war auch ich auf eine ganz eigene Art ausgebrochen, als wäre ich ein Mystiker, der die reine Leere einer Wüste sucht, um sich dort Visionen hinzugeben. An meinem letzten Abend auf Old Mission war ich rutschend und über die zahlreichen

Kieselsteine stolpernd am Ufer des kalten Wassers entlang spaziert, und der Kragen meiner tiefblauen University of Michigan-Windjacke war mir gegen den Hals und das Kinn geschlagen. Ich saß für eine Stunde auf dem dicken Vorsprung eines Schieferfelsens, der sich stufenförmig in den See senkte. Als ich mich schließlich erhob, um zurück zu meiner Hütte zu gehen und einen Schuss Chivas zu trinken, sah ich etwas Unförmiges und Merkwürdiges, das sich zwischen den Felsen zu meiner Rechten verfangen hatte. Ich richtete mich auf und sah es mir genauer an. Ein toter, aufgedunsener Collie mit angeklatschtem Fell war irgendwie dort angespült worden. Ich konnte sein Gesicht nicht sehen und war traurig und angewidert zugleich. Zum Essen richtete ich ein wildes Feuer her, das die ganze Düsterkeit zerriss, und versuchte mich vor dem Bild dieses Hundes zu schützen. Ich grillte ein Steak und legte die Kohlen zurecht, als könnten sie die Tatsachen für mich ordnen, ihnen eine Bedeutung verleihen – aber da war keine.

Ich sah am nächsten Morgen nach. Starker Regen hatte den Collie zurück in die Bucht geschwemmt, und die Felsen, in denen er hängen geblieben war, waren durch das gestiegene Wasser verdeckt.

Ich hatte nicht damit gerechnet, dass mich dieser tote Hund bis nach New York verfolgen würde. Aber trotz dieses hinter meinen Augenlidern herumschwirrenden Bildes sehnte ich mich danach, zurückzufahren. Schon die Worte an sich – Old Mission – schienen magisch zu sein und mich zu beschützen. Es war das zweite Mal, dass ich mir die Hütte lieh, weil ich mich da oben zum ersten Mal seit Jahren innerlich ruhig gefühlt hatte. Aber war es real? Hielt ich mich an Old Mission fest wie ein Kind, das ein ausgeklügeltes Ritual des Zu-Bett-Gehens eingeführt hat, um Albträume abzuwehren – das Bettlaken so, den Teddy dahin, die Lieblingssteine in geheimer Harmonie auf einem Regal aufgereiht –, um mich zu retten?

Ich schlich mich in meiner Unterhose in die Küche, um etwas Saft zu trinken. Als ich den Kühlschrank öffnete, kam Dina herein.

»Du bist noch auf? Möchtest du Kaffee?« Sie lächelte darüber, dass ich fast nackt war. »Du siehst großartig aus. Schwimmst wohl immer noch, was?« Sie deutete vage auf meine Bauchmuskeln und blinzelte. »An das Sixpack kann ich mich allerdings nicht erinnern.«

»Eightpack«, korrigierte ich sie, ging zurück ins Wohnzimmer, schnappte mir meinen Bademantel und zog den Gürtel fest, während ich mich wieder zu ihr gesellte.

Dina hängte ihren schwarzen, mit einem Schalkragen versehenen Blazer über eine Stuhllehne, fummelte an dem Teekessel herum und ließ beinahe das Glas mit dem Nescafé fallen. Aber es bestand keinerlei Gefahr, dass Simon aufwachen würde, der sich, wenn er einmal schlief, durch nichts stören ließ. Wir setzten uns an den kleinen Tisch mit der dicken Holzplatte. Dina sah müde aus, ihr Kiefer und die Schultern fielen herab, und ihre Augen waren schmal.

»Hat Mom dir irgendwas davon gesagt, dass sie mich angerufen hat?«

»Was?«

»Sie rief mich vor einer Woche an.«

»Mom hat dich nie angerufen!«

»Und ob sie das hat!«, hätte ich fast gesagt, aber ich beherrschte mich. »Ich weiß. Ich war überrascht. Ich hab nicht zurückgerufen. Hat sie es dir gegenüber erwähnt?«

Dina seufzte und schüttelte den Kopf. »Ich weiß nicht, warum sie dich wegen irgendwas angerufen haben sollte.«

»Vielleicht ging es ihr nicht gut.«

»Das hätte sie dann mir oder Simon oder auch Mrs. Gordon sagen können. Warum sollte sie es dir da draußen in Michigan erzählen?«

»Sie könnte gewollt haben, dass ich komme und sie besuche.«
Aber noch während ich das sagte, klang es unwahrscheinlich.

Dina wechselte das Thema. »Es ist gut, ab und zu mal von
Serge und seiner verfluchten französischen Walton-Familie
wegzukommen.«

Sie klang dermaßen abgegessen, dass ich fragte: »Warum
bleibst du dann?«

»Orgasmen.«

»Boah!«

»Du hast gefragt, Baby, also sag ich's dir. Bei Serge brauche
ich nicht zu phantasieren. Das ist mir noch nie passiert. Wenn
ich mit ihm im Bett bin, bin ich *da*. Er ist wirklich gut. Nicht
leidenschaftlich, aber ausdauernd. Geduldig. Methodisch, als
würde er ein Klavier stimmen. Aber ansonsten ist er ein Trottel, *un espèce de con*.«

Ich wusste nicht, was ich sagen sollte, und wir warteten darauf, dass das Wasser im Kessel kochte.

»Ich mach mir Sorgen wegen Simon«, sagte sie endlich,
ohne mich dabei wirklich anzusehen.

Sie machte sich ständig Sorgen wegen Simon, dachte ständig
über Simon nach. Ich fragte mich, ob Dina und Serge jemals
über Simon sprachen.

Ich wusste, dass ihre Freunde Simon nie gemocht hatten,
es überhaupt nicht mochten, wenn sie so lange mit ihm tele-
fonierte, die Ergebenheit, die sie dazu gebracht hatte, durch
den gewaltigen Schneesturm von 1978 von Boston, wo sie
arbeitete, nach New York zu fahren, bloß weil er an jenem
Wochenende angerufen und gesagt hatte, er habe sich von einem Typen getrennt und brauche sie. Dina liebte Simon nicht,
sie betete ihn an, und zwar so sehr, dass ich mich fragte, ob
sie ihn wirklich sah, den Mann von dem trennen konnte, was
sie für ihn empfand. Sie war seine zuverlässige Anhängerin,
sein Cheerleader; nichts von dem, was er tat, schien sie je zu
schockieren oder ihr zu missfallen.

Wir sprachen ein bisschen über sein Pech mit der Schule, mit Frauen, mit Männern und mit dem Leben im Allgemeinen. Das war einfach – als grübelte man über einen Zeitungsartikel. Er war nie glücklich gewesen, schloss ich.

»Und wer ist das schon? Bist du's?«

Ich zuckte die Achseln. Es ging tiefer bei Simon, aber ich war mir nicht sicher, wie ich es erklären sollte. Und Dinas Trunkenheit wirkte sich irgendwie auch auf mich aus. Es schien mir ganz eindeutig zu sein, dass ich mich wirklich glücklich nur gefühlt hatte, als ich in Valerie verliebt war. Vor zu vielen Jahren.

»Du bist niedlich, Paul. Es ist so lange her, dass ich es ganz vergessen habe.« Ich zuckte zusammen, kam es mir doch vor, als würde sie mich kritisieren, weil ich so lange weggeblieben war. Sie kannte all die Gründe dafür – alle, war es nicht so? Aber ich fühlte mich trotzdem schuldig, nahm ihr übel, dass sie, wenn auch nur indirekt, davon angefangen hatte.

Als der Kessel zu pfeifen begann, stand Dina ohne zu stolpern auf, griff mit einer flatternden Hand nach dem Kessel, goss heißes Wasser in ihre Tasse und tastete nach dem daneben liegenden Löffel. Der leicht säuerliche Geruch ihres Schweißes vermischte sich mit dem scharfen Duft von Alkohol und dem Aroma von Kaffeepulver.

Aber etwas an ihr ließ mich sagen: »Du erinnerst mich an Mom.« War es der Ausdruck in ihren Augen?

»Was?« Dina schien verdutzt zu sein und vielleicht ein wenig verärgert. Wir hatten das Alter weit hinter uns, in dem einem die Ähnlichkeit mit den Eltern wie eine Niederlage vorkommt, aber es war trotzdem keine Bemerkung, die wir besonders gern hörten. Dann lächelte sie. »Sie war ein zähes Miststück, oder? Ich schätze, das musste sie, um zu überleben.«

Und da war es nun: das Schweigen zwischen uns, die Leere, das schwarze Loch in *unserem* Universum. Unsere Mutter hatte überlebt, aber keiner von uns wusste wirklich, was das für sie oder uns bedeutete.

Dina fuhr fort. »Ich möchte morgen wirklich nicht in Moms Wohnung gehen. Ich möchte nicht anfangen, ihre Sachen zu sortieren.«

»Dann lass es.«

»O Gott, bist du beruhigend. Vielleicht hättest du Therapeut werden sollen anstatt Bibliothekar.« Selbst mit ihrem vor Verachtung verzogenen Gesicht sah sie großartig aus – man stelle sich Boticellis Venus in Leder, Doc Martens und mit einem höhnischen Lächeln vor. Aber dann erschlaffte sie ein wenig, ihr Gesicht wurde plötzlich ganz ausdruckslos, und sie wirkte jünger, unsicher und ziemlich einsam.

Sie war süß, aber ich konnte ihr nicht helfen, und sie konnte nicht um Hilfe bitten. Wir waren immer eine Familie gewesen, die kaum zuhörte, in den Worten des anderen kaum etwas entdeckte. Wir redeten, um die Pausen zu füllen, denke ich.

Als hätte sie meine Gedanken erahnt, platzte sie wütend heraus: »Wirst du Valerie anrufen, während du hier bist, oder nicht?«

Ich kam mir durch die Frage ganz nackt vor, schämte mich und musste sofort wieder an den Tag in meinem letzten Jahr am College denken, als Dina praktisch über mich und Valerie hergefallen war und zu wissen verlangt hatte, warum wir nicht heirateten. Dina, Valerie und ich waren ausgegangen, um uns einen Film anzusehen, und nun wieder zu Hause in der Wohnung von Mom und Dad. Ich erinnerte mich, dass wir steif, ohne einander zu berühren, Seite an Seite auf der Couch im Wohnzimmer saßen, während Dina sich grimmig wie ein Staatsanwalt gegenüber von uns hinhockte und sich unerklärlicherweise enthusiastisch darüber ausließ, wie perfekt wir füreinander seien und dass es absolut keinen Grund für uns gebe, nicht zu heiraten. Sie war ein Jahr jünger als ich, drohte uns aber mit dem Zeigefinger, als wäre sie eine weise alte Frau. Es könnte eine halbe Stunde so weitergegangen sein oder auch nur fünf Minuten gedauert haben; wie lange auch immer, ich kam mir total entblößt vor. Valerie und ich waren derart fassungslos, dass wir, außer direkt danach, nie mehr über Dinas Ausbruch sprachen. Als Dina so unbekümmert wie Fitzgeralds Daisy Buchanan in ihr Zimmer abtanzte, brachte ich ein nervöses »Sie ist verrückt« heraus. Valerie, mit der ich damals seit mehreren Jahren zusammen war, schüttelte den Kopf und warf dabei ihre langen gewellten, roten Haare hinter die Schultern zurück.

»Feigling!«, sagte Dina nun genauso, wie sie dies und vieles mehr vor all diesen Jahren gesagt hatte. Ich war älter, fühlte mich aber nicht weniger verletzlich. Ich versuchte nicht einmal, etwas zu erwidern.

»Weißt du, Paul, es ist nicht deine Schuld, dass du ein Arschloch bist.« Und dann wurde Dina, die herrlich betrunkene, müde Dina, ohne auch nur an ihrem Instantkaffee genippt zu haben, ohnmächtig und rutschte – voller Anmut – auf den Küchenboden.

∽

Am Morgen aß Simon ungerührt sein Müsli, während wir zum ersten Mal über das Testament diskutierten. Ich wusste irgendwie, dass meine Mutter Simon zum Testamentsvollstrecker gemacht hatte, obwohl ich der Älteste war. Tatsächlich hatte er bereits in anderen Familienangelegenheiten, über die keiner von uns gerne sprach, eine Rolle eingenommen, von der sie vielleicht erwartet hatte, dass ich sie spielen würde. Ich denke, ich nahm an, dass er ihr Testament bereits gesehen hatte und mir sagen konnte, was darin stand, war mir dessen aber nicht sicher. Aber ich wusste nichts Genaues, weil ich mich zu sehr geschämt hatte, um zu fragen, und nicht sicher war, was passiert war, nachdem unsere Mutter starb. Mit jeder Frage machte ich nur deutlicher, dass ich nicht da gewesen war, keinen persönlichen Bezug gehabt hatte.

Simon erklärte, er habe ihr Testament im Wäscheschrank bei dem kleinen Badezimmer der Eltern im vorderen Teil der Wohnung gefunden. »Es war nicht versteckt oder so was – Mom hat mir mal gesagt, wo ich gucken soll. Es lag in einer Kassette, aber sie war nicht verschlossen. Hauptsächlich hat sie unsere alten Zeugnisse da drin aufbewahrt, ihre Eheerlaubnis, die Kontoauszüge ihrer Investmentgesellschaft, solche Sachen, und die Vorkehrungen für, du weißt schon …«

Er sah nervös nach unten, und Dina trank hastig ihren Kaffee. Ein weiteres Minenfeld.

Schulzeugnisse? Es wirkte wie eine seltsame Mischung aus Sentimentalität und kalter Buchführung.

»Sonst hab ich in ihrer Wohnung nicht viel gefunden«, fuhr Simon fort. »An Papieren, meine ich.« Als hätten wir uns darauf verständigt, hatten wir in den letzten paar Jahren alle angefangen, die Eigentumswohnung, in der wir den Großteil unserer Jugend verbracht hatten, »Moms Wohnung« zu nennen.

»Es ist jetzt deine Wohnung«, sagte Dina zu Simon, um einen leichten Ton bemüht, aber ihre Bitterkeit vergiftete die Worte, und das passte zu ihrem mitgenommenen Äußeren. Sie trug die Kleider vom Vortag und hatte sich auch die Haare nicht so sorgfältig gebürstet wie sonst. Trotzdem war sie immer noch schön, wie ein Model nach einer sehr langen Fotosession.

»Die Wohnung geht an Simon.« Ich sagte es vorsichtig, als spielte ich eine Art Kinderspiel mit obskuren Regeln. Ich fühlte mich sicherer, indem ich eine Bemerkung machte.

Simon nickte. »Und Dina bekommt die Versicherungssumme.«

Dina nickte beinahe kampflustig, als erwartete sie, ich würde den Betrag für mich beanspruchen.

»Das sind 150.000 Dollar«, sagte sie. »Die Wohnung ist viel mehr wert. Ich weiß nicht, warum zum Teufel sie alles auf diese Art aufgeteilt hat.«

Ah, ja, Dina reihte mal wieder eine Klage an die andere. Unsere Mutter war tot, und wir redeten über ihr Testament – war das ohne Beschwerden nicht brutal und bizarr genug?

»Das ist ein Haufen Geld«, betonte Dina. »Für Simon. Und besonders für dich. Den Rest hat sie dir vermacht.«

Da war es nun also. Der »Rest« bedeutete offensichtlich »das deutsche Geld«, wie wir die Reparationen der westdeutschen Regierung für die Gefangenschaft meiner Mutter in Konzentrationslagern nannten.

»Das soll wohl ein Witz sein.« Ich hätte darum bitten können, eine Kopie des Testaments sehen zu dürfen, aber das hätte sich angehört, als würde ich ihnen nicht glauben oder nicht trauen.

Dina lächelte oder machte etwas mit ihren Lippen, das ein Lächeln sein sollte. »Ganz und gar nicht.«

Simon nickte, ohne etwas zu sagen, und ich fühlte mich einmal mehr auf subtile Weise beschuldigt. »Das sind fast eine Million Dollar.«

Ich muss ungläubig geguckt haben, denn er nickte heftig. »Dad hat sie dazu gebracht, das Geld bei Goldman Sachs zu investieren. Im Laufe der Jahre …« Er zuckte mit den Achseln.

Wir vermieden es, einander anzusehen, und das Frühstück ging in relativer Stille weiter. Ich beeilte mich, eine Dusche zu nehmen und über die Neuigkeiten nachzudenken, die mich frösteln ließen. Eine Million Dollar? Ich hatte bizarre Vorstellungen von Ed McMann und einem dieser übergroßen albernen Schecks von Publishers' Clearinghouse. Wo waren die Blumen und die Luftballons? Und warum war dies nicht aufregend?

Unsere Mutter hatte das deutsche Geld ursprünglich nicht gewollt – es war mein Vater, der sie gedrängt hatte, es zu beantragen, als wäre das keine Qual für sie. Die Wutausbrüche, die unsere Eltern deswegen hatten, hatten uns alle erschreckt. »Du schuldest es uns«, hatte er immer wieder gesagt, als er versuchte, ihren Widerstand nach und nach zu brechen. »Du schuldest es den Kindern.«

Stimmte das? Meine Schwester Dina und ich waren uns (untereinander) einig gewesen, dass die Vorstellung, von den Deutschen Geld zu nehmen, abstoßend war, und Simon hatte damals genauso geschwiegen wie jetzt. »Unsinn!«, hatte meine Mutter ihn mit großen Augen und stechendem Blick angeschrieen. »Ich schulde *niemandem* irgendwas.«

Ich glaubte, dass die ganze Sache, die ans Licht holte, was sie endgültig zu vergessen versucht hatte, zu traumatisch für sie war und sie zwang, darüber nachzudenken, mit deutschen Beamten in Beziehung zu treten, mit der deutschen Bürokratie, die Menschen jetzt nicht mehr zu Tode schindete, die zahmer, aber wahrscheinlich noch immer herzlos, grausam und effizient war.

Ich war entsetzt, dass Dad so gefühllos sein und ignorieren konnte, wie viel Angst sie hatte, wie wütend sie war. Genauso, wie ich es nicht glauben konnte, als meine Mutter ihre Meinung änderte und all die komplexen juristischen Schritte auf sich nahm, sich Leute suchte, die ihre Identität beschwören konnten, da alle ihre Verwandten tot und ihre Dokumente im Krieg vernichtet worden waren, die ärztlichen Untersuchungen, ihre Gänge zur deutschen Botschaft oder zum Konsulat, was von beiden es war, weiß ich nicht mehr. Sie machte das alles und gab nie eine deutsche Mark dieser mir bis dahin unbekannten Summe aus. Wenn die monatlichen Schecks in ihren fremdländisch aussehenden grünlichen Umschlägen eintrafen, schien sie beschämt zu sein oder sich zu wünschen, dass sie verschwänden, und mischte sie schnell unten in den Stapel der Post. Unser Vater fing schließlich an, sich über das deutsche Geld zu ärgern, obwohl er dabei geholfen hatte, dass die Summe größer wurde. Auch wenn ich nie etwas sagte, so war ich doch stolz auf meine Mutter, weil sie sich ihm widersetzte, indem sie es nicht ausgab.

Das war ziemlich typisch. Wir haben nie dem stereotypen Bild einer jüdischen Familie entsprochen. Wir waren alles andere als lebhaft und freimütig, wir hatten kein ständiges ausgelassenes Fest der Konversation. Dad konnte gesellig und zungenfertig sein, aber nicht mit uns, nie mit uns. Und ernste Themen waren bei uns einfach nicht angesagt.

Also sprachen wir nicht über das deutsche Geld, und wir sprachen nicht über die Jahre, die unsere Mutter in Konzentrationslagern verbracht hatte. Über schwierige Dinge sprachen wir nicht.

Ich saß auf dem Rand der Wanne, hatte den mit Leopardmotiven bedruckten Duschvorhang zurückgezogen, und trocknete meine Füße und Beine ab. Das Zimmer war als Pseudo-Dschungel gestaltet, mit Regalen und Fensterläden aus Bambus und Bildern von Wildkatzen. Wie hieß noch gleich dieser Song von Jethro Tull? »Bungle in the Jungle«. Simon war genau das – ein *bungler*, ein Stümper. Einmal hatte ich zufällig mit angehört, wie Dad seinen Freunden gegenüber klagte, sollte Simon ein Stück Toast fallen lassen, würde dieses mit Sicherheit auf der mit Butter bestrichenen Seite landen.

Weil meine Mutter sich geweigert hatte, irgendetwas von dem deutschen Geld auszugeben, und ich normalerweise nicht da war, wenn die monatlichen Schecks eintrafen, war es mir nie ganz real vorgekommen. Und so war die Summe im Geheimen gewachsen und gediehen – zumindest hatten wir es nicht mitbekommen. Wenn stimmte, was Dina sagte, dann war es weit mehr, als ich hätte erwarten oder schätzen können. Manchmal hatte ich mir vorgestellt, dass meine Mutter mich wahrscheinlich aus ihrem Testament streichen würde, weil ich meine Beziehung zu ihr abgebrochen hatte. Stattdessen aber hatte sie *mir* das deutsche Geld vermacht, und ich verstand das nicht. War es ein Test? Sollte ich irgendetwas damit machen, es als eine Botschaft begreifen?

Ich fragte mich, was Dad zu dieser Entwicklung gesagt hätte angesichts der Tatsache, dass er nie von dem deutschen Geld hatte profitieren können und es nun mir gehörte. Hätte er gelacht oder mich beschimpft oder gesagt, er wünschte, er hätte meiner Mutter nie zugesetzt, damit sie es beantragte? Nein, das war unmöglich, denn diese tolle Gelegenheit, sie zu tyrannisieren, hatte er nicht verstreichen lassen können.

Dad war ein grausamer, in vielen kleinen Dingen rücksichtsloser Mann, ließ Geschirr stehen, das dann jemand anders spülen konnte, ließ den Fernseher zu laut laufen (wir mussten ihn fast jeden Abend bitten, ihn leiser zu stellen), vergaß Versprechen, verschwand, wann immer etwas sein Interesse auf sich zog. Die Art von Mann, von der ich erwartet hätte, dass sie wegen Unterschlagung verhaftet würde – aber das Gebiet der Finanzen war eins, auf dem er total fokussiert und klar war, wo sich alles leicht nachvollziehen ließ.

Abgesehen davon war er launenhaft und beschuldigte uns, selbstsüchtig, nachlässig und unhöflich zu sein. Er konnte uns mit »Warum habt ihr nicht – ?« – Fragen bombardieren, bis wir angewidert daran verzweifelten, jemals verstanden zu werden.

Da er von den Cousins, die ihn aufgenommen hatten, so schlecht behandelt worden war, setzte er allzu gern seinen Willen durch. Mutter ignorierte seine Fehler entweder oder es war ihr egal. Vielleicht verwendete sie sie sogar als Beweise gegen ihn vor irgendeinem emotionalen Willkürgericht.

Er war wie ein Kind mit uns, kleinlich, gemein, aber auch spontan, machte uns eine Freude, überraschte uns mit Ausflügen ins Kino oder in den Zoo. Seine aufdringliche gute Laune hatte mich immer nervös gemacht, weil ich dachte, er schauspielere: spiele den netten Vater eher als wirklich einer zu sein. Manchmal, wenn sie am wütendsten war, nannte meine Mutter ihn einen Narr – und das Wort schien so klein zu sein, dass es vor Verachtung überfloss.

War ich selbst ein Narr, dass ich mir wegen des deutschen Geldes Gedanken machte? Durfte ich es überhaupt behalten?

Dina wollte dasselbe wissen, und sobald ich die Dusche Simon überlassen, mich angezogen hatte und in die Küche zurückgekehrt war, um noch einen Kaffee zu trinken, fragte sie mich. Ich erklärte ihr, ich sei noch zu keiner Antwort gekommen.

Dina grübelte, und dann schien sie mich deutlicher wahrzunehmen. »Mensch, Paul, du siehst ein bisschen grün aus.« Sie sagte es kritisch, nicht besorgt. Und dann lachte sie brüllend. »Wie damals, als wir im Playland mit der Achterbahn gefahren sind!«

Wir waren noch in der Pubertät gewesen und hatten uns in diesem Vergnügungspark zuviel reingestopft, hatten Süßigkeiten, Crêpes und alles, was wir sonst noch finden konnten, verschlungen, und auch wenn ich mich nicht übergab, nachdem ich aus der Achterbahn getaumelt war, so hatte ich doch stundenlang das Gefühl, als müsste ich das. Allein schon die Erinnerung an diesen ersten Schwindel erregenden Sturzflug war ekelhaft, mir wurde wackelig auf den Beinen, und ich setzte mich hin und schloss die Augen.

»Dir war so schlecht!«, schwärmte Dina überschwänglich. »Du warst ein Zombie, erinnerst du dich?« Und dann, bevor ich sie anbrüllen konnte, dass sie den Mund halten solle, kam sie wieder auf ihr neues Steckenpferd zurück. »Hat Mom das deutsche Geld für etwas gespart? Aber wofür? Warum hat sie es nicht gespendet oder verschenkt?«

»Das hat sie«, sagte ich und fand mein Gleichgewicht wieder. »Sie hat es mir gegeben.«

»Ich gebe zu, dass ich mich manchmal frage, ob du ein hoffnungsloser Fall bist, Bruderherz, aber ich glaube nicht, dass du die Bedingungen für eine karikative Organisation erfüllst.«

Ich ließ das durchgehen.

»Simon …« Dina machte eine dramatische Pause.

»Simon was? Glaubt er, er hätte es bekommen sollen, weil er über die Lager gelesen hat?«

»Na ja, warum nicht? Er ist derjenige, der von all dem besessen ist. Zumindest war er das früher.«

»Du meinst, es sollte eine Belohnung sein?«

Sie verzog das Gesicht. »Erzähl mir nicht, du denkst, eine Million Dollar, oder was nach Abzug der Steuern noch übrig bleibt, sind eine Strafe?«

»Ich weiß es nicht. Vielleicht sind sie das?«

»Wie auch immer. Aber das ist nicht der Grund, warum ich Simon erwähnt habe. Er hat Angst vor dir.«

»Vor mir? Warum?«

»Er sieht, wie du uns anschaust. Als wolltest du bei uns aufräumen, dafür sorgen, dass unser Leben mustergültig, normal und langweilig wird.«

»Was? Das ist Quatsch.«

»Ist es das?« Sie fixierte mich mit ihrem spöttischen, stechenden Blick. »Vielleicht haben mir all diese Jahre *gefallen*, in denen ich mich rum getrieben und mit meinen Freunden gestritten habe. Vielleicht war es aufregend. Und vielleicht wollte ich einen Katholiken heiraten und nach Kanada ziehen. Vielleicht wird Simon *immer* verwirrt und seltsam sein. Vielleicht *sind* wir einfach so. Mom und Dad konnten uns nicht ändern – glaubst du, du kannst es? Nur weil Mom tot ist, heißt das noch nicht, dass du das Familienoberhaupt oder so was bist, Geld hin oder her. Also denk nicht, du hättest jetzt die Verantwortung.« Nun ging Dina zur Abwechslung, und ich saß in der Küche und grübelte über meinem Kaffee. War etwas Wahres dran an dem, was sie sagte, oder hatte sie einfach Angst? Und wer von uns fürchtete sich mehr?

∽

Wir fuhren hinauf nach Inwood, um uns unser altes Viertel und den ersten Wohnblock, in dem wir gelebt hatten, anzusehen. Nennen Sie es morbide Neugier. Dina sah schick aus in ihrer schwarzen ledernen Dreivierteljacke, deren hochgeschlagener Kragen ihr Gesicht einrahmte. Ich fragte mich, wie viel Gepäck sie aus Quebec mitgebracht hatte.

»Vorsicht!«, brüllte Dina mehr als einmal, als Simon fast eine rote Ampel überfuhr. Ein Stück hinter uns fluchten Bremsen und es wurde gehupt. Der Straßenverkehr in Manhattan war bizarr. Die Wagen schlängelten sich so schnell hin und her, dass ich immer wieder zurückzuckte, weil ich mit einem Zusammenstoß rechnete, und mir war ein wenig übel, eingenebelt von Auspuffgasen, denen nicht zu entkommen war.

Ich dachte an die qualvollen Autoausflüge mit unserem Vater, der ein besserer Fahrer war als jeder andere auf der Straße. »Mach schon, *Yankl*«, brummelte er gehässig bei jedem, den er für eine Transuse hielt. »*Yankl*« war das jiddische Wort für »Kumpel«, aber wenn er es sagte, klang es scharf. Die übrigen Fahrer lösten bei Dad einen Sturzbach jiddischen Hohns aus: *Balvan*! *Flawkn*! *Schmendrik*!« Er fluchte, meine Mutter fragte, »muss das sein?«, und wir drei schauderten.

Gegen diese Erinnerungen ankämpfend hielt ich den Blick von der Fahrbahn abgewandt und versuchte, mich auf die Straßen und Gebäude zu konzentrieren. Und während ich hin und wieder bei einem flüchtigen Blick auf wunderschöne Beaux Arts-Steinskulpturen etwas Erleichterung fand, zogen die Gebäude und Geschäfte mit brutaler, verwirrender Vielfalt an uns vorbei: Restaurants, Banken, Nagelstudios und Zeitungsstände wurden von Wein- und Spirituosengeschäften, Videoverleihen, Biokaufhäusern, Kofferläden, chemischen Reinigungen und Kaffeestuben abgelöst. Immer wieder tauchten Blumenstände auf – so häufig wie die stinkenden Mülltonnen aus Maschendraht, an die ich mich erinnerte.

Was hatte ich einst über jüdische Trauerbräuche gelesen? Dass Juden glaubten, man verberge die Realität des Todes nicht hinter duftenden und hübschen Blumen. Ich konnte mich nicht erinnern, dass es derart viele Blumenhändler in der Stadt gegeben hatte, als ich dort aufgewachsen war und dort gelebt hatte, und fragte mich, ob dieses Aufblühen nicht eigentlich ein negatives Zeichen war. Schließlich musste ich die Augen vor der unaufhörlichen, Schwindel erregenden Veränderung verschließen, aber sobald ich es tat, erinnerte ich mich an Zeilen, die ein Professor an der Columbia-Universität einmal in einem Seminar über die Romantiker vor uns intoniert hatte: »in my heart/There is a vigil, and these eyes but close/To look within.«

Dina hätte gelacht: »Byron? Wie abgedroschen.« Sie hatte Recht, und warum zum Teufel erinnerte ich mich jetzt an einen solchen Stuss? Ich hatte meinen Masters in Englisch aufgegeben, mich in die weit weniger emotionalen und anspruchsvollen Bibliothekswissenschaften geflüchtet, und jetzt wurde ich hier von Fragmenten dieser Vergangenheit verfolgt.

Simon und Dina sprachen entzückt über Veränderungen in der Stadt, und da ich die Augen geschlossen hatte, war ihre Unterhaltung wie ein Radioprogramm, das man ignorieren konnte. Ich lehnte mich zurück und dachte über meine Mutter nach. Sie und ich hatten einander nie auch nur oberflächlich gern gehabt. Sie hatte mich behandelt wie einen armen Verwandten, den sie aus Mitleid bei sich aufgenommen hatte. Sie war höflich, im Grunde aber desinteressiert. Warum sollte sie *mir* das deutsche Geld vermachen?

Aber unmittelbarer gefragt, warum war ich hier? Ich wollte nicht zurück nach Inwood; die Erinnerung an das schlossartige P.S. 98, die Fanny Farmer-Süßwarenhandlung, den steilen Anstieg unserer Straße und an Park Terrace West erfüllte mich mit einem Übel erregenden Gefühl der Unwirklichkeit – aber ich war überstimmt worden. Es war schwer, an diese spezielle Vergangenheit zu glauben, und ich denke, wir spürten das vielleicht alle und begannen albern zu werden. Dina fing an, Mrs. Zir zu imitieren, eine Lehrerin der dritten Klasse, die wir alle gehabt hatten (und die spöttisch Bra-Zir genannt wurde), streckte ihre Brüste raus und redete anzügliches Anti-Brooklynese – der verzweifelte Akzent von Menschen, die nicht entkommen können. Simon kicherte, besonders, als Dina sich dazu veranlasst fühlte, ein paar Takte eines unanständigen Liedes – »Bang, Bang, Lulu« – zu singen. Wir hatten den Hintern versohlt bekommen, wenn wir es zu Hause grölten. Sie und Simon plauderten darüber, welcher Laden wo gewesen war, während wir den Broadway hinauf an der Dyckman Street, der traditionellen Grenze von Inwood vorüberfuhren, aber es wurde halbherzig. Inwood war eine zwielichtige Gegend und sah aus, als hätte man sie vergessen, ein Ort, der für uns keinen wirklichen Zweck erfüllte, keine wirkliche Identität hatte.

Als wir schließlich vor dem riesigen Wohnblock mit seinen angedeuteten Türmen und dem Blick nach Süden auf den Hudson und die Cloisters im Fort Tryon Park anhielten, verstummte das Gespräch. Keiner von uns machte Anstalten auszusteigen.

»Wie wär's mit dem Park?«, schlug Simon vor. »Oder dem Spielplatz?«

»Lasst uns einfach fahren«, sagte ich, und wir flüchteten den Broadway hinunter zurück zur Upper West Side.

Während der Fahrt schwiegen wir, wurden vielleicht von Bildern verfolgt aus der Zeit unserer Kindheit, von Bildern von Mom und Dad, als sie jünger, aber nicht weniger unglücklich waren. Als ich nicht älter als sechs oder sieben war, hatte ich in unserer Wohnung in Inwood einmal Dad in der Küche sitzend vorgefunden, eine Wodkaflasche in der einen und ein Schnapsglas in der anderen Hand. Das Bild war derart befremdend, dass ich zurückzuckte, als hätte man mir eine runter gehauen. Und vielleicht rechnete ich auch damit – obwohl Dad mich nie mit den Händen oder einem Gürtel bestrafte –, denn ich erinnere mich, dass ich Angst hatte.

»Ich wünschte, ich wäre tot,« fauchte er mich an, aber beinahe so, als wäre ich nicht da. Ich drehte mich um und rannte in mein Zimmer, versteckte mich im Schrank zwischen vertraut riechenden Kleidern, Spielzeug und Spielen.

Ich hatte nie daran gedacht, ihn darauf anzusprechen, bis es zu spät war, so dass die Gründe für seine Verzweiflung an diesem Tag nicht mehr zu erfahren waren.

Es dauerte eine halbe Stunde, bis wir in der Nähe von Moms Wohnung einen Parkplatz gefunden hatten, und ich erinnerte mich an all diese Abende, an denen wir versuchten, mit dem Auto in der Stadt irgendwohin zu fahren, und einen Block nach dem anderen umkreisten, weil, wer auch immer am Steuer saß, zu stur war, für eine Garage zu bezahlen.

Als wir uns dem imposanten Gebäude in der West End Avenue, in dem meine Mutter gelebt hatte, näherten, griff Dina unerwartet nach meiner Hand und ließ sie dann wieder fallen. Ich war von dem vertrauten Gestank der Straßen überwältigt: eine Mischung aus Auspuffgasen und dem Geruch der Bordsteinkanten, die zu viele Jahre den Urin der Hunde aufgesaugt hatten. Dann aber bemerkte ich die in jedem quadratischen Stück des Bürgersteigs eingelassenen leuchtenden Flecken und erinnerte mich, wie magisch sie mir vorgekommen waren, als ich klein war, so wie sie sich nach Norden und Süden erstreckten, als könnte diese Straße die ganze Welt umspannen. Wie hatte ich das Gefühl von New York als einem bewegenden, magischen Ort voll von sich widersprechenden Möglichkeiten, die jeden Traum oberflächlich erscheinen lassen konnten, weil noch viel besseres zu entdecken sein würde, verloren?

Das Haus war ein für die West End Avenue typischer Koloss aus rotbraunen Backsteinen und Zierleisten aus Kalkstein, die dringend eine Sandstrahlung benötigten. Die Fenster waren von einem Basrelief aus Girlanden und Rosetten eingefasst, die in einem grauenvollen Versuch der Verzierung auch den Eingang einrahmten.

Auf dem Weg zu den glänzenden, überdachten Eingangstüren sah ich, dass Dina böse eine Schar hinkender schmutziger Tauben ansah. Es gab nicht eine einzige, die kein lädiertes oder verunstaltetes Bein hatte – welch ein Empfang.

Ich nickte dem uniformierten Portier zu, den ich nicht kannte. Sein quer über den Kopf gekämmtes Haar war so fest angeklatscht, dass es auch ein bemaltes Stück Pappe hätte sein können; es gab ihm den Anstrich eines Senators. Er lächelte Simon und Dina an; auch das zeigte, wie lange ich nicht da gewesen war, aber ich war froh, dass sich niemand die Mühe machte, mich vorzustellen.

Die Eingangshalle war so, wie ich sie in Erinnerung hatte, üppig mit weißem Marmor ausgestattet und kalt wie ein Grabmal, und die Kassettendecke war scheußlich übertrieben mit Schnitzereien verziert. Und Tommy war derselbe Fahrstuhlführer, der er immer gewesen war: verschrumpelt, gut gelaunt, aber zurückhaltend, alterslos und klein wie ein Jockey.

»Tut mir Leid wegen ihrer Mutter«, sagte er zu mir und nickte. Ich nickte zurück. Ja, mir hatte es schon sehr lange Leid getan wegen meiner Mutter.

Oben in dem rechteckigen Korridor kam ich mir vor, als würde ich das Foyer eines Theaters betreten, in dem jedes Detail schmerzhaft und unangenehm vertraut ist: der aus schmutzigen sechseckigen weißen Fliesen bestehende Fußboden, die schwarzen Wohnungstüren und die Tür zum Müllschlucker am anderen Ende des Korridors, die riesigen undurchsichtigen Flurfenster, hinter denen sich ein Luftschacht befand, die ausgetretene breite Treppe mit ihrem dicken schwarzen Geländer. Es war alles so ramponiert, so alt und bedrückend.

Aber als Simon uns einließ, wurde mir schlagartig wieder bewusst, dass die Wohnung selbst eine Variante des New Yorker Traums war: es gab drei geräumige Schlafzimmer, eine große Küche, in der man auch essen konnte, Dienstbotenzimmer, die meine Eltern als Lagerräume verwendet hatten, tiefe Schränke, vier Meter hohe Decken, Parkettfußböden mit Mäandern an den Rändern, aufwendige Deckenfriese und man konnte einen Teil des Hudson sehen. Ich konnte mir nicht vorstellen, hier zu leben; sie kam mir an jenem Tag irgendwie unecht und unnahbar vor.

Wir standen ein wenig verlegen im Flur, und der Geruch des Parfüms meiner Mutter, Chanel No. 5 überfiel mich. Auch Simon und Dina atmeten tief ein, sagten aber nichts, während wir an der Tür verweilten. Es war eine jener echten New Yorker Feuertüren, schwer, mit Stahl verstärkt, schwarz gestrichen und voller Schlösser – nicht wie diese dünnen Dinger, wie man sie in angeblich in New York spielenden Sitcoms sieht. Obwohl ich diese Stadt vor langer Zeit aufgegeben hatte, war es mir unmöglich, mir Sendungen wie *Friends* und *Will and Grace* anzusehen – wenn einem ihre dämliche forsche Art nicht schon genug die Lust verdarb –, denn *deren* New York entsprach nicht der Wirklichkeit.

Dina ging den dunklen Korridor hinunter zum Badezimmer für Gäste; Simon setzte sich an den Tisch in der Diele, wo auf verstaubten Adressbüchern das Telefon thronte.

Die Diele war deprimierend: nacktes unpoliertes Parkett, blassgelb-graue Wände, ein kleiner verbeulter Kronleuchter aus Messing, der aussah wie eine Kutschenlampe und über fünfzig Jahre alt war.

Ich betrat unser altes Esszimmer, das Herz unserer Wohnung, das immer hell erleuchtet und voller Essen und Gäste war.

Unser redseliger Dad hatte Gesellschaft geliebt. Er war ständig am Telefon, machte jede Menge Pläne, traf Verabredungen zum Shoppen, zum Mittagessen, zu einem Abendessen hier, einer Party da, zum Kartenspiel am Samstag, einem Treffen im Park am Sonntag, zu Fahrten, Spaziergängen und kleinen Besuchen. Seine Gastfreundschaft war mir groß und europäisch vorgekommen. Freunde konnten stundenlang bleiben, Kaffee »mit Schuss« und Tee trinken, Snacks und schließlich eine richtige Mahlzeit zu sich nehmen, um die nicht abreißende Unterhaltung anzuheizen. Es war Dad, der den Ton vorgab. Meine Mutter wirkte stets reserviert, schien sich unbehaglich zu fühlen, und wenn das Gespräch je auf den Krieg zusteuerte oder irgendetwas, das damit verbunden war, zog sie sich aus dem Zimmer zurück. Sie verschwand eher, als dass sie hinausging; dass sie das Zimmer verließ, sollte nicht heißen, dass sie damit etwas sagen wollte.

Ich merkte, dass manche Freunde meiner Eltern sie für hochnäsig hielten und meinten, sie benehme sich wie eine »*grandamma*« – ein sarkastischer jiddischer Ausdruck für »große Dame«. Andere nickten mitfühlend angesichts der scheußlichen Erinnerungen, die sie nicht an sich heranlassen wollte, und sprachen von Überlebenden aus ihrer Bekanntschaft, für die der Krieg nicht vorbei war. Wie dem Paar, das gepackte Taschen unter seinem Bett hatte für den Fall, dass es ohne Vorwarnung würden fliehen müssen, oder der Frau, die ihren Keller mit Dosennahrung füllte, die für eine ganze Armee gereicht hätte, und ihren Kindern nie erlauben würde, eine der ordentlich nach dem Alphabet sortierten Dosen auf den Regalen auch nur zu berühren.

Wir hatten diese Leute nicht gemocht, diese europäischen Juden mit ihren peinlichen Akzenten und neugierigen Blicken.

»Es ist, als könnten sie bis aufs *Gramm* erkennen, wie viel ich wiege«, hatte Dina sich einmal beklagt. Sie war schön, was für ein Mädchen angebracht war, und so hatten sie Dina oder zumindest ihr Potential für die Ehe offensichtlich respektiert. Und ich war intelligent, auch wenn sie der Meinung waren, dass ich ein wenig zu viel Zeit mit Büchern verbrachte.

George, ein begüterter Maßschneider und Freund von Dad mit schütterem Haar und glänzenden Wangen, der vor Stolz auf seinen Erfolg nur so glühte, fragte mich (bevor ich einen anderen Weg einschlug und zu den Bibliothekswissenschaften wechselte) ständig nach meinem Abschluss in Englisch, und das auf die einschmeichelnde Art von jemandem, der ein kleines Kind fragt: »Bist du ein Junge oder ein Mädchen?«

Dina ahmte sie in ihrem Zimmer alle boshaft nach. Sie waren laut und ungehobelt, fanden wir, zu zufrieden mit sich selbst und damit, dass sie am Leben waren. Ich denke, es hat uns wirklich geärgert, wie sie Geschichten aus ihrer Kindheit erzählten, Verwandte erwähnten, Feiertage, Ferien, die jüdischen Teile ihrer Städte, und ihre Stimmen dabei eine Schärfe bekamen, die uns allen zeigte, dass die Vergangenheit, alles vor dem Krieg, für sie die Wirklichkeit war. Und das alles, was danach kam, was natürlich unsere Welt war, da nie ganz heranreichte.

Simon verblüffte die Eltern unserer Freunde eindeutig: er war *zu* interessant. Sie vermieden es so offensichtlich, ihn anzustarren, dass es wehgetan haben muss, versuchten so zu tun, als wären sie von seinem düsteren, schweren Leben nicht fasziniert. Ich stellte mir vor, dass sie dachten: »So jung, so jung und schon zu nichts mehr zu gebrauchen.«

Wir sagten es nie, aber das wirkliche Problem war, dass die Freunde meiner Eltern zu jüdisch und wir – das heißt, Dina und ich – Snobs waren. Wir hatten Angst vor ihnen.

Simon jedoch nicht. Ihn konnte man nicht dazu bringen, dass er spottete oder sich verächtlich äußerte. Sein Schweigen schützte ihn vor uns allen, machte ihn zu einem Rätsel und unerreichbar.

Simon war auf eine seltsame Art und Weise der Liebling unserer Mutter; sie betrachtete ihn, wie man einen Krüppel betrachtet, verbarg ihr Mitgefühl. Und Dina war ihr einfach deshalb näher, weil sie eine Tochter war, warum also hatte unsere Mutter mir das deutsche Geld vermacht und nicht einem von ihnen?

Ich setzte mich an den verstaubten Tisch. Mir war bewusst, was für ein Skandal dieser Staub in einem Haus war, das dank des Hygienewahns meiner Mutter stets wie wild sauber gehalten worden war. Kein Wunder, dass wir in gewisser Weise alle ein unordentliches Leben führten – wer hätte da nicht ausbrechen wollen?

Mit dem Zeigefinger malte ich zufällige Muster in den die Tischplatte überziehenden Staub und zerbrach mir den Kopf über das Testament meiner Mutter, über unsere Beziehung. Dann hielt ich inne, da es mir nicht nur so fies vorkam, als schriebe jemand »Wasch mich« auf den Kofferraum eines schmutzigen Autos, sondern wie eine Entweihung.

Ich denke nicht, dass meiner Mutter je wirklich klar war, was sie von mir halten sollte. Ich wusste von Dad, dass sie vor mir zwei Fehlgeburten gehabt hatte, und als ich geboren wurde, war sie vielleicht nicht mehr so froh darüber, ein Kind zu bekommen, wie sie es hätte sein sollen oder sein wollte. Wenn Simon Dad nicht gut genug gewesen war, dann ging mir das so mit meiner Mutter. Vielleicht hatte ich schon sehr früh gespürt, dass keiner von uns wirklich wichtig für sie war, dass sie es nicht über sich bringen konnte, sich um uns zu kümmern, weil sie alles verloren hatte: ihr Zuhause, ihr Land, die Menschen, die Familie. Sie sprach nie über die Vergangenheit; sie hatte keine Bilder, keinen Beweis für ihr Leben vor dem Krieg – in dieser Hinsicht *war* es den Nazis also gelungen, sie zu töten, indem sie ihr ihre Vergangenheit stahlen.

Plötzlich gesellte sich Dina zu mir, hatte gerötete Augen und sagte: »Es geht mir gut.«

Wir aßen Rühreier und aus etwas altbackenem Schwarzbrot gemachten Toast und warteten darauf, dass der Kaffee kochte. Es gab eine altmodische Chemex-Kaffeemaschine mit einer Karaffe, die länger brauchte als die eleganteren modernen

Modelle, aber besseren Kaffee machte. Als ich sie betrachtete, stellte ich mir meine Mutter vor, wie ihre starke Hand die hölzerne Umrandung am Hals der Karaffe umfasste. Es war dumm, aber ich dachte, die Kaffeemaschine hätte ich vielleicht lieber als alles andere in der Wohnung.

Nein, das stimmte nicht. Es gab auch eine kleine Lithographie von Chagall, die Dad ihr vor Jahren geschenkt hatte, angeblich eine Illustration aus einem französischen Märchen. In ihrem Zentrum stand eine von einem Heiligenschein umgebene Gestalt mit Hörnern, eine Art Götze, und rechts daneben waren ein kniender Mann und ein kleiner Hund abgebildet. Sie war mir immer ein wenig seltsam vorgekommen, sogar noch abgedrehter als Chagalls Geiger und fliegende Kühe. Wenn sie wertvoll war, konnte ich sie immer noch schätzen lassen und Simon anbieten, sie ihm abzukaufen, stellte ich mir vor.

Simon sprach ein wenig über die Beerdigung, über die geringe Zahl der Erschienenen, die wenigen Menschen, die angeboten hatten, ihm und uns zu helfen, darüber, dass kaum ein Wort dazu zu hören war. Es kam jemand von Dads Buchhaltungsunternehmen, aber die meisten seiner Kollegen waren an Herzanfällen oder krankhafter Arterienerweiterung gestorben, und so war dieser Besuch nur pro forma erfolgt. Und dann war Mrs. Gordon, die Nachbarin meiner Mutter – wie er mir zuvor erzählt hatte – sehr nett zu Simon gewesen. Ich konnte mir Simon in der zusammenhanglosen Geschichte, die er erzählte, nicht richtig vorstellen, und niedergeschlagen stellte ich mir wieder meine eigene Beerdigung vor. Wer würde kommen? Die Frage hinterließ nicht nur ein Gefühl der Leere bei mir, sondern ich kam mir auch kindisch vor. Sie war fast so etwas wie das jämmerliche Gegenteil der Rachefantasie eines Kindes, das sich vorstellt, wie es allen Leid tut, wenn es tot ist.

Dina wechselte das Thema. »Paul, gehst du mit jemandem aus?« Sie hörte sich an wie unsere Mutter, deren Neugier immer mechanisch gewesen war; allgemein gehaltene Antworten schienen sie zu interessieren, genaue aber hatten offenbar nicht besonders viel zu bedeuten. Wenn es auch immer sein konnte, dass man etwas sagte, das sie missbilligte.

Ich hatte mich kürzlich von Camilla getrennt, einer Laborantin im Krankenhaus der Universität von Michigan, mit der ich drei Monate gegangen war, bis sie mir erzählt hatte, dass sie sich wieder mit ihrem Ex-Mann traf. »Kein Ding«, hatte ich zu ihr gesagt.

Seit Valerie hatte ich meine Beziehungen stets im Sande verlaufen lassen, Streits und Konfrontationen vermieden, die Melodramen, denen sich Menschen hingeben, um die Dynamik ihres Daseins zu beweisen. Ich brauchte so etwas nicht. Ich wusste, dass ich lebendig begraben war.

Was mich an Camilla, als wir uns im Border's in Ann Arbor kennen lernten, zunächst angezogen hatte, war ihre selbstgenügsame Einfachheit und Direktheit. Sie hatte zwar sexy breite Hüften und große Brüste, aber ihr blasses, ovales Gesicht, ihre glanzlosen dunklen Augen – und ihre farblosen Kleider – zerstörten jegliches Gefühl, ihr Körper könnte ein Schlüssel zu Erregung, Freiheit oder Wohlbehagen sein, vollkommen.

Aber Camilla hatte eine andere Vorstellung von sich. Es gefiel ihr, dem Sex einen Rahmen zu geben, als entwerfe jemand einen Steingarten. Sie zündete ein Heer von Kerzen an, kühlte den Wein in einem glänzenden Kühler auf dem Nachttisch, platzierte in der Nähe des Bettes Weihrauch und ließ den süßen, stechenden Rauch in Spiralen in die Luft aufsteigen – alles in einer komplexen Geometrie aus den Zeichen der Leidenschaft. Anschließend setzte sie die Stereoanlage in Gang und spielte einen Soundtrack für Sex. Alles schien derart ritualisiert, dass es war, als würde sie eine Art bösen Zauber abwehren.

Camilla behauptete, Sex, dessen Atmosphäre und Nachwirkungen zu lieben, und brachte ihre Freude an Schweiß und befleckten Laken, einer noch im Morgengrauen summenden Stereoanlage und gemütlichen Frühstücken in durchgängig geöffneten Cafés zum Ausdruck. Ich hatte den Verdacht, das ganze Getue war die Tarnung einer Frau, die begeistert sein *wollte*. »Ich liebe es, in dem feuchten Flecken zu schlafen!«, jubelte sie. »Das liegt daran, dass ich Stier bin.« Ich stellte ihre Schwärmerei nie in Frage – es war mir nicht wichtig genug.

Dina wartete auf eine Antwort. Ich schüttelte bloß den Kopf.

»Nein? Wie kommt's?«

»Bin zu beschäftigt.«

Sie grinste höhnisch, als wäre ich ihre unglückliche Stubenkameradin am College, während sie mit einem riesigen diamantenen Verlobungsring protzte, und einen solchen trug sie tatsächlich. Er hatte sieben Karat und steckte in einer unglaublich hässlichen Fassung, einem Erbstück der Familie. Sie kaute ihren Toast und neigte dabei überheblich den Kopf. »Beschäftigt? In der *Bibliothek*? Hast du all die Karteikarten inzwischen nicht geordnet?«

»In welcher Welt lebst du denn? Wir haben Computer«, sagte ich scharf und nahm mich dann zurück, darüber verärgert, dass ich mich hatte reizen lassen.

»Der Kaffee ist fertig«, bemerkte Simon, erhob sich und klapperte mit den Tassen.

Dina grinste triumphierend. »Dann solltest du doch eine Menge Zeit haben, richtig?«

»Kaffee«, wiederholte Simon beharrlich und streckte Dina einen Becher entgegen, den sie ihm mit einem gequälten Grinsen abnahm.

»Ich wette, du hast seit Valerie keine gute Beziehung mehr gehabt, stimmt's?«, fragte Dina großspurig, ihr Kinn hochgereckt, als wollte sie sagen, gib mir bloß keine Antwort. »Jetzt reicht's«, schnauzte Simon sie an und verblüffte uns damit beide.

Aber mir reichte es noch nicht. »Moment mal! Seit wann seit ihr Dr. Joyce Brothers, hm? Und warum schikanierst du Simon nicht? Er wechselt von Jungs zu Mädchen und wieder zurück. Was ist daran so toll? Du bist die letzte, die irgendjemandem Vorträge über gute Beziehungen halten sollte. Wenigstens war ich in Valerie verliebt. Du warst noch nie in jemand verliebt außer in dich selbst.«

Ich ließ meinen Kaffee in der Küche stehen und ging mit großen Schritten den Flur hinunter. Ich wollte keine Entschuldigung und würde mich auch selbst nicht entschuldigen. Ich wollte über Dinas brutale Frage wegen Valerie einfach nicht nachdenken. Ich verbrachte viel Zeit mit dem Versuch, nicht über Valerie nachzudenken, normalerweise direkt nachdem ich mich von irgendeiner weit weniger zufrieden stellenden Frau getrennt hatte. »Val hätte das nicht gesagt«, dachte ich dann immer, zumindest nicht die Valerie, die ich in meinen Zwanzigern gekannt hatte. Zu wem sie nach all diesen Jahren geworden war, war ein Rätsel, dem ich nicht auf den Grund gehen wollte, aber wo auch immer sie war, ich war mir sicher, dass ihr Leben erfüllt und befriedigend sein musste – das genaue Gegenteil von meinem.

Valerie und ich hatten darüber gescherzt, dass sie wegen ihrer Größe und ihrer langen Beine Model oder Schauspielerin werden könnte. Die Leute drehten sich oft um und schauten zu, wie sie selbstsicher ausschritt, ihr lockiges, schulterlanges rotes Haar hüpfte, ihr ovales sommersprossiges Gesicht vom Reden oder Lachen oder einfach der Brise ein wenig errötete und ihre großen graugrünen Augen durch das, was sie beobachtete, mit Leben erfüllt wurden. »Sieh dir das an!«, sagte sie, wenn wir durch die Central Park West oder das Village spazierten, griff nach meinem Arm und deutete auf ein Gesims, ein Zeichen auf einem Bus, einen Hund mit einem dämlichen Regenmantel, eine Taube, die nach einem heruntergefallenen Hot Dog pickte, zwei Frauen in ledernen Hosenanzügen und hoch stehenden grünen Haaren (»Die haben wohl beide das gleiche Outfit«, sagte sie).

Valerie wollte, dass ich mir alles ansah, und ich wollte sie ansehen.

～

Das Zimmer, das ich mir mit Simon teilte, war groß, himmelblau gestrichen und hatte Fenster, die nach Süden gingen. Die Betten, die Kommode, der Schreibtisch und die Bücherregale waren alle aus demselben hellen Holz und wirkten einladend, beinahe zärtlich. Ich stand in der Tür und erinnerte mich, wie ich mit dem fünfjährigen Simon »52 Pickup« gespielt und ihn mit einem Trick dazu gebracht hatte, das er als erster dran sein wollte, so dass er sich niederkniete, um die verstreuten Karten aufzusammeln, und dabei so verwirrt und verletzt aussah, dass ich beschämt aus dem Zimmer stürmte. Ihm Streiche zu spielen – wie ihn in den Arm zu zwicken – machte keinen Spaß, denn er brüllte nicht und fing auch keinen Streit an, er litt einfach nur.

Ich trat über die Schwelle und sah mich um. Die Bücher dort waren unsere allerältesten und ihre Einbände waren blank gekratzt: *Robin Hood*, Dumas, Jules Verne, Sherlock Holmes, Oz - Bücher, Lewis Carroll, *Golden Tales from the Bible*. Ich stellte fest, dass der Schrank mit alten Hemden, abgetragenen Chinos, welligen Kartons mit Aufsätzen aus unseren ersten Schuljahren und diversen Erinnerungen vollgestopft war, die jetzt alle aussahen wie Gerümpel. Es gab uralt aussehende Schallplatten, bei deren Hüllen man hätte meinen können, es hätte jemand darauf herumgekaut: Peter Frampton, The Allman Brothers, David Bowie, Mott the Hoople, Jeff Beck, Traffic, Edgar Winter. Ich hatte sie seit mehr als fünfzehn Jahren nicht mehr gehört und mied zu Hause all die Rocksender, selbst wenn es dort nicht hieß, dass sie nostalgische Stücke spielten, konnte man doch nie wissen, wann sich vielleicht eins einschlich. Ich entdeckte *Nightbirds* – das Labelle - Album mit »Lady Marmelade« – und erinnerte mich an den silbernen Rock aus Lamé, von dem Val sagte, dass sie ihn bei deren berühmtem Konzert an der Metropolitan Opera getragen habe. Gott, hatte sie scharf darin ausgesehen. Ich schob den Gedanken schnell beiseite.

Ich fasste nichts an, versuchte nichts zu sortieren; es bestand keine Eile, da wir entschieden hatten, die Betriebskosten weiter zu bezahlen, bis wir bereit wären, Sachen hinauszuräumen und die Wohnung zum Verkauf anzubieten. Simon schlenderte ins Zimmer, streckte sich auf seinem Bett aus und drehte mit den Händen an der Taqesdecke aus Chenille. Ich wusste, dass ihn direkte Fragen manchmal ärgerten, fragte aber, was los sei.

»Ich wünschte, ich könnte es mir leisten, hier zu leben.«

Ich setzte mich auf mein Bett. Simon ließ mich nur selten an seinen Plänen oder Problemen teilhaben: Ich hörte von ihnen durch Dina. Hätten wir eine umfassende Großfamilie gehabt, wäre Dina diejenige gewesen, die Familientreffen auf Kreuzfahrtschiffen arrangiert, den Stammbaum erforscht und endlose geschwätzige Anrufe gemacht hätte, um sicherzustellen, dass kein Geburtstag, Hochzeitstag oder die Abschlussfeier eines der Kinder vergessen würde.

»Warum?«

Simon schüttelte den Kopf.

Es überraschte mich nicht wirklich. Ich konnte mir vorstellen, wie Simon für den Rest seines Lebens mit Schatten lebte, seine seltsame, zusammenhanglose Vergangenheit sich ausbreitete und jedes Zimmer füllte. Simon passte hierher – besser als in diese heruntergekommene Wohnung in Forest Hills. Ich hätte auf keinen Fall hier leben können, weil die Stadt mich anekelte, und wenn Dina hier leben würde, würde sie alles in einem Anfall hinauswerfen und die Wohnung umgestalten müssen. Sie hatte Häuser in Montreal und Quebec City – eine Zweitwohnung in New York schien nicht so unsinnig, und ich fragte mich, ob sie darüber nachdachte, ihm die Wohnung abzukaufen. Oder würde sie versuchen, ihn dazu zu bringen, sich schuldig zu fühlen und den Wunsch zu verspüren, sie zu verschenken?

Wir waren so verschieden, dachte ich, und uns dennoch so ähnlich. Jeder von uns war ruhelos und unglücklich. Was zum Teufel tat ich hier und in New York?

Wie zu erwarten, lag keinerlei Feindseligkeit in der Luft, als Simon und ich in ihr Zimmer gingen. Falls es in Dina etwas ausgelöst hatte, als ich sagte, dass sie niemanden liebe, so würde sie es nicht zugeben. Dinas kleines, vollständig in gelb und rot gehaltenes Zimmer war hell und ebenso voll von ihrer Vergangenheit: Fotos, eingerahmte Urkunden, Puppen, Kleider und ein Durcheinander an Schuhen, gewagte Poster und zerbrochene Bleistifte. Sie durchstöberte Schubladen, zog mit einem Schrei Briefe und Krimskrams heraus, schüttelte den Kopf und warf alles wieder hinein. Ich sah, wie viel Spaß sie dabei hatte, und dachte daran, wie wir Spielzeug aufräumen mussten, als wir klein waren. Ich hatte die Verantwortung; Dina wollte nicht aufhören, und Simon war mit irgendeinem merkwürdig aussehenden Teil eines Spielzeugs in einer privaten Welt versunken. Mom fand uns ungebärdig und chaotisch und sagte extrem vorwurfsvoll: »Ihr tut nicht, worum ich euch gebeten habe. Ihr kooperiert nicht.«

»O Gott, Mom hat das *gehasst*!«, lachte Dina und zerrte ein Kleid nach dem anderen aus ihrem Schrank. »Und das hier!«

Ich fragte sie: »Was ist das für ein Gefühl?«

»Wieder hier zu sein?« Sie zuckte die Achseln. »Gar keins. Es ist nicht real. Ich denke dauernd, ich werde die Eltern in der Küche reden hören oder so was.«

Weil die Schlafzimmer an unserem Ende der Wohnung alle so dicht nebeneinander lagen und das Esszimmer für Gäste war, hatten Mom und Dad sich abends in der Küche unterhalten, und wir hatten nur ein Stimmengemurmel hören können, das so ähnlich war die das Brausen des Verkehrs unten auf der West End Avenue.

Aber wenn Dina sich an ihre Gespräche spät abends erinnerte, dann erinnerte ich mich an ihre Uneinigkeit. Wenn sie versuchten, in der Küche gemeinsam zu kochen, war das ein einziges Chaos, weil sie sich auf nichts einigen konnten, nicht einmal darauf, welchen Topf sie benutzen sollten. Simon schloss die Tür, wenn sie sich auf diese Weise stritten, Dina jedoch versuchte äußerst vernünftig, in der Küche zu vermitteln.

Das funktionierte nie, weil meine Mutter sie ignorierte und Dad sie dann zurechtstutzte. Ich fühlte mich hilflos, wenn ich seiner schneidenden, aufgeblasenen Stimme zuhörte, während Moms stärkerer polnischer Akzent alles, was sie sagte, scharf und unerbittlich klingen ließ.

Meine Eltern hatten mich verlegen gemacht, aber nicht aufgrund äußerlicher Merkmale, nicht, weil sie Immigranten waren oder wegen der Art, in der sie sprachen, so öffentlich war es nicht. Ihre Verachtung füreinander war zu Hause so unverhohlen, dass ich manchmal wünschte, sie würden wenigstens versuchen, sie vor *uns* zu verbergen.

Mir wurde klar, dass ich noch nie ein Paar gesehen hatte, ob jung oder alt, das ich lange Zeit bewundert, das ich respektiert hatte. Nur in Filmen schien Liebe und Heirat möglich zu sein – und *das* auch nur für zwei Stunden. Ich wusste nicht, wie Menschen zusammen glücklich sein konnten. Ich wusste nicht, wie das aussah, und so hatte ich mich mit jeder neuen Frau so verloren gefühlt wie De Soto auf der Suche nach seinen Seven Cities of Gold. Ich war nicht so laut und dramatisch wie Dina oder so verzweifelt und gebrochen wie Simon, aber ich war ein totaler Versager in der Liebe – dem angestrebten, aber nie erreichten leuchtenden Ideal.

»Als ich klein war, hab ich mir gewünscht, Mom und Dad wären tot,« meinte Dina mit einem Lächeln.

»Ich fühle mich einfach nur leer«, sagte ich.

Dina sah mich sehr lange an. Ich drehte mich weg. Vielleicht wurde ich rot.

Dina zuckte die Achseln. »Ich weiß nicht warum, aber ich hab nie gedacht, dass es so sein würde. Die ganzen Sachen noch hier. Ich kann mich nicht mit Moms Zimmer befassen. Lasst uns irgendwann anders damit anfangen, okay?«

Dennoch schien niemand von uns gewillt zu sein, die Wohnung zu verlassen, und wir schlenderten zurück ins Wohnzimmer, das mit seinen von hauchdünnen weißen Vorhängen eingerahmten großen Fenstern und dem leeren und dunklen Kamin wie eine Höhle wirkte. Die zwei malvenfarbigen Sofas und der viereckige Couchtisch mit der Marmorplatte zwischen ihnen waren neu. Typisch Pottery Barn, und ich hätte mir nicht gedacht, dass meine Mutter so etwas kaufen würde.

»Wo ist der Chagall?«, fragte ich. In der Ecke links vom Kamin, wo die Lithographie immer gehangen hatte, befand sich jetzt ein ovaler Spiegel.

»Oh, Mom sagte, sie habe ihn satt bekommen. Sie hat ihn verschenkt oder verkauft oder so was. Nachdem Dad richtig krank geworden war.« Dina tat ihn so leichthin ab, als wäre er bloß ein Kalender gewesen. »Weißt du, sie hat ihn nie gemocht. Ich weiß nicht, warum Dad ihn ihr überhaupt gekauft hat. Sie hasste Chagall.«

Das stimmte. Mehr als einmal hatte ich gehört, wie sie sein Werk als »jüdischen Dreck« bezeichnete. Hatte ich die seltsame Lithographie deshalb gemocht? Bei dem Gedanken, dass das Bild nicht mehr da war, hatte ich das Gefühl, zu schmollen wie ein langsam laufendes Kind, das sein Kleingeld umklammert, während der Eiswagen die Straße hinunter davonfährt.

»Wann hat Mom all diese neuen Sachen gekauft?« Ich ließ mich auf einem der wie ein Kissen nachgebenden Sofas nieder.

Zumindest hatte sich nicht alles in dem Zimmer verändert: Die Wände waren noch immer so dicht mit Familienfotos bedeckt, dass sie an jene englischen Herrenhäuser erinnerten, wo ein Gemälde über dem anderen hängt. Fast alle hatte Dad gemacht, gerahmt und aufgehangen.

Da waren wir also, Dina, Simon und ich, von der frühen Kindheit an, an jedem möglichen Wendepunkt bis ins Erwachsenenalter, und trotz all des endlosen Lächelns und Posierens war die Wirkung nicht warm, sondern berechnend – so wie ein Sammler mit preisgekrönten Exemplaren angibt. Trotzdem hatte sich Mom uns gegenüber nie sehr stolz darüber gezeigt, dass sie unsere Mutter war.

Ich wandte schnell den Blick von den Fotos ab, auf denen ich und Valerie und manchmal auch Valerie allein zu sehen war, da es mich schmerzte, sie dort hängen zu sehen wie historische Gedenktafeln, die eine verheerende Schlacht markieren. Ich hatte Val aus meinem Leben gestrichen oder es versucht, hatte ein paar Jahre zuvor sogar ihre Briefe und Karten verbrannt. Meine Mutter aber war von keinem Impuls dieser Art geleitet worden. Sie hatte Valerie akzeptiert. Woher ich das wusste? Weil sie Val nie argwöhnisch von der Seite angesehen hatte, wie sie es bei anderen Freundinnen von mir oder Simon tat, und weil sie mit Valerie Kochrezepte ausgetauscht hatte. Dies, so wusste ich, war zwischen Frauen eine ernsthafte Angelegenheit.

Es war aber auch ein wenig abstoßend, mit all diesen meiner Vergangenheit entrissenen Momenten konfrontiert zu werden: mein erster Zahn, die Abschlussfeier nach der sechsten Klasse, ich in meinem ersten Job als Rettungsschwimmer an der Highschool. Die Wände schienen mich anzuknurren und nach mir zu greifen, mir zu sagen, dass es vor der Vergangenheit, meiner Vergangenheit, kein Entkommen gab. Kein Entkommen.

Vor kurzem noch hatte ich auf Old Mission ins Universum hinaufgestarrt, in die riesige Weite versunken, und nun war mein Universum auf diese auf mich einstürzenden Erinnerungen reduziert.

Von der West End Avenue, dem Riverside Drive und dem West Side Highway kam das unerträgliche Gewitter der Laster und PKWs, rasend, bremsend und die Luft durchschneidend. Der Lärm betäubte mich. Flugzeuge flogen dröhnend über uns hinweg, Busse heulten und ächzten, gelegentlich gingen bizarr gellende Auto-Alarmanlagen los und Gespräche hallten mit grimmiger Vertrautheit von der Straße herauf. Dem zuzuhören war, als wäre man unter Wasser in einem Tidebecken gefangen, wo die Strömung wieder und wieder gegen die Felsen schlägt.

Dina deutete mit einer Handbewegung auf die Möbel. »Dieses Zeug? Oh, letztes Jahr, denke ich.«

Simon wanderte durchs Zimmer und rückte Rahmen gerade, während Dina sich mir direkt gegenüber setzte und mich nun mit ihren harten müden Augen fixierte.

»Weißt du, Paul, um ehrlich zu sein ...« Sie zögerte, und ich schauderte ein wenig angesichts dieser Einleitung. Da ich hier geboren und aufgewachsen war, wusste ich, dass New Yorker mit dieser Phrase stets etwas Unerfreuliches einleiteten. Sie war genauso sehr ein Erkennungssong wie »New York, New York«. Ich musste es wissen, hatte ich das früher doch auch gesagt.

Dina schlug ihre langen schlanken Beine übereinander und strich den Rock ihres Kleides glatt.

Simon starrte aus einem Fenster oder kehrte uns beiden vielleicht auch nur den Rücken zu und sah nicht wirklich irgendwohin, sondern nur weg.

Dina knackte mit ihren hübschen Knöcheln, was ungewöhnlich für sie war, und fing noch einmal von vorn an. »Paul, ich bin sehr beunruhigt wegen des deutschen Geldes.« Sie sah so grimmig aus wie jemand, der vorhat, sich zu rächen.

»Ehrlich«, sagte ich. »Ich erinnere mich, dass wir vor Jahren gesagt haben, wie widerlich es sei, dieses Geld anzunehmen.«

»Nein.« Sie tat das mit einer Handbewegung ab. »Ich meine nicht die Vorstellung davon. Überhaupt nicht. Warum sollten die Deutschen nicht bezahlen für das, was sie getan haben? Sieh dir Israel an – das ganze Land hat von Deutschland Geld genommen. Aber darum geht's mir nicht.« Und hier beugte sie sich vor, als wollte sie ihre Ernsthaftigkeit und Besorgnis unterstreichen. »Es ist einfach nicht fair«, sagte sie mit schwankender Stimme. »Warum verdienst du es, ausgewählt zu werden – weil du der Älteste bist? Das macht überhaupt keinen Sinn.«

»Vielleicht nicht für dich. Für Mom muss es vernünftig gewesen sein.«

»Bist du jetzt also der Experte, wenn's darum geht, was Mom zu wollen glaubte?« Sie lehnte sich zurück, die Arme verschränkt, das Gesicht gerötet, und musterte mich kalt, sah dabei nicht so sehr aus wie Mom, hatte aber eine Haltung, als hätte Moms Geist Besitz von ihr ergriffen. Ich wünschte, Simon wäre direkt neben mir und würde das sehen, aber er saß abseits hinter Dina auf einer der Fensterbänke, die Arme um die Beine geschlungen, hatte sich zusammengerollt, fast so, als wollte er uns nicht an sich heranlassen. Würde er als Nächstes anfangen, laut zu summen? So wie er in seinem dunkelblauen Pullover mit Stehkragen und den Chinos dasaß, sah er aus wie eine Mischung aus Anzeigen für The Gap und Prozac.

Ich spürte, dass ich wie Dina rot wurde, da meine Wut auf sie vorübergehend größer war als meine Unsicherheit und Verwirrung wegen des deutschen Geldes. Hätte ich das Geld gleich auf der Stelle in bar dagehabt, hätte ich sie mit Bündeln von Banknoten beworfen, um ihr den Mund zu stopfen.

»Du solltest es unter uns dreien aufteilen, Paul. Alles sollte geteilt werden: die Eigentumswohnung, die Versicherungssumme, das deutsche Geld. Alles.«

»Mir soll's recht sein«, rief Simon von seinem Hochsitz aus, zog aber den Kopf ein, als ich ihn zornig anstarrte, und murmelte etwas, das sich nach einer Entschuldigung anhörte.

»Siehst du?«, sagte Dina. »Damit sind schon zwei von uns der Meinung!«

»Aber Mom war es nicht. Mom war nicht deiner Meinung. Sie hat ihre eigene Entscheidung getroffen. Ich weiß nicht, was es bedeutet, aber das hat sie. Warum kannst du das nicht akzeptieren? Warum musst du die Kontrolle haben? Warum muss immer alles so laufen, wie du es willst?«

»Du Scheißkerl! Seit wann kümmert es dich denn, was Mom wollte? Oder was irgendjemand will!«

»Warum verteidigst du Mom, wo sie doch so grausam zu dir war?«

»Blödsinn. Mom hat mich geliebt!«

Bevor ich diese bizarre Bemerkung auch nur verarbeiten konnte, preschte Dina weiter vor: »Du bist nicht mal zu meiner Hochzeit gekommen. Mom war da – und der Gottesdienst hat sie überhaupt nicht gestört. Sie fand ihn schön! Also was zum Teufel war dein Problem?«

»Das war es nicht. Ich hab dir geschrieben – «

»Ja, du hast mir *geschrieben*. Vielen Dank. Einen gottverfluchten Brief, als wäre ich eine Fremde!« Mich fies nachäffend zitierte sie: ›Liebe Dina. Du weißt, wie schwer es mir fällt, bei der Familie zu sein.‹ Was zum Teufel sind wir denn? Die Borgias? Die Manson - Family? Was ist so furchtbar an uns, dass du dich jahrelang von uns, von zu Hause ferngehalten hast?«

Sie wusste es, trotzdem aber sagte ich: »Dies ist nicht mein Zuhause.«

Dina grinste böse. »Siehst du, was ich meine? Du bist nach Michigan gezogen.« Sie ließ es so klingen, als hätte ich damit einen schweren Verrat begangen.

»Na, und was ist mit dir? Musstest du diesen Lektorenjob in *Boston* annehmen? Gab es nicht genug Verlage in New York? Und dann hast du einen Quebecer geheiratet und bist nach Kanada gezogen? Nun mach mal halblang, Dina. Wie viel Zeit hast *du* denn zuletzt in New York verbracht?«

Simon schaute kurz auf, als wartete er, was Dina sagen würde, aber sie machte sich nicht die Mühe, auf die Vorwürfe zu antworten. Tatsächlich sagte sie ein paar Augenblicke gar nichts, war vielleicht überrascht, dass ich mich genauso persönlich zur Wehr gesetzt hatte, wie sie mich angegriffen hatte. Oder einfach, dass ich nicht klein beigegeben hatte.

Simon hustete in der Stille und sagte zu mir: »Du könntest das deutsche Geld komplett an einen jüdischen Wohltätigkeitsverein verschenken, und wir könnten alles andere aufteilen. Dann gäbe es nichts mehr, worüber wir uns streiten müssten …«

Dina fuhr zu Simon herum und zischte: »Ich rede *nie* wieder mit dir!« Hätte sie es nicht so ernst gemeint, hätte ich über ihr kindisches Gehabe gelacht.

»Finde dich damit ab, Dina – du wirst nicht entscheiden, was mit dem deutschen Geld passiert. *Ich* tue das.«

Aber noch während ich das sagte, klang die Behauptung wie reine Angeberei. Dies war kein einfaches Erbe, und ich fühlte mich davon überwältigt.

»Mom oder wir sind dir egal. Du interessierst dich für gar nichts. Du bist ein Scheiß-Roboter geworden«, höhnte Dina.

»Und du ein egoistisches, halsstarriges, verwöhntes Miststück«, gab ich kühl zurück, testete die Worte, während ich sie aussprach, und fand ihr Gewicht angemessen. Dann erhöhte ich den Einsatz. »Lass mich das zurücknehmen. Du warst schon immer ein Miststück. Kein Wunder, dass du und Serge euch nicht vertragt.«

Dina sprang auf, und ich war sicher, dass sie sich über den Marmortisch beugen und mir ins Gesicht spucken würde, aber es klingelte an der Tür, und wir alle wandten uns ihr zu und starrten einander dann an wie Figuren in einer französischen Farce, die sich fragen, wo sie sich verstecken sollen.

Es klingelte noch einmal, wir drei trotteten pflichtbewusst, aber widerwillig zur Tür, und Dina murmelte: »Wer zum

Teufel …?« Es hatte etwas Unbeholfenes, als Dina und Simon sich beide anschickten, sie zu öffnen, dann um einander herumtänzelten, während ich mich im Hintergrund zu halten versuchte, schließlich aber über den großen Terrakotta-Schirmständer stolperte. Ich fing ihn auf und verhinderte, dass er zerbrach und sein Inhalt herausfiel, als Simon die Tür öffnete.

»Mrs. Gordon«, sagte er mit leicht erhobener Stimme.

Auf der schwarzen Fußmatte aus Gummi stand eine kleine Frau mit rundem Gesicht, winzigen dunklen Augen und üppigem silbernem Haar und stützte sich auf einen dieser metallenen Stöcke, deren unterer Teil sich zu vier kleinen Füßen spreizt. Sie hatte die Form einer Birne, trug rosafarbene Turnschuhe und einen grünen Trainingsanzug und war irgendwo in ihren späten Siebzigern, schätzte ich. Ihre Hände waren von Runzeln überzogen. Sie lächelte Dina und Simon freundlich an, wobei sie Zähne (oder Prothesen) entblößte, die so weiß waren wie ein Kühlschrank, schenkte mir anschließend ein breiteres Lächeln und flötete vergnügt und mit kehliger Stimme: »Sie müssen Paul sein«.

Sie grinste wissend, als ahnte sie, dass ich erwartete, sie würde die unerträgliche Phrase hinzufügen, »Ich hab schon viel von Ihnen gehört«. Was sie jedoch sagte, war, »Sie sind wieder bei der Familie«, und die Lider ihrer Augen waren dabei ein klein wenig schwer. Sie musste erkannt haben, welch eine Spannung zwischen uns herrschte, und ihre Bemerkung war auf eine so dezente Weise ätzend, dass ich mir nicht helfen konnte, ich musste einfach lachen. Dina und Simon sahen erst verblüfft, dann verärgert aus. Dina gab irgendetwas darüber von sich, dass sie ihren Mann anrufen wolle, verschwand in der Küche, und die Tür schwang hinter ihr in den Angeln.

»Der Liftboy hat mir erzählt, dass Sie hier in der Wohnung sind. Werden Sie ein Weilchen bleiben?«, fragte Mrs. Gordon uns. Simon und ich warfen einander einen Blick zu und nickten. »Gut«, sagte sie. »Ich werde etwas Süßes raufbringen.«

Sie zuckte mit den Achseln. »Was soll ich Ihnen sagen? Ich bin alt, ich backe.« Und dann ging sie langsam zu der dick vergitterten Tür des Aufzugs, wandte sich noch einmal halb um und winkte kurz zum Abschied. In ihrem zerknitterten grünen Trainingsanzug sah sie aus wie eine Gestalt auf einem Festwagen am St. Patrick's Day.

Nachdem die Tür zugefallen war, fragte ich Simon, wie gut er sie kenne. Aus der Küche konnte ich Dinas tiefe quengelige Stimme hören.

»Sie ist letztes Jahr eingezogen. Ich glaube, jemand hat ihr die Wohnung vererbt. Ich kann mich an ihre Vorgeschichte nicht erinnern, aber sie hat sich mit Mom rumgetrieben.«

Rumtreiben war kein Ausdruck, den ich mit meiner Mutter in Verbindung brachte, aber ihrem Akzent nach war Mrs. Gordon wahrscheinlich Polin oder Russin und fraglos eine Überlebende des Holocaust.

Bevor wir uns wieder ins Wohnzimmer setzen konnten, kam Dina aus der Küche gestürmt, griff sich ihre Dreivierteljacke und verkündete: »Ich fahre zurück nach Queens. Ich werde ein Taxi nehmen.« Sie wedelte mit etwas, bei dem es sich anscheinend um einen Satz von Simons Schlüsseln handelte, und stolzierte hinaus zur Tür, ohne auch nur auf Wiedersehen oder »Bis dann« zu sagen.

Die schwere Tür flog auf, und dann rief Dina uns noch zu: »Nehmt nichts weg, während ich nicht da bin.« Mit dem dumpfen, ratternden Geräusch, an das ich mich noch erinnerte, fiel die Tür hinter ihr ins Schloss.

»Nichts *wegnehmen*?«, fragte ich Simon. »Die ist unglaublich!«

Ich war im Begriff gewesen, den Experten zu fragen, wie viel ein Taxi von der Upper West Side nach Forest Hills kosten würde, aber dann wurde mir klar, dass es für Dina bedeutungslos war, da Serges Familie in Quebec eine Reihe von Lexus-Handelsvertretungen besaß und sie aufgehört hatte, sich über Geld Gedanken zu machen, als sie geheiratet hatten.

Sich über *ihr* Geld Gedanken zu machen jedenfalls, oder über das, was sie bereits hatte.

Die Wohnung wirkte sehr still ohne sie, was schmerzlich war, und Simon und ich saßen einander ein wenig steif gegenüber. Wir hätten Fluggäste sein können, die von derselben Passagierliste gestrichen worden waren, ihre Litanei an Beschwerden durchgegangen sind und feststellen, dass sie ansonsten nichts miteinander gemein haben. Auge in Auge mit ihm, allein, wünschte ich mir erneut, ich wäre wieder in Michigan. Ich wünschte mir sogar, ich würde Camille mit ihrer ganzen sexuellen Sound - und Lightshow vögeln.

Ruhig sagte Simon: »Dina ist nicht wirklich ein Miststück. Sie ist nicht so schlecht, wie du gesagt hast.«

Ich nickte, mehr, damit er weiter redete, als deshalb, weil ich ihm zustimmte. Dina war immer eine zornige Frau gewesen – der Tod unserer Mutter würde sie kaum besänftigen.

»Es ist nur …«

»Serge?«, fragte ich.

»Ja.«

Mich störte das nicht, was eine Reihe von Gründen hatte, von denen der wichtigste war, dass ich Dinas Hochzeit verpasst und so nie wirklich registriert hatte, dass sie stattgefunden hatte. Ich war in Michigan geblieben, weil ich die Vorstellung nicht ertragen konnte, mich zum schlechtest möglichen Zeitpunkt wieder ins Familienleben zu stürzen. Hochzeiten haben etwas unverhüllt Primitives an sich, betonen die Stammeszugehörigkeit, egal, wie sehr man sie auch mit Blumen und der Zeremonie übertüncht – die Gruppe hat die Kontrolle, und Einzelne scheinen abgesehen von dem, was sie beitragen, keine große Rolle zu spielen. Wäre ich zu ihrer Hochzeit gegangen, hätte ich mich nicht nur allein gefühlt, sondern wäre mir in dieser Atmosphäre auch fast lächerlich vorgekommen. Und dass ich Single war und einen schlecht bezahlten, wenig bemerkenswerten Beruf ausübte, hätte ich wie ein Merkmal der Schande empfunden.

Wie ich es an ihrer Stelle wahrscheinlich auch getan hätte, nahm Dina mir übel, dass ich nicht kam, und so war ich ihrem Mann nur einmal begegnet. Ein paar Jahre nach ihrer Hochzeit war ich anlässlich einer Tagung in New York gewesen, und Simon hatte bei einem seiner seltenen Anrufe erwähnt, dass Serge und Dina ein Theaterwochenende machten. So waren wir zufällig gleichzeitig dort, aber ich bin nicht sicher, warum ich dachte, es könnte sich lohnen, zu versuchen, mit Dina wieder Kontakt aufzunehmen und ihren Mann wenigstens kennen zu lernen. Wir trafen uns auf einen Drink in ihrem Hotel, dem Plaza Athenée, das Serge wahrscheinlich nicht nur deshalb gefiel, weil er mit dem Personal französisch sprechen konnte, sondern genauso auch wegen seines »*luxe, calme et volupté*«. In der dunklen, prächtigen Lounge hatte ich das Gefühl, zu einfach oder sogar schäbig gekleidet zu sein, wie es mir in der Stadt meiner Geburt häufig ging, seit ich nach Michigan gezogen war. Es war nicht nur meine Kleidung, denke ich, sondern auch meine Einstellung. Ich empfand es dort als bedrückend und war unglücklich, unfähig, den Tumult zu ignorieren. Er machte mich fix und fertig.

Der geschniegelte, in einen Anzug von Bijan gekleidete Serge war vom Wust seiner lockigen braunen Haare bis hin zu den Fingerspitzen seiner tadellos gepflegten großen Hände eingebildet. Er war dunkel und schlank und hatte die theatralische, fadenscheinige Anziehungskraft eines Illusionisten aus Las Vegas. »Sie sind der Bibliothekar«, sagte er mit gespielter Begeisterung, als er mir zur Begrüßung die Hand durchschüttelte. Sein joviales Auftreten war wahrscheinlich ein Zeichen, dass er mich glauben lassen wollte, er hege wegen meines Nichterscheinens bei der Hochzeit keinerlei Groll gegen mich. Trotz des Lächelns war er eindeutig der Ansicht, dass es von meinem Beruf nur noch ein Schritt bis zur Obdachlosigkeit war. »Sie müssen Bücher lieben«, fügte er hinzu, machte Konversation, als bereitete er sich darauf vor, mir ein Auto zu verkaufen.

Meine Mutter wusste nicht, dass ich auf der Tagung in New York war, und ich hatte Dina und Simon gebeten, es ihr nicht zu erzählen. Es kam mir vor wie ein Zeichen von Freiheit, zurückzukehren und mich nicht verpflichtet zu fühlen, »einzuchecken«. Also war das natürlich das Erste, was Serge erwähnte. »Es ist schrecklich, dass sie ihre Mutter nicht besuchen«, sagte er, die Beine an den Knien übereinander geschlagen, mit einem Akzent so dekorativ wie das Monogramm auf seinen französischen Manschetten. »Familie ist sehr wichtig. Ich für meinen Teil habe drei Brüder und drei Schwestern, und ich würde sterben ohne meine Familie.«

Er würde sterben ohne seine Patek Philippe, dachte ich und sah zu, wie Lauren Bacall an uns vorbei in die Lobby rauschte.

Dina war sehr still an jenem Abend und sehr schön, gab Serge ihre Version des ergebenen Aussehens einer Nancy Reagan und ordnete ihre schwarzen Taftröcke mit der linken Hand, damit das Diamantarmband, das sie trug, so viel wertvolles Licht wie möglich abbekam. Sie ignorierte die Berühmtheiten, und ihr würdevolles Schweigen schien ein deutlicher Kommentar zu meiner dürftig erklärten Abwesenheit bei ihrer Hochzeit zu sein. Ich versuchte immer wieder, das Gespräch auf etwas Neutrales zu lenken, aber Serge gab nicht auf und schwärmte von seiner eigenen »*Maman*«. Ich nehme an, er ging zum Französischen über, weil Englisch die Tiefe seines Gefühls an diesem Punkt oder die Subtilität des Gedankens nicht einfangen konnte.

Wenn ich ihn schon nicht leiden konnte, so wie er war, dann mochte ich ihn sogar noch weniger, als Dina mir später mitteilte, dass sie ihren Job als Lektorin nicht deshalb aufgab, weil er bedeutet hätte, ihre Zeit zwischen Boston und Quebec aufzuteilen, sondern weil er laut Serge und dessen Familie nicht »würdevoll« war. Sie sollte zu Hause sein, den Haushalt überwachen, oder mit geeigneten Freunden shoppen oder zum Essen ausgehen. Als ich sie fragte, ob sie darüber nicht empört sei, erwiderte Dina, ohne sich weiter zu erklären, schlicht: »Du würdest das nicht verstehen«. Mehr musste sie nicht sagen. Es war die Art von wegwerfender Bemerkung, wie sie Eltern vielleicht gegenüber jemandem machen, der keine Kinder hat.

»Serge ist jedenfalls hübsch«, stellte Simon nun fest, als würde das etwas ändern. Er lächelte sogar ein wenig, ermunterte mich dazu, mich seiner Einschätzung anzuschließen.

»Sicher – Dina ist immer mit gut aussehenden Männern gegangen, war doch klar, dass sie so einen heiraten würde. Aber sie hat einen besseren Geschmack bei Kleidern als bei Männern. Das hat sich nicht geändert.«

Simon nickte, und dann zog das Schweigen wieder um uns herauf. Es war wie einer dieser verwirrenden Momente, wenn man nachts auf einem Highway fährt und plötzlich keinerlei Autos mehr hinter einem sind und der Rückspiegel vollkommen dunkel ist.

Ich war aus vielerlei Gründen aus New York geflüchtet, aber dies war einer davon: betretenes Schweigen. Ich bevorzugte die Distanz und die Sicherheit eines Anrufbeantworters, der die bei mir eingehenden Anrufe siebte. Als ich nach Michigan gezogen war, hatte ich angenommen, es sei weit genug weg, um unerwarteten oder auch geplanten Besuchen der Familie aus dem Weg zu gehen, und ich hatte Recht gehabt. Als wären sie Superhelden und der Hudson flüssiges Krypton, waren sie alle auf der anderen Seite geblieben und hatten mich in Ruhe gelassen.

Und dann war da natürlich Simon. Seine ganze verwirrende, von Schwierigkeiten gezeichnete Vorgeschichte hatte mich immer ein wenig erschreckt. Wenn Dina über Simon sprach, zitierte sie oft das französische Sprichwort: Alles zu wissen, heißt alles zu verzeihen.

Aber ich hatte das bei meinem Bruder nicht so empfunden. Ich wusste zu viel, und die Katastrophen in seinem Leben entnervten mich. Wäre er mein älterer Bruder gewesen, hätten mich seine dummen Fehler befriedigt. Ich hätte von ihnen profitiert, und sei es nur, in dem ich mich stillschweigend mit ihm verglich: ich war ruhig und zuverlässig, wurde nicht von Skandalen geplagt. Aber Simon war vier Jahre jünger, jung genug, um mich in Verlegenheit zu bringen, als ich aufwuchs. Ich sprach Freunden gegenüber nie von ihm, weil er ein Rätsel war, weil ich seine Niederlagen nicht genießen konnte.

Ich fühlte mich nicht wohl bei seinen Drogendealereien am College, seinen schlechten Trips, seinen schlampigen Freundinnen aus der Disco, seinen schlechten Noten, seinem Spielen um Geld, seinen Versuchen mit Kerlen, seinen Autounfällen, seiner kurzen Ehe mit einem Mädchen, das er nicht kannte und anscheinend nicht mochte – bei all den Ungehörigkeiten, die ihn irgendwie unberührt ließen, als wäre sein Leben ein mittelalterliches Gemälde mit ihm im Zentrum, unschuldig, einem Heiligen gleich, von kalte Schauer über den Rücken jagenden Dämonen geplagt. Hatte eine Unschuld, die so viel Chaos überstand, etwas Grausames an sich?

Simon und ich seufzten jetzt beide. Zum Glück läutete es wieder an der Tür.

»Mrs. Gordon«, sagten wir gleichzeitig und ungeheuer erleichtert.

Ich erhob mich, ließ aber Simon aufmachen. Mrs. Gordon durchquerte alleine vorsichtig das Esszimmer. Ich konnte nicht erkennen, wie sehr sie den Stock benötigte, was vielleicht daran lag, dass sie sich, wenn auch langsam, so doch sicher über den Parkettboden bewegte. Ich ging um das Sofa herum, wollte ihr helfen, sich neben mir niederzulassen, aber sie schüttelte den Kopf. »Hilfe brauche ich, um hochzukommen. So rum ist es eine andere Geschichte, da hilft mir die Schwerkraft.« Und sie lachte. »Simon tut die Süßigkeiten auf einen Teller.« Sie setzte sich und sah mit den dicken, hohen Lehnen der Couch, die um sie herum aufragten, noch kleiner aus. Eine Hand hielt sich an dem Stock fest.

Simon kam mit einem Teller voller Rugelach und ein paar Servietten zurück und stellte ihn auf den Tisch. »Ich bin müde«, sagte er. »Ich werde ein Nickerchen machen, okay?«

»Sicher.«

»So.« Mrs. Gordon wandte sich mir halb zu und sah strahlend zu mir auf. »Sie sind allein – mir ausgeliefert!«

Ich lächelte, weil sie selbst mit ihren leicht toupierten Haaren nicht viel mehr als einen Meter fünfundfünfzig maß. Und weil sie so entspannt war. Während ich sie beobachtete, konnte ich spüren, wie verspannt mein Nacken und meine Schultern waren, und selbst mein Kiefer war verkrampft. Nachdem ich Dina und Simon um mich gehabt hatte, war es eine Erleichterung, mit jemandem zu sprechen, der nicht zur Familie gehörte, mit dem ich keine gemeinsame Geschichte oder ähnliches hatte.

Ich griff nach einer Serviette und einem von den Rugelach.

»Honig und Aprikose« sagte sie und sah genau hin, wie ich reagierte. Sie musste sich keine Sorgen machen – er war süß und dabei saftig, ein perfekter Mix aus knusprig und weich.

»Wow. Das ist großartig.«

»Nehmen Sie sich noch was«, sagte sie. »Bitte. Ich mache sie mit echter Butter und echtem Zucker. Für mein Herz ist das nicht so gut, aber ihr Herz kann es vertragen. Es ist noch jung.« Sie erinnerte mich ein wenig an Dads und Moms alte Freunde, von denen die meisten gestorben oder weggezogen waren. Aber sie wirkte viel sanfter, nicht wie eine eitle Wahrsagerin, die die ungeahnten Gefahren kannte, auf die man zusteuerte, sich aber sträubte, die Zukunft preiszugeben. Es sei denn, ich war derjenige, der anders war. Und dann dachte ich, hat Mrs. Gordon Recht? *Ist* mein Herz noch jung?

»Nehmen Sie sich noch was«, sagte sie.

»Warum? Finden Sie, ich bin zu dünn?«

Sie schürzte die Lippen und stieß ein sanft abweisendes »Neiiin …« hervor. »Machen Sie Witze? Sie sehen prächtig aus. Sie sind, was wir Litvaks einen *yaht mit beyner* nannten, ein gut gebauter Mann. Aber im Moment sehen Sie aus, als könnten sie etwas Süßes gebrauchen.«

»Sie haben Recht.« Ich aß unter ihren beifälligen Blicken. Sie war nicht wirklich alt genug, um meine Großmutter sein zu können, aber ich fühlte mich mit ihr so entspannt, als wäre sie es.

Wenn ich erwartet hatte, dass sie etwas über den Tod meiner Mutter sagen würde, oder darüber, dass ich wieder bei meiner Familie war oder so etwas, hatte ich mich geirrt. Sie fragte: »Also, wie gefällt Ihnen New York dieser Tage? Hübsch und sauber, was?«

»Es ist immer noch New York. Es ist schwer, sich daran zu gewöhnen.«

»Sie leben wo, in Ann Arbor, in Michigan?« Sie sprach es fast aus wie »Mitchigan«. »Erzählen Sie mir was – gibt's dort Telefone? Sanitäre Anlagen in den Häusern? Haben Sie die Wölfe unter Kontrolle?« Als ich zögerte, sagte sie: »Hören Sie nicht auf mich, ich bin eine Besserwisserin.«

»Ich bin ziemlich müde.«

»Das sehe ich.« Sie nickte. »New York ist anstrengend. Aber deshalb mag ich es. Nachdem mein Mann gestorben war, *olav ha-shalom*, war das Haus zu groß und die Treppe hat mir zu schaffen gemacht. Wir wohnten auf einem kleinen Hügel, wissen Sie, mit zu vielen Stufen zur Straße runter. Aber ich wollte nicht nach Florida oder Arizona ziehen. Zu viele *alter knockers*. Ich bin noch lebendig, ich will die Welt sehen. Hier in New York ist was los, hier gibt's alle möglichen Arten von Menschen. Man hat seine Museen, Kinos, Restaurants – all diese Sachen, von denen sie überall da, wo sie Angebote für Frühaufsteher oder –« sie schauderte – »ein Klubhaus haben, nichts wissen. Glauben Sie mir, ich weiß es, ich bin dort reichlich oft zu Gast gewesen. Also bin ich nach New York gezogen.«

»Wo kamen Sie her?«

»Aus dem Norden von New Jersey – in der Nähe von Denton? Wissen Sie, wo das ist? Nicht weit von der George Washington Bridge. Da gibt's nicht viel, nur Highways und Hügel. Aber mein Mann, der hatte ein Esslokal. Das Olympic«, sagte sie stolz. »Er war Grieche. Ich hab die meisten der Desserts gebacken, wissen Sie, die Sachen, die am liebsten genommen wurden: Käsekuchen, Zitronenbaiser, Schokoladenkuchen, Kokosnusscremetorte. Wir hatten ein gutes Leben.« Sie zuckte die Achseln und streckte die Hände aus. »Was soll ich Ihnen sagen? Ich hab noch immer ein gutes Leben – nur anders.«

Es könnte der Zucker gewesen sein, aber ich fühlte mich tatkräftiger denn je seit meiner Ankunft. Hier saß sie also, eine ältliche Witwe mit einem Krückstock, und war trotzdem munter und optimistisch. Welches Recht hatte ich, so schwermütig zu sein? Und hatte ich nicht gerade mehr Geld geerbt, als ich mir jemals zu besitzen erträumt hatte? Aber kaum war mir die Frage in den Sinn gekommen, war ich vor lauter Elend schon wieder ganz verkrampft.

»Was ist los?«, fragte sie stirnrunzelnd. »Brauchen Sie etwas Wasser?«

Hätte ich ja gesagt, ich wette, sie wäre zur Küche gehumpelt, um es mir zu holen.

»Hat meine Mutter je mit Ihnen über den Krieg gesprochen?« Als ich diese Frage stellte, fühlte ich mich so verletzbar und erleichtert wie ein Patient, der einem Psychiater eine geheime Qual anvertraut im Wissen, dass kein Urteil über ihn gefällt werden wird, und hofft, letzten Endes Trost zu finden.

Mrs. Gordons Gesicht verdunkelte sich ein wenig. Sie schüttelte den Kopf, schürzte erneut die Lippen und stieß ein »Neiiin…« hervor. »Ihre Mutter, die war sehr reserviert. Und außerdem kannten wir uns noch nicht lange, also – «

»Ich glaube nicht, dass sie jemals davon gesprochen hat, nicht einmal mit unserem Vater.«

»Und ist das so schlimm? Wissen Sie, was mit den Amerikanern nicht stimmt? Ich werd's Ihnen sagen. Sie reden zu viel, sie erzählen jedem Fremden auf der Straße von ihrer Scheidung, von der Abtreibung ihrer Tochter, alles, egal, wie schrecklich es ist. *Gevalt*! Sie müssen nicht mal im Fernsehen sein, um ein großes Maul zu haben. Leute im Bus quatschen einem das Ohr ab. Nichts ist persönlich. Nichts ist privat. Für mich ist nicht zu reden manchmal besser als zu viel zu reden.«

Sie meinte es gut, aber nachdem ich mich nun so weit vorgewagt hatte, konnte ich keinen Rückzieher mehr machen. »Aber das ist immer ein Rätsel gewesen. Was ist ihr passiert? Wie war es für sie in den Lagern?«

Mrs. Gordon schüttelte den Kopf und stampfte mit ihrem Stock auf, um ihre Worte zu unterstreichen. »Meinen Sie nicht, wenn sie es Ihnen erzählt hätte, wäre es trotzdem noch ein Rätsel? Ich kann sagen, ich war im Ghetto von Wilno und dem Lager in Riga und bin nach Stutthoff evakuiert worden, als die Russen nach Westen zogen, und wie da ein großer Sturm auf der Ostsee war und wir sicher waren, dass wir sterben würden, und tagelang mit Ihnen reden, und glauben Sie mir, sie würden trotzdem nicht verstehen. Niemand, der nicht dabei war, kann verstehen, was mir passiert ist. Niemand.«

Sie war nicht bitter oder anklagend. Wenn überhaupt, dann war sie ruhig, war genauso betrübt wegen mir wie wegen sich selbst.

»Stört es Sie, dass ich damit angefangen habe?«

Sie beugte sich vor. »Das ist in Ordnung. Ihre Mutter ist tot, und Sie wenden sich an jemanden. Es ist nicht dasselbe wie in Ihrer Familie. Aber ich habe einen Rat. Wenn ich Sie wäre, würde ich versuchen, mein eigenes Leben zu leben. Es ist zu spät – «

»Zu spät wofür?«

Lächelnd fuhr sie sich mit einer Hand über die Stirn. »Wer weiß? Ich hab vergessen, was ich sagen wollte. Das kommt vor. Und jetzt brauche ich Ihre Hilfe.«

Ich legte eine Hand unter ihren Ellbogen, und sie benutzte den Stock, um sich hoch zu hieven. Sie kam mir fast schwerelos vor, und ich war überrascht, dass sie kurz zu kämpfen hatte. Ich begleitete sie, während sie sich langsam auf die Tür zu bewegte. »Ich hoffe, ich sehe Sie wieder«, sagte sie. »Aber das liegt nur daran, dass ich eine alte Dame bin, und man kann sentimental werden, wenn man gerade jemanden kennen gelernt hat, weil man nie weiß, wie viel Zeit einem noch bleibt! Aber für Sie ist es das Beste, Sie fahren so schnell Sie können, nach Hause, glauben Sie mir.«

Ich ließ sie hinaus in den Flur. Es schien nicht möglich, eine solch schwere Tür zu schließen, ohne eine Menge Lärm zu machen; trotzdem versuchte ich es, weil ich Simon nicht wecken wollte.

Der Straßenlärm hatte nicht nachgelassen, aber das Licht in der Wohnung änderte sich, und irgendwie wirkte sie ruhiger als zuvor. Ich wanderte herum, öffnete Küchenschränke, nahm Souvenirbecher heraus, die ich längst vergessen hatte. Ich trat ins Esszimmer, öffnete die Einbauschränke aus Porzellan und spielte mit einigen der Kristallgläser herum. Ich versuchte mich zu erinnern, wann ich das letzte Mal hier gegessen hatte, konnte mir mich oder irgendeinen von uns aber nicht vorstellen. Mit Moms Tod waren die Erinnerungen irgendwie aus diesem Zimmer gewichen wie in einem dieser Filme, wo die Farbe ganz am Ende einer Szene langsam herausgefiltert wird. Es sah alles ziemlich öde aus, und mir war, als würde ich das kronenartige Deckenfries, die Fensterrahmen und die ein klein wenig gebogene und abblätternde, vergitterte Fensterbank, deren eigentlicher Zweck es war, den Heizkörper zu verdecken, in diesem Zimmer zum ersten Mal wahrnehmen.

Simon schlenderte ins Esszimmer und rieb sich die Augen. »Es ist noch Kaffee da«, gähnte er.

Wir tranken ihn in der Küche und vertilgten dabei ein Rugelach nach dem anderen, bis der Teller leer war. Ich setzte ihn über mein Gespräch mit Mrs. Gordon ins Bild, weniger, um davon zu erzählen als um es für mich selbst noch einmal durchzugehen.

»Sie hat Recht«, sagte er. »Ich bin auch der Meinung. Was hat es für einen Sinn, jetzt zu versuchen, Sachen rauszufinden?«

»Ich muss Dinge verstehen können.« Schließlich hatte ich sehr früh gelernt, mir die Schuhe zu binden, hatte meine Mutter gesagt; ich hatte die Bücher meiner Kindheit gerne nach ihrer Größe in einer Reihe aufgestellt; meine Kommodenschubladen waren stets aufgeräumt. Zu diesem Bild hinzu kam, dass meine Noten immer gut gewesen waren und ich – weder in der Schule noch zu Hause – je Schwierigkeiten gemacht oder eine freche Antwort gegeben, es nie wirklich gewollt hatte. Mom hatte von diesem Beweis der Stabilität manchmal erzählt, nicht, um mich zu loben, sondern um Dina oder Simon in einer ihrer schwierigeren Phasen zu verurteilen.

»Du willst verstehen? In dieser Familie?« Er lehnte sich so entspannt in seinem Stuhl zurück, als hätte ihm die Wohnung tatsächlich schon immer gehört. Mom hatte es gehasst, wenn er das tat – »Hör auf! Du kippst um.« Und ihre Warnung klang beinahe, als hoffte sie, das würde er, damit sie Recht behielt. Aber das war er nie. Einen so simplen Fehler machte Simon nicht.

Trotzdem war ich, als ich ihm dort in der Küche gegenüber saß, ohne dass Dina dabei war, überraschenderweise entspannter als noch wenige Stunden zuvor. Lag es an Mrs. Gordon? Ich hatte nur wenige ältere Nachbarn oder Kollegen und war es nicht gewöhnt, Zeit mit einer Frau ihres Alters zu verbringen, einer Frau, die alt genug war, um meine Mutter sein zu können, mir tatsächlich aber wie eine Großmuter vorkam.

»Ich liebe diese Wohnung«, stellte Simon fest und schaute dabei in Leere. »Sie ist anders, seit Mom nicht mehr da ist.«

Ich wusste genau, was er meinte. Unsere Mutter war wie der bösartige, in deiner Grundschule um die Ecke schleichende

Rektor, bereit, sich auf dein geringstes Vergehen zu stürzen. Ihre Räume ohne ihre Gegenwart oder dass ihre Rückkehr drohte, zu genießen, war ein Luxus, den wir nie wirklich gehabt hatten.

»Warst du nicht überrascht, dass Mom mir das deutsche Geld vermacht hat?«, fragte ich ihn.

»Ich war überrascht, dass es so viel ist. Das war die große Überraschung.« Anders als bei Dina lag kein Groll in seiner Stimme, als er das Geld erwähnte. »Wirst du deinen Job aufgeben?«

»Warum?«

»Ich würde das machen. Im Ausland leben. Alles ausgeben.« Und sein Lächeln war lasziv.

»Und dann?«

Er zuckte die Achseln. »Ist doch egal. Zumindest könntest du sagen, dass du irgendwohin gegangen bist.« Plötzlich setzte er sich abrupt auf – »He, Paul, erinnerst du dich an Moms und Dads widerlichen Freund George? Erinnerst du dich, wie er und seine Frau nach Griechenland in Urlaub gefahren sind? Erinnerst du dich, was er gesagt hat, als sie zurück waren?«

Ich konnte mich an keine Einzelheiten entsinnen.

In passablem jiddischen Akzent knurrte Simon: »›Dafür mussten wir den ganzen Weg nach Griechenland zurücklegen? Um *tzebrechener shteyner* zu sehen, hätte ich auch die South Bronx besuchen können.‹ Zerbrochene Steine! Ist das zu glauben? Das ist fast so schlimm wie dieser jüdische Witz über das Paar, das eine Reise um die Welt macht und sagt, sie hätte ihnen nicht gefallen. ›Nächstes Jahr werden wir woanders hinfahren.‹«

Simon lachte glucksend, war lebhafter denn je, und bei all diesem Reden vom Reisen stellte ich seltsamerweise fest, dass ich mich an eine Unterhaltung mit Dina erinnerte, als wir beide zum College gingen. Stolz hatte sie verkündet: »Simon will nach Maine gehen.«

»Maine?«, hatte ich gefragt. »Wozu?«

»Um frei zu sein«, flüsterte sie so triumphierend, als hätte Simon irgendeine grundlegende Entdeckung über das Leben gemacht. Ich weiß nicht, was er gelesen hatte, das ihn zu dieser plötzlichen Vision inspirierte, aber ich nehme an, er wollte von sich selbst frei sein, nicht wissend, dass dies ein Gefängnis war, dem niemand entkam.

Die Nachrichten vom Vermächtnis meiner Mutter waren noch zu neu, als dass irgendwelche heftigen Phantasien in meinem Innern zum Ausbruch gekommen wären. Aber ich konzentrierte mich auf Simons Frage. Ich glaubte nicht, dass ich leiden würde, sollte ich meinen Job aufgeben. Ich würde weder meine Kollegen, noch die Universität von Michigan und nicht einmal die Studenten vermissen. Ihnen bei ihrer Forschungsarbeit zu helfen, war jetzt der einzige erfreuliche Aspekt meines Jobs, der ansonsten zu einer geistlosen Tätigkeit geworden war, mit der ich meine Rechnungen bezahlte. Er sagte nichts darüber, wer ich war oder was ich im Leben wollte. Hatte er das jemals?

»Ich werde morgen nicht arbeiten«, erzählte Simon mir nun. »Gibt es gute Pizza in Ann Arbor? Wir können Pizza bestellen und heute Nacht hier bleiben, wenn du möchtest.«

»Klar«, sagte ich, denn auch ich wollte eigentlich nicht gehen. Simon durchsuchte eine Küchenschublade nach Speisekarten für Gerichte zum Mitnehmen, fand eine für ein Restaurant, an dass er sich erinnerte, wie er sagte, und gab telefonisch die Bestellung durch. Anschließend rief er Dina in seiner Wohnung an und sagte, dass wir hier bleiben würden. Seinen Worten nach zu urteilen hörte es sich an, als wäre sie froh, mehr Zeit für sich zu haben. Die Art, in der sein Gesicht und seine Haltung weicher wurden, erinnerte mich einmal mehr an die Intimität ihrer Beziehung. Er und Dina sprachen sehr lange miteinander, wie mir schien, als wären sie wochenlang getrennt gewesen und nicht nur Stunden.

»Wie geht es Simon?«, war ihre erste Frage, als Simon mir schließlich das Telefon reichte. Es genügte natürlich nicht, dass sie mit ihm gesprochen hatte; sie brauchte von mir die Bestätigung. Dafür war ich gut.

»Er lebt«, sagte ich.

»O Gott! Das hat Dad immer zu seinen Freunden gesagt, wenn sie fragten, wie es ihm geht, erinnerst du dich?« Dina wiederholte Dads scherzhafte jiddische Antwort, die er bei seinen Eltern aufgeschnappt haben musste: »*Ich lebt.*« In der Regel ging ein jüdisches Achselzucken damit einher.

Ich sagte nichts, denn mir wurde ein bisschen schwindlig angesichts des lebendigen Bildes meines Vaters, und es zischte in der Leitung. Wir vermieden es sonst, über Dad zu sprechen.

»Als ich zurück war, hat Serge angerufen«, beeilte Dina sich zu sagen. »Er war so süß. Er vermisst mich. Er hat sich wegen unseres Streits entschuldigt. Ihm zuzuhören, war *sensas*!«, sagte sie in dem französischen Slang, den sie bei Serge aufgeschnappt hatte: sensationell.

Dass Dina ihren Streit mit Serge erwähnte – dessen Thema sie nicht verraten hatte –, führte nicht auf natürliche Weise dazu, dass wir über unsere Auseinandersetzung diskutierten. Nein, das wäre zu logisch gewesen und zu außergewöhnlich. Nicht einmal der Tod meiner Mutter hatte bei Dina und mir etwas verändert. Der Rest unseres kurzen Gesprächs war genauso oberflächlich; wir hätten entfernte Verwandte sein können, die sich einmal im Jahr an einem Feiertag anrufen.

Der Tod hatte uns einander nicht näher gebracht, es sei denn, man betrachtete größere Wut als eine gesteigerte Art von Vertrautheit.

Als ich auflegte, sagte ich zu Simon: »Sie möchte, dass du das Silber zählst.« Er wusste, dass ich ihn auf den Arm nahm, gab aber zu: »Das war blöd von ihr vorhin.«

Wir schalteten das Radio an, das meine Mutter stets auf den wundervollen Klassik - Sender WQXR eingestellt gelassen hatte. Es lief eins von Beethovens früheren Klavierkonzerten, und die kraftvolle heitere Musik hallte durch die Wohnung, während wir herumgingen und Licht machten.

Als die Pizza kam, merkte ich, dass Simon sich den schlaksigen, dunkeläugigen Boten, der Koreaner zu sein schien, genau ansah. Simon gab ihm wahrscheinlich zu viel Trinkgeld, aber ich wusste nicht, ob er das absichtlich tat oder weil er seiner Brieftasche nicht genug Aufmerksamkeit schenkte. Obwohl ich nicht den Eindruck hatte, dass der Junge es gemerkt hatte, war ich ein wenig verlegen, dies mitzuerleben, und auch neugierig.

Simon fand in der Speisekammer Diätcola, und wir bedienten uns in der Küche, ich am Tisch und Simon stehend, mit dem Rücken zur Spüle. Ich beschloss, einen weiteren Sprung zu wagen, und fragte: »Wie ist das für dich? Bisexuell zu sein? Was bedeutet das?« Ich hatte ihn das noch nie gefragt.

Er rettete etwas Käse, der kurz davor war, von dem Stück zu tropfen, das er in der Hand hielt, starrte zur Seite, als suchte er nach einem Stichwortgeber, biss dann das Ende von seinem Stück Pizza ab und kaute langsam. Ich tat dasselbe, genoss die dünne Kruste und die Schärfe des Geschmacks, die ich in Ann Arbor vermisste. Ann Arbor ist eine großartige Universitätsstadt mit einer Menge kultureller Attraktionen, trotz aller Ambitionen aber keine Großstadt, und eine New Yorker Pizza ist eine New Yorker Pizza. Natürlich könnte in dem Vergleich eine Spur von Nostalgie gelegen haben, denn als ich an Pizza dachte, war ich sofort wieder in jenem überfüllten, lärmenden Pizzaladen am Broadway, aß nach der Schule ein Stück mit Freunden und genoß die Freiheit, mich zwischen den zwei mich einschränkenden Welten zu befinden: der Schule und dem Zuhause.

»Hast du je *Women in Love* gelesen?«, fragte Simon schließlich, als er mit dem Kauen fertig war.

»Klar. Auf dem College.«

»Da gibt es eine Szene, wo sich eine der Figuren mit einer anderen in einem Ruderboot befindet, und sie sitzen an den gegenüberliegenden Enden und sind perfekt ausbalanciert. Ich glaube, er nennt es ›Gleichgewicht der Sterne‹. Das ist sein Ideal.«

»Willst du das … mit einem Mann oder mit einer Frau? Beides?«

»Ich will es einfach. Schon immer.«

»Ist das möglich?«

»Sag du's mir.« Er lächelte. »Du bist der Gescheite.«

Was wollte *ich*? Simons Zitat ließ mich an trostlose Zeilen denken, die ich in einem Gedicht von W. S. Merwin über die Sterne gelesen hatte, die sich von *uns* Orientierung versprechen, sollten wir jemals begreifen, was wir brauchen.

»Aber ist es nicht das, was du mit Val hattest?«, fragte Simon, dessen Augen wachsam waren und der vielleicht damit rechnete, dass ich ihn anschreien würde, wie ich es in der Vergangeit getan hatte, wenn er auf sie zu sprechen gekommen war.

Bis dahin war mir das immer so vorgekommen, als schnüffelte jemand bei mir herum, aber nun, bei all dem Tod, mit dem wir konfrontiert worden waren, schien auch Valerie tot zu sein. Zumindest im Gespräch mit Simon schien sie das.

»Ich weiß nicht. Ich weiß nicht, was ich mit ihr hatte. Vielleicht hatten wir zu viel.« Ich spürte, dass ich einen trockenen Hals bekam, und nahm noch einen kräftigen Schluck Cola. Ich war nicht sicher, wie viel ich noch über Simons Privatleben wissen wollte, aber ich hatte mich in seiner Nähe noch nie so wohl gefühlt und war ehrlich neugierig, also machte ich weiter.

»Was ist der Unterschied?«, fragte ich. »Mit dem einen Geschlecht im Vergleich zum anderen?«

»Ich mache es nicht mit einem ganzen Geschlecht, ich mache es mit einem Menschen. Jeder ist anders.«

»Das weiß ich, aber da muss mehr dahinter stecken.«

Er schloss die Augen, als versuchte er, eine Szene zum Leben zu erwecken. Die Lider geschlossen, sagte er: »Okay, mit einem Mann weiß man, zumindest was mich angeht, nie genau, was man tun wird. Es könnte alles mögliche sein.« Er führte das nicht näher aus. »Mit einer Frau, egal, wo wir anfangen, freue ich mich immer darauf, in sie hineinzugleiten –«

»Ja, das ist es. Aber mit einem Mann?« Ich schüttelte den Kopf. »Ich kann mir das nicht vorstellen. Ist das nicht ein bisschen abstoßend? All diese Haare …«

Er seufzte und fixierte mich mit seinen eindrucksvollen Augen. »Komm schon, Paul, bewunderst du nicht die Körper anderer Typen, wenn du im Fitnessstudio trainierst, oder andere Männer im Schwimmbad?«

»Natürlich. Irgendwie schon. Wenn jemand gut in Form ist, ist das, als gehörten wir zum selben Team. Es gibt mir ein gutes Gefühl.«

»Okay. Warum ist es dann so schwer vorstellbar, weiterzugehen?« Er strengte sich an, es für mich in Worte zu fassen. »Wie, wenn du ihn nicht nur ansiehst und du, ich weiß nicht, im Kopf zur Kenntnis nimmst, dass er muskulös ist oder was auch immer, sondern wenn du schaust, nicht aufhören willst. Es ist nicht nur so, dass du zum Beispiel seine Schultern bewunderst, sondern voll drauf stehst, dir die verschiedenen Teile seiner Deltamuskeln genau anzusehen, das Verhältnis zu seinem Bizeps, die Vaskularisation, wenn er den Arm hebt. Du hast ihn nicht berührt, aber irgendwie hat er dich berührt. Und du willst deine Hände über die Muskeln gleiten lassen, ihre Form spüren, wie hart sie sind, seine Haut riechen. Verstehst du?«

»Ich hab kapiert. Eine Bestandsaufnahme machen. So geht's mir, wenn ich mir eine Frau genau ansehe.«

»Na bitte.« Er nickte bestimmt. »Mich ziehen Frauen an, mich ziehen Männer an. Es ist anders, aber es ist dasselbe. Das ist einfach meine Natur«, fügte er hinzu und sah mich genau an, weil er wissen wollte, ob ich den Scherz verstanden hatte.

Natürlich hatte ich das, und ich lachte, weil es eine Zeile war, die Dad oft benutzt hatte und die seine Art war, Beschwerden oder Kritik mit einem Achselzucken abzutun.

Simon schien zufrieden, aber dann veränderte sich sein Gesichtsausdruck, und er sah beinahe misstrauisch aus. »Und bevor du fragst, ja, ich bin getestet worden und ich bin negativ. Ich hab nie ungeschützt Sex.«

Ich zögerte. »Ich schätze, *ich* schon. Ich hasse es, Kondome zu benutzen.«

Simon runzelte die Stirn. »Und deine Freundinnen lassen dich?«

»Meistens. He, ich bin ein Menkus, okay? Ich mach denen ein Angebot, das sie nicht ablehnen können.« Und wir aalten uns für einen Moment in der Erinnerung an die Derbheit unseres Vaters. Er hatte oft gesagt: »Die Frauen haben die Männer der Familie Menkus immer gemocht, weil wir einen *Großen* haben.«

Dass wir über Sex redeten, ließ mich wieder daran denken, wie sehr Camilla es genossen hatte, an meiner Vorhaut zu knabbern. Ich war ihr erster Liebhaber gewesen, der nicht beschnitten war. »Wie ein Vorhang, der hochgeht,« sagte sie manchmal, wenn sie zusah, wie sie sich langsam zurückzog, während das Blut angenehm nach oben schoss. Es gefiel mir, nur ein Stück weit in sie einzudringen, bevor ich richtig hart war, so dass sie meine, nahe der Spitze meines Schwanzes noch zusammengebauschte Vorhaut spüren konnte, und sie dann zu necken, indem ich hin- und herglitt. Eine durch und durch natürliche kitzlige Angelegenheit, die sie knurren ließ: »Du Mistkerl.«

Es war eine natürliche Frage, also stellte ich sie Simon: »Gefällt es deinen Lovern, dass du nicht beschnitten bist?«

Simon runzelte die Stirn. »Aber das bin ich.«

»Was!«

»Ich bin vor langer Zeit beschnitten worden. Ich hab's nie jemandem erzählt, nicht mal Dina.«

»Von einem –« Ich suchte nach dem Wort.

Simon lieferte es: »Einem Mohel? Nein. Es war im Ärztezentrum in Tucson. Janet kriegte dauernd Infektionen, und dieser Doktor sagte, es läge daran, dass ich nicht ›sauber‹ sei.«

Simon erwähnte seine Ex - Frau nie. Sie hatten einander in Tucson an der Universität kennen gelernt, als er dreiundzwanzig war und zum dritten Mal das College abschloss.

Ich fing an, Einwände zu erheben, weil wir als Kinder gut dazu erzogen worden waren, uns »da unten« zu waschen, aber er sagte: »Ich war nicht sauber genug. Ich war damals so auf Koks, dass ich nicht richtig drüber nachgedacht habe. Aber jetzt bin ich froh, weil es mir das Gefühl gibt, ein richtiger Jude zu sein. Es tat weh – wochenlang. Und ich war geschwollen wie ein Schläger. Wie ein Baseballschläger, meine ich.«

»Hat es Janet geholfen?«

»Es schien so.«

Der Gedanke, dass Simon – wenn auch nur zufällig – unserem Vater und all den jüdischen Männern in unserer Familie ähnlicher war als ich, war äußerst verwirrend. Ich wollte definitiv das Thema wechseln, also fragte ich ihn, wohin er gehen würde, wenn er das deutsche Geld hätte.

Er zögerte keine Sekunde. »Nach Thailand, ganz sicher.«

»Um dir die Tempel anzusehen?«

»Nein. Wegen des Sex‹.«

Ich versuchte es erneut. »Du sagtest, da war nicht viel in Moms Kassette – hast du noch irgendwo anders geschaut?«

»Nicht wirklich.«

Wir verbrachten den Abend damit, in der Wohnung nach etwas zu suchen, nach irgendetwas, das vielleicht einen Hinweis auf Moms Vermächtnis liefern würde. Aber es war kein Tagebuch unter all ihren Rechnungen und Quittungen, es gab keine Briefe, nicht einmal den Abschnitt eines Schecks bei ihren Papieren. Noch verwirrender war, dass wir neben den Sparbüchern und den Kontoauszügen von ihrer Investmentgesellschaft keine sonstigen Unterlagen über das deutsche Geld finden konnten. Es gab keinen Safe im Haus, keinen Schlüssel zu einem Bankschließfach, nichts. Das hatte ich nun überhaupt nicht erwartet. Hätte es da nicht eine Unzahl an persönlichen Dokumenten geben müssen? Ich dachte an meine eigenen Schreibtischschubladen zu Hause, voll gestopft mit Briefen, Notizen und Memos – alles abgeheftet und beschriftet.

»Es ist, als hätte sie das deutsche Geld nie auch nur beantragt«, sagte ich. Nie beantragt, nie das deutsche Konsulat aufgesucht, sich nie von Zeugen ihre Identität bestätigen lassen, nie einen einzigen Streit mit Dad darüber gehabt. Hieß das, sie hatte es gehasst?

Aber das Geld wartete, unberührt, wurde von Jahr zu Jahr mehr.

Wir hatten beschlossen, in dieser Nacht dort zu schlafen, also nahm Simon Dinas Zimmer. Wir fanden jede Menge Bettwäsche, und als wir abwuschen, war es fast, als wären wir zwanzig Jahre jünger und machten uns fürs Bett fertig.

Bald nachdem er in die Laken geschlüpft war, konnte ich Simons rasselndes, gluckerndes Schnarchen hören, aber obwohl ich in meinem alten Bett schlief, fand ich keine wirkliche Ruhe, und ich wachte auf und dachte, ich hätte die Stimme meiner Mutter gehört. Für einen Moment fragte ich mich, ob ich in Michigan war, mein ganzer Körper pulsierte vor Schreck, und benommen fing ich an zu kapieren, dass ich nur geträumt hatte, oder vielleicht waren auch nur im Halbschlaf immer wieder Erinnerungen an Moms eigene Alpträume an mir vorbeigezogen.

Über Jahre, vielleicht bis ich in der Highschool war, hatte meine Mutter im Schlaf unvermutet aufgeschrieen, manchmal sogar zweimal im Monat: eine wortloser heftiger animalischer Schmerz. In der entweihten Dunkelheit unserer Wohnung drängten sich Dina, Simon und ich dann im Korridor zusammen und warteten auf mehr, aber natürlich wachte Dad auf und nahm sie in den Arm, und am nächsten Tag sah er uns warnend an, damit wir den Alptraum, von dessen schrecklicher Gestalt wir nie erfuhren, nicht erwähnten.

Und manchmal wurde meine Mutter von dem Schrecken heimgesucht, wenn sie im Wohnzimmer ein Nickerchen machte, und einer von uns musste sie schütteln. Beim ersten Mal war ich, so weit ich mich erinnerte, erst zehn oder so und las in meinem Zimmer *Bomba the Jungle Boy*, als mir ihr Schrei das Buch aus der Hand zu schlagen und mich auf die Füße zu schubsen schien. Ich schlich durch den Flur und fand sie auf dem Rücken liegend auf der von goldenen Fäden durchzogenen, überdick gepolsterten roten Couch. Ihr Gesicht war fremd und zusammengequetscht, und sie jammerte in einer Sprache, die ich nicht erkannte. Ich begann zu weinen, stupste sie am Bein, und sie rollte sich auf die Seite von mir weg. Ich rannte ins Bad und wusch mir wieder und wieder die Hände, als wären sie von ihrer Angst besudelt.

Nun war ich vollständig wach, und ich glaubte langsam, dass es tatsächlich der ungewohnte beißende Geruch von Zigarettenrauch war, der mich geweckt hatte. Ich zog Shorts an und folgte ihm hinaus zu Dinas dunklem, stillem Schlafzimmer. Die Tür war offen.

»Ich rauche, wenn ich nicht schlafen kann«, lud Simon mich ein. Ich ging zu seinem Bett und setzte mich an dessen Ende. Er war eindeutig nackt unter den Laken; er hatte einen schlanken, von Natur aus mageren, durch Übungen geformten Körper, und war hübscher, als ich es jemals würde sein können, dachte ich, es sei denn, die Dunkelheit war einfach nur netter zu ihm. Man konnte die Sorge, die seine Augenwinkel faltig und seinen Mund streng machte, nicht sehen. Simon bot mir eine Zigarette an, aber ich passte. Ich rauche normalerweise nur, wenn ich übermäßig Seven and Sevens getrunken habe. Simon stellte einen riesigen grünen Aschenbecher aus

Alabaster zwischen uns aufs Bett, setzte sich mehr auf, und die Laken sanken ein wenig herab. Ich fragte mich, ob Dina auch zu *seinen* Bauchmuskeln jemals einen Kommentar abgab.

»Den hat mir Janet geschenkt«, sagte er und deutete mit der freien Hand auf den Aschenbecher. »Manchmal vermisse ich sie. Vermisst du Val?«

Es war eine rhetorische Frage. Er wollte, dass ich ja sagte und so seine Einsamkeit mit ihm teilte. Das war nicht schwer, also sagte ich »ja«. Aber das beschrieb nicht annähernd, was es für mich bedeutet hatte, sie aufzugeben. Irgendwie hatte ich mir, teilweise jedenfalls, vorgestellt, dass weiterzuziehen, nach Michigan zu ziehen, zu versuchen, sie zu vergessen, bedeutete, dass ich reif war, dass es sich dabei um so etwas wie ein privates Zeremoniell, einen Ritus des Übergangs handelte. Aber alles, was ich erreicht hatte, war ein Tapetenwechsel. Ich war (im Inneren) angekratzt, aber ich war nicht transformiert worden. *De*formiert traf es eher.

»Janet brachte mich zum Lachen. Das tat sonst niemand. Aber das war nicht genug.«

»Was ist also?«

»Wenn ich das verdammt noch mal bloß wüsste.« Er klang stärker, weniger vorsichtig, als hätte ihn die Nacht befreit. »Erinnerst du dich, wie es in den Siebzigern cool war, bisexuell zu sein? Jetzt ist es das wieder. Die Leute glauben, man hätte doppelt so viel Spaß. Aber für mich bedeutet es, dass ich doppelt so viele Möglichkeiten habe, eine Beziehung zu vermasseln. Und das tue ich.«

Ich verspürte plötzlich den starken Drang, einen Rückzieher zu machen, mich in mein Zimmer zurückzuziehen und zum Schlafen zu zwingen. Das waren nicht wir, so sprachen wir nicht miteinander. Stattdessen erzählte ich ihm, zum Teil, weil ich es jemandem erzählen musste, und zum Teil, weil ich nicht mehr an Valerie denken wollte, von meinem Bruch mit Camilla.

Simon registrierte das alles so konzentriert wie ein Geschworener. »Wenn der Sex unecht war und du nicht so verrückt nach ihr warst«, fragte er am Ende meines Vortrags, »warum bist du dann mit ihr gegangen?«

»Wenn ich das verdammt noch mal bloß wüsste«, ahmte ich ihn nach. »Warum geht man überhaupt mit jemandem?«

»Gott, wir sind so verkorkst, du und ich und Dina. Was wird mit uns passieren?«, fragte er so, als würde er fragen, ob ein Flugzeug gleich abstürzt.

Ich dachte an Old Mission.

Simon machte seine Zigarette aus und stellte Janets Aschenbecher auf den Boden.

»Paul? Bleibst du, bis ich wieder eingeschlafen bin?«

Ich nahm seine Hand und drückte sie. Er lächelte, drückte meine Hand ebenfalls, ließ sie los und schloss diese so seltsam beunruhigten Augen. Ich war froh, dass sie zu waren, denn ich muss rot geworden sein, und es schien genug Licht von draußen durch die Jalousien, dass man es hätte sehen können. Zu meiner Überraschung ertappte ich mich bei dem Gefühl, dass ich ihn liebte, meinen sanften, weichen, verwirrenden, von seiner eigenen Komplexität in die Irre geführten Bruder liebte. Ich saß friedlich da, während er sich in eine sicherere Welt zurückzog. Sein Körper zuckte, und dann war er auch schon eingeschlafen, die Dunkelheit umfing ihn und er war nun vollkommen entspannt.

Als ich wieder in mein Bett ging, versuchte ich mich zu erinnern, wann ich zum letzten Mal jemandem die Hand gehalten und es so viel bedeutet hatte.

Ich schlief sehr lange, und als ich aufwachte, stellte ich fest, dass Simon bereits in der Küche war und Blaubeerpfannkuchen machte. »Ich hab alte Trainingsklamotten und Schuhe von mir gefunden, also bin ich laufen gegangen«, sagte er. »Und ich hab auf dem Rückweg ein paar Lebensmittel gekauft.«

Ich aß mehrere Portionen, aber bevor ich duschen gehen konnte, erzählte Simon mir, dass er Dina in Queens angerufen hatte. »Ich denke, es wird Zeit, Dad zu besuchen«, murmelte er nach einer Weile. Und ich wusste, dass ich auf keinen Fall drum herum kommen würde. Ich war zu erschöpft, um es zu versuchen. Wir hatten während der letzten zwei gemeinsamen Tage bewusst nicht über Dad gesprochen, hatten diesen Moment hinausgeschoben.

»Wir holen Dina in Queens ab und fahren alle zusammen da raus«, erklärte Simon, der sich dies eindeutig im Voraus ausgedacht hatte. Ich widersprach nicht. Es war zwecklos.

Neun Jahre zuvor hatten wir alle meine Mutter gedrängt, Dad in ein Pflegeheim zu bringen – Simon und Dina vor Ort und ich am Telefon. Eine Reihe von Schlaganfällen hatte eine der Alzheimerkrankheit sehr ähnliche Multiinfarktdemenz verursacht, von der ich noch nie gehört hatte. Ich hatte ein Röntgenbild gesehen, das zeigte, dass sein Gehirn mit winzigen weißen Flecken übersät war, kleinen Explosionen. »All diese Punkte«, wiederholte meine Mutter immer wieder, als wäre sie verblüfft, dass etwas so harmlos Aussehendes seinen Geist zerstört hatte.

Zuerst war er einfach sehr vergesslich, ließ seine Schlüssel im Auto oder im Innern der Wohnung. Dann wurde es schlimmer. Er konnte sich nicht an das Datum erinnern und machte auf Zeitungen und in Magazinen immer wieder einen Kreis darum, als werfe er einen winzigen Rettungsanker nach dem anderen aus. Vorher war er gepflegt gekleidet, hatte eine Vorliebe für teure Krawatten und Manschettenknöpfe, nun aber zog er gestreifte Hemden und Hosen mit Hahnentrittmuster an, vergaß einen Gürtel zu tragen oder sich die Schuhe zu binden. Er sah sich Sendungen im Fernsehen an, die er vorher nie hatte ertragen können, wie Natursendungen, schüttelte den Kopf und sagte: »Es ist sehr traurig, sehr traurig.«

Kein Arzt, kein Test sorgte für Hoffnung. Im Versuch, zu helfen, las Simon jeden Artikel, jedes Buch, das er über senile Demenz finden konnte, erfuhr aber nichts, was ihm oder Mom Trost spendete. Auch ich versuchte darüber zu lesen, gab es aber auf, nachdem ich ein paar Seiten eines Buches durch hatte, in dem es hieß, einen geliebten Menschen mit Demenz zu haben, sei, als besuche man jeden Tag seines Lebens eine Beerdigung. Ich warf das Taschenbuch weg; waren wir nicht sowieso in einem Haus aufgewachsen, in dem man sich vor Trauer verzehrte? Ich konnte davon nicht noch mehr an mich heranlassen; so stark war ich nicht.

Meine Mutter war es, oder glaubte, es zu sein. »Ich werde mich um ihn kümmern«, insistierte sie. Und für eine Weile konnte sie das. Sie badete ihn, fütterte ihn und zog ihn an, sprach unaufhörlich mit ihm, als wollte sie ihn wieder aus dem Nebel herauslocken, der sich so schnell über ihn gesenkt hatte. Es war qualvoll, zu hören, wie sie mit unserem Vater redete und redete und nur verwirrte und seltsame Bemerkungen aus ihm herausholte. Er fragte sich, wo er war oder warum sie ihn belästigte. Ich wusste, dass eine Art Krise kam, als er aufhörte, Englisch zu sprechen, und uns, wenn er es denn tat, nur auf Jiddisch antwortete.

Es machte meine Mutter aus irgendeinem Grund wütend; vielleicht nahm sie es persönlich, begriff es als eine Flucht vor ihr, denn sie hatten untereinander stets Englisch gesprochen. Jiddisch war etwas, das mein Vater – als Erwachsener – ziemlich unbeholfen gebrauchte. Aber seine Eltern hatten es zu Hause gesprochen, und nun waren die Worte seiner Kindheit wieder da. Ich hatte ein wenig gelernt und konnte verstehen, was er sagte. Aber Mom war so zornig, dass es ihr die Ohren zu verstopfen schien.

Angesichts seines Verfalls hatte Mom rechtliche Schritte unternommen, um ihren gemeinsamen Besitz neu zu orga-nisieren, damit er nicht erben konnte, falls sie vor ihm starb, aber das war das einzige Mal, dass Simon oder Dina Moms Testament mir gegenüber erwähnt hatten.

Ich erfuhr das meiste davon aus zweiter Hand, denn ihn zu besuchen war zu schmerzlich. Dina rief mich an und machte mir trostlose Mitteilungen: »Er hat Mom gesagt, er hasst sie.« Oder: »Er fragt mich dauernd, wer ›diese Frau‹ in der Wohnung sei.« Oder: »Er ist die meiste Zeit über inkontinent.« Und dann dachten wir schweigend über den Horror nach. Ich erinnerte mich, dass ich in der vierten Klasse einmal, gerade, als ich nach Hause kam, die Kontrolle über meinen Darm verlor, und an die entsetzten Befehle meiner Mutter, die mich sofort ins Bad schickte, damit ich mich auszog und badete. Ich entschuldigte mich den ganzen Tag immer wieder bei ihr, aber sie ignorierte mich mit grimmiger Miene, wusch im Badezimmerwaschbecken meine schmutzigen Shorts so wütend aus wie jemand, der eine Inschrift aus einem Gedenkstein herausmeißelt. Und dieser Art des entsetzlichen Unbehagens und der Erniedrigung war sie nun wieder ausgesetzt – aber durch ihren Ehemann? Unvorstellbar.

Als wir an diesem Tag auf dem Long Island Expressway aus Manhattan hinausfuhren, um Dad zu besuchen, erinnerte ich mich, wie sehr und auf welch seltsame Weise unsere Mutter Long Island verabscheute, sie alles verabscheute, was auch nur annähernd ländlich war. »So viele Bäume«, sagte sie und rümpfte die Nase wie eine reiche ältere Dame, die gezwungen ist, um einen Obdachlosen herumzugehen, der ihre Limousine blockiert. Es war mir immer wie eine Art affektierte Angewohnheit vorgekommen, deren Bedeutung ich nicht verstehen konnte. Nun schmerzte es, an all diese Bäume zu denken und daran, dass unsere Eltern sie beide nicht sehen – oder wenigstens schätzen – konnten.

Das anderthalb Stunden von der Upper West Side entfernt gelegene Pflegeheim war auf seine Art nicht schlecht und es kümmerte sich ausreichend Personal um die Patienten. Die

Hülle meines Vaters wurde jeden Tag gewaschen, rasiert, sein Haar und seine Nägel regelmäßig nachgeschnitten und gepflegt. Simon und Dina hatten mir beide versichert, dass er sich nie wund lag und dass für seine Betreuung genug Geld beiseite gelegt worden war. Was unausgesprochen blieb, war, dass er wahrscheinlich nicht mehr allzu lange leben würde angesichts der Stauungsinsuffizienz, die langsam auf ihn zukam. Das Heim hieß Cedars of Lebanon, Libanonzedern, was mir grotesk vorkam. Niemand hier war noch groß und stark; sie wurden alle kleiner, schrumpften in sich zusammen.

Aber das Haus war ekelhaft heiter, man war hier so sehr darauf bedacht, ein Gefühl der Gelassenheit zu verbreiten, dass ich schon Kopfschmerzen davon bekam, wenn ich nur einen Korridor hinunterging. Die Wände und Teppiche waren überall rosa oder blassblau. In allen öffentlich zugänglichen Bereichen hingen heiter mattierte oder gerahmte impressionistische Drucke oder Poster, und über ihnen gab es Lampen, damit sie den Anschein von Unterscheidungsvermögen und Geschmack erweckten. Die Deckenbeleuchtung war gnadenlos hell, und nichts verbarg die Hoffnungslosigkeit, das Gefühl, dass es sich bei diesem Gebäude nur um einen riesigen Mülleimer handelte, wo ältliche Männer und Frauen abgeladen worden waren, weil es keinen anderen Platz für sie gab. Die wenigen Male, die ich zuvor dort gewesen war, hatte ich an Selbstmord gedacht, mir geschworen, dass ich es niemals zulassen würde, so hilflos, so krank, so ohne Leben zu enden. Und in Michigan empfand ich jedes Mal, wenn ich über eine weitere von Dr. Jack Kevorkians Heldentaten gelesen hatte, Dankbarkeit dafür, dass ich wusste, ich würde nicht an einer sich hinschleppenden, zum Krüppel machenden Krankheit leiden müssen, wenn ich nicht wollte.

Als ich das erste Mal in dem Pflegeheim war, hatte eine energische, stämmige Schwester mit weit auseinanderstehenden Zähnen vergnügt eine kleine Führung mit mir unternommen, die Hamlets Totengräber würdig gewesen wäre. Als wir an einem Treppenhaus vorbeikamen, versicherte sie mir, die Patienten würden ermutigt, den Aufzug zu benutzen. »Denn wenn sie stürzen« – sie zuckte mit den Achseln – »könnten sie dort stundenlang liegen.« Sie sagte »sie« ohne jedes Mitleid – als wäre sie eine Laborantin, die über ihre Mäuse spricht. Und bei dem kurzen Blick in die Bibliothek mit deren frei stehenden Metallregalen beugte sie sich zu mir und sagte vertraulich: »Machen Sie sich nicht die Mühe, Bücher zu stiften. Sie lesen nicht viel, es sei denn, es hat eine große Schrift.«

Das Stockwerk meines Vaters war das schlimmste, war es doch für diejenigen bestimmt, die zu Aktivitäten jeglicher Art vollkommen unfähig waren. Hier waren die Menschen darüber hinaus, zu kommunizieren, darüber hinaus, unterhalten zu werden, auch wenn die Fernseher liefen. Die uralt aussehenden, in Rollstühlen zusammengesunkenen Patienten mussten (zu mehreren gleichzeitig) gefüttert werden. Die munteren Schilder, die verzierten Schwarzen Bretter in den Zimmern, die auf eine forsche Weise gut gelaunten Schwestern (gut gelaunt, weil sie sich bewegen und sprechen konnten, dachte ich oft) –, nichts davon konnte darüber hinwegtäuschen, dass in den Rollstühlen und sonstigen Sitzmöbeln für Altersschwache, die verhinderten, dass sie sich selber wehtaten, makabre Wasserspeier lehnten. Jeder Besucher, dessen Blick sich mit dem meinen traf, hatte denselben schwer mitgenommenen Ausdruck in den Augen: »Das könnten wir sein.«

Im Auto hatte Simon mir erzählt, dass er so oft zu Besuch kam, wie er konnte, um Dads Pflege zu überprüfen und dafür zu sorgen, dass er gut gekleidet war, denn wir alle hatten Bilder von schlecht angezogenen Pflegeheimpatienten im Kopf – von Menschen, deren Hemden falsch geknöpft waren, die achtlos bunte Karos zu Streifen trugen oder Farben, die nicht zueinander passten, als spielte es keine Rolle mehr. Für Simon, Dina und mich aber spielte es eine Rolle. Simon versorgte ihn mit der Sorte Kölnischwasser, die er früher geliebt hatte, und er roch bemerkenswert frisch, sah aber dennoch aus wie eine Karikatur seiner selbst: verbraucht und grau. Das Leben war aus ihm gewichen, und er hatte seine Farbe verloren, sein Feuer und seine Begeisterung. Dies war nicht mein Vater. Dies war ein Schatten, ein Gespenst.

Wenn es auch mehr als sieben Jahre her war, seit ich ihn das letzte Mal gesehen hatte, so empfand ich, während ich mich ihm näherte, doch dieselbe Angst wie zuvor, als wäre er eine Tür zu irgendeiner schrecklichen Welt des Vergessens und des Schmerzes, die von mir Besitz ergreifen könnte, wenn ich ihm zu nahe käme. Auch Dina hielt sich zurück, sprach steif mit ihm, sprach zu wässrigen Augen mit Tränensäcken, die nichts registrierten. Dads Gesicht hatte seine komische Note verloren, sah geschwollen und aufgelöst aus und hatte keinerlei Ausdruck mehr. Seine Haut war fleckig geworden, und was von seinem Haar übrig war, sah aus wie Striche, die Kinder beim Zeichnen mit dem Bleistift auf einen Kopf kritzeln. Kein Wunder, dass wir nie über ihn sprachen.

Simon überraschte mich. Er war sanft und liebevoll zu Dad, fütterte ihn geduldig, wenn er ihn besuchte, sprach mit einem beruhigenden Unterton, als wollte er ein wütendes Pferd zähmen. Simon war fast jeden Tag zu ihm gefahren, an dem meine Mutter nicht konnte.

Zum Glück war Dad gerade gefüttert worden, und wir bildeten in dem sonnigen Alkoven, wo er, von der Außenwelt abgeschnitten, steif und mit leerem Blick in seinem Stuhl saß, einen Kreis um ihn. Die Luft um uns herum war zum Ersticken – von irgendeinem blumigen Desinfektionsmittel, das eine Muffigkeit, eine Leere und den seltsam metallischen Geruch der Scheiße alter Leute überdeckte.

»Dad«, sagte ich, als müsste ich zuerst sprechen, weil ich der Älteste war. »Ich bin's, Paul. Mom ist tot. Es war ein Herzanfall.«

Nichts. Weder bei ihm noch bei mir der Hauch einer Veränderung.

Simon kniete sich neben dem Stuhl meines Vaters hin. »*Tatinkeh*«, sagte er auf jiddisch. »*Di mameh is geshtorbn.*« Daddy – Mom ist tot. Er drehte sich mir zu und sagte: »Ich hab's ihm schon erzählt. Ich werde es ihm immer wieder sagen.«

»Wann hast du angefangen, jiddisch zu sprechen?«, fragte Dina. Ich versuchte mir meine Überraschung darüber, dass Simon ihr dies ausnahmsweise einmal nicht erzählt hatte, nicht anmerken zu lassen.

Ohne sich umzudrehen murmelte Simon defensiv: »Als er krank geworden ist. Ich spreche es nur mit ihm.« Dina schüttelte den Kopf und verzog das Gesicht, als hätte Simon beim Versuch, Dad zu erreichen, angefangen Wasserski zu laufen. Mir kam Simons Geste edelmütig und tapfer vor. Es hätte mir wehgetan, das zu versuchen.

Dad blinzelte, und Simon nahm eine seiner steifen Hände. Die ineinander verschlungenen fleckigen Finger bewegten sich nicht. Ich glaube, Dad hatte einmal kräftige männliche Hände mit dicken Fingern. Aber ich war mir nicht sicher.

»Das würde ihn umbringen«, sagte ich zu Dina, wie ich es schon zuvor, persönlich und am Telefon, mehrmals gesagt hatte.

»Ich weiß.«

Wir bezogen uns beide auf seine frühere Leidenschaftlichkeit, darauf, wie schockiert er wäre, wenn das Unmögliche geschehen und er sehen könnte, was aus ihm geworden war. Aber in Wahrheit, denke ich, war es jedes Mal, wenn einer von uns während der letzten neun Jahre gesagt hatte, »das würde ihn umbringen«, wie ein ganz kleines hoffnungsvolles Gebet. Bitte. Bald.

Simon und ich warteten unten in der Eingangshalle, während Dina eine Damentoilette suchte. Ich versuchte, mich nicht umzusehen, denn der Gesichtsausdruck der Besucher war zu erschreckend, zu nackt.

»Bist du je froh, dass beide jetzt tot sind?«, fragte Simon so ruhig, dass ich es zuerst gar nicht registrierte. Als ich die Frage kapierte, muss ich überrascht ausgesehen haben, denn Simon klang ein wenig scharf: »Na ja, Dad *ist* doch tot, oder? Ich sehe ihn jedenfalls so. Was noch da ist – das ist nicht mehr wirklich Dad.«

»Aber du kommst so oft hierher – das hast du doch gesagt. Du verbringst all diese Zeit damit, ihn zu füttern. Du sprichst mit ihm.«

»Das ist wie ein Feiertag zu seinem Gedenken.« Er blinzelte ein paar Mal kurz. »Also, *bist* du nun froh?«

»Warum?«

»Es tut nicht so weh.«

»Was?«

»Sie zu hassen.«

≈

Wir fuhren ein weiteres Mal schweigend zurück zu Simons Wohnung, nur dass es diesmal nach Westen ging. Dies war es, worauf sich meine Zeit in New York beschränkte: Tod und Leere, erst der Friedhof in New Jersey und nun eine weitere Art von Todespark. Nein, das stimmte nicht – es gab mehr hier in der Stadt, es gab das deutsche Geld. Aber das kam mir noch immer beschmutzt und beinahe gefährlich vor. Meine Mutter hatte nie etwas davon ausgegeben. Hatte sie nicht gewollt? Hatte sie Angst gehabt? Hatte sie gefürchtet, es würde ihr irgendwie schaden? Dass es da irgendeine Falle gab? Vielleicht war es ihr Aberglaube, denn sie klopfte mehr auf Holz als irgendjemand anders, den ich kannte. Vielleicht hatte sie das Gefühl, verflucht zu sein oder verfolgt zu werden, weil sie überlebt hatte.

Vor Jahren war ich einmal kurz vor Tagesanbruch aufgewacht, weil ich pinkeln musste, und als ich die Schlafzimmertür öffnete, hatte ich etwas Seltsames gehört, ein »Pst!« am Ende des Korridors. Ich tastete mich vor und spähte in der Dunkelheit den Flur hinunter, strengte mich an, besser zu sehen und zu hören. Es kam aus der Diele. Ich schlich darauf zu und fing an, eine am Tisch in der Diele sitzende Gestalt zu erkennen – Mom. Nach und nach sah ich, dass sie alleine war. Sie sprach mit sich selbst, flüsterte auf Polnisch oder Jiddisch, ich konnte es nicht verstehen. »Shaydim« war eins der Wörter, die ich zu hören schien. Ich hatte es bei Moms und Dads Freunden gehört. Es bedeutete Gespenster, böse Geister. Den Rest von dem, was sie sagte, konnte ich nicht verstehen; ich fürchtete mich zu sehr, um nach ihr zu rufen oder mich zu bewegen. Das Flüstern hörte auf, und ich ging zurück in mein Zimmer. Ich weiß nicht, ob sie mich bemerkt hatte oder wie lange es dauerte. Ich weiß nicht, warum sie überhaupt dort saß und etwas sagte. Ich lag da und dachte, ich hatte etwas unerträglich Intimes gesehen, und wünschte mir, auch Simon wäre aufgewacht, damit ich nicht alleine wäre. *Shaydim*. Oder war es *Schande?*

Genau in diesem Augenblick rollten wir über ein Schlagloch, das so groß war, dass ich mir durch die Erschütterung vorkam wie ein Running Back am College, der eins dieser harten Tacklings abbekommt, die Keith Jackson »slobber knocker« nannte. Ich sah kurz nach hinten zu Dina und zu Simon hinüber, aber sie registrierten beide nicht, dass sie gerade durchgeschüttelt worden waren, und rührten sich nicht. So war das Leben in New York – man blendete fortwährend alles Unangenehme aus, nahm ich an, bis man empfindungslos war. Aber wem machte ich etwas vor? War ich draußen in Michigan nicht empfindungslos?

Nein, nicht ganz. Ich konnte die Sonnenuntergänge spüren, ich konnte das klagende Geräusch trauernder Tauben genießen. Ich war nicht tot. Noch nicht, jedenfalls.

Dina saß ruhig auf dem Rücksitz, bis ihr winziges Handy klingelte und sie sehr leise auf Französisch zu sprechen begann. Ich wusste, es war Serge, konnte aber nicht viel von dem verstehen, was sie sagte. Aber ich hörte mehr als einmal das Wort »*Allemagne*«. Deutschland. Sie musste mit ihrem Mann über das deutsche Geld gesprochen haben. Warum?

Als ich mich umdrehte und sie ansah, hielt sie den Kopf gesenkt, grinste aber so triumphierend, dass ich mich fragte, ob das Telefonat Teil eines Spiels war, das sie spielte, in dem sie diese Runde gewonnen hatte.

Als sie das Gespräch mit Serge beendet hatte, sagte sie: »Serge möchte, dass ich nach Hause komme. Ich werd heute abreisen. Ich kann ein anderes Mal herkommen und die Sachen in Moms Wohnung durchgehen.«

Sie war so überschwänglich, dass ich ihr eine reinwürgen und sie fragen wollte, warum sie nicht mehr besorgt sei, Simon oder ich könnten etwas von Moms Sachen stehlen, aber ich hielt den Mund. Simon reagierte nicht auf ihre Ankündigung und schaute nicht einmal zu ihr nach hinten, aber selbst von der Seite konnte ich erkennen, dass er überrascht aussah und vielleicht sogar verletzt. Zweifellos dachte er, er sei Unterstützung genug.

Wir holperten die Straße entlang nach Hause. Die Menschen in Michigan beschweren sich über den Zustand der Straßen und Highways; tja, sie sollten alle mal einen Tag lang versuchen, in New York zu fahren, und sie würden sich viel besser fühlen. Ich konnte nicht glauben, wie verwüstet die Straßen aussahen, die gut in einen dieser Katastrophenfilme gepasst hätten, die ich mir nicht ansehen konnte, weil die schreienden, fliehenden Menschenmassen mich stets an meine Mutter im Krieg denken ließen.

Dina hatte wieder das Telefon in der Hand, holte ihr Notizbuch hervor und wählte die Nummer von Air Canada. Als wir vor Simons Wohnung vorfuhren, hatte sie ihren Flug bereits umgebucht, und sobald sie gepackt hatte, fuhr Simon sie zum Flughafen La Guardia. Sie gab mir zum Abschied einen Kuss, als wäre er ihr peinlich, und ich fragte mich, ob sie vor der Gefahr von Nähe zwischen uns davonlief, der Möglichkeit, dass sich etwas änderte.

Ich machte zum Mittagessen eine Dose Suppe auf und stellte mir Simon und Dina am Flughafen vor, zärtlich, liebevoll, sogar Händchen haltend. Manchmal hielten Leute sie für Zwillinge, was genauso an ihrer Beziehung lag wie an ihrer Ähnlichkeit. Als ich sie dort vor mir sah, fühlte ich mich einmal mehr ausgeschlossen und allein. Als Simon vom Flughafen zurückkam, sagte ich ihm, ich würde vielleicht gern einen oder zwei Tage in Moms Wohnung bleiben, bevor ich zurück nach Michigan fuhr. In Simons seltsamer, knallig dekorierter Wohnung zu wohnen, die wie eine Verkleidung wirkte, deren Zweck ich nicht erraten konnte, war noch weniger angenehm, seit ich in der Wohnung meiner Mutter ein richtiges Bett und richtig Platz gehabt hatte.

Simon sah erleichtert aus. Vielleicht war er es nicht gewöhnt, Gäste zu haben, oder vielleicht wollte er jemanden mit nach Hause nehmen, dem ich nicht begegnen sollte. Ich bin mir nicht sicher, warum das eine Rolle spielte. Ich packte sorgfältig zusammen, als rüstete ich mich für eine gefährliche Begegnung. Simon hatte ein- oder zweimal die U-Bahn als eine Möglichkeit erwähnt, da ich nur eine Tasche mitgebracht hatte, aber ich konterte mit Geschichten von Leuten, die vom Bahnsteig geschubst worden waren.

»Das passiert nicht mehr«, sagte er, als wäre es aus der Mode. Aber allein die Vorstellung erschreckte mich schon. Als ich aufgewachsen war, hatte ich mir – wie jeder andere – wegen Verbrechen in der U-Bahn Sorgen gemacht, aber Mord hatte damals nicht gedroht. Man konnte überfallen oder, was wahrscheinlicher war, angeekelt werden, wenn man eine stinkende Treppe herunterkam und einen erledigten Penner entdeckte, der Kopf von Erbrochenem umrahmt, oder spät in der Nacht Ratten auf den schmierigen Gleisen herumtasten sah. Ich entnahm Artikeln, die ich gelesen hatte, sowie Dinas als auch Simons Berichten, dass die U‑Bahnen jetzt sicherer, sauberer und gesünder waren – meiner Vorstellung von einem normalen Ort entsprachen sie aber trotzdem nicht.

Als ich fertig war, rief ich meinen Chef in der Bibliothek an und bekam aufgrund des Trauerfalls ein paar weitere Tage Urlaub. Es war einfach, fast zu einfach. Als ich verkündet hatte, dass meine Mutter tot war, hatte ich mich über die melodramatisch mitfühlenden Blicke meiner Mitarbeiter geärgert. Sie machten alle den Eindruck, als spielten sie etwas, was sie sich unter Anteilnahme vorstellten, und fühlten sich dabei nicht wohl. Vielleicht machten sie die Anforderungen, die meine Situation ihrer Meinung nach an sie stellte, verlegen, da ich mein Privatleben sonst für mich behielt. Alles, was ich gewollt hatte, war Ruhe und weg von dort.

Simon gab mir seinen Extrasatz Schlüssel für Moms Wohnung. Wir musterten einander an seiner Tür, gingen verlegen aufeinander zu und umarmten uns kurz, benahmen uns so unbeholfen und peinlich berührt wie Anfänger in einer Tanzschule.

Ich ging nach unten und winkte ein Taxi herbei, mir nervös darüber bewusst, dass ich es mir jetzt wahrscheinlich leisten konnte. Ich lehnte alle Einladungen ab, mit dem Fahrer zu plaudern, der seinem Namen nach zu urteilen Haitianer war. Er versuchte mich dazu zu bringen, dass ich mich seinen Beschwerden über den Kongress und Jennifer Lopez und Leute, die sich von Hunden das Gesicht ablecken ließen, anschloss. Das letzte Thema schien ihn am wütendsten zu machen, und ich fragte mich schon, ob es eine ethnische Grundlage für diesen Ekel gab, hielt die Augen aber geschlossen, während er herumschimpfte. Als ich ausstieg, gab ich ihm aus Erleichterung ein gutes Trinkgeld.

Und dann war ich da, in der Wohnung meiner Mutter, umgeben von der Luft, die sie noch vor kurzem geatmet hatte.

Zumindest vorübergehend gehörte alles mir – aber was? Da gab es Möbel, Kleidung, Geschirr, Bücher, kleine Porzellanfiguren, Schmuck und gerahmte modernistische Drucke, aber was hatte das alles mit Mom zu tun oder mit Dad?

In der Küche öffnete ich die Hausbar, die wie immer spärlich mit billigem Wodka und einigen süßen Branntweinen wie Cherry Heering gefüllt war. Als Kinder hatten wir geglaubt, das sei etwas, was aus Heringen gemacht würde, auch wenn wir das an Hustensaft erinnernde Getränk gekostet hatten und den Unterschied kannten. Dad hatte Cherry Heering geliebt, sich die Lippen geleckt, noch bevor er sein schweres Schnapsglas füllte. Um uns zu necken, nannte er ihn stets »Cheery Herring«. Für ihn aber waren im Grunde alle Spirituosen »Schnaps«, so wie es von den Südstaatlern heißt, sie würden jede Limo als Cola bezeichnen.

Es gab ein paar ungeöffnete Geschenkkartons in dem Schrank, und in einem von ihnen fand ich eine Flasche Seagram's. Meine Mutter hatte Seven-Up gemocht und immer viel davon in der Speisekammer aufbewahrt, und so saß ich bald mit einem sehr starken Drink wieder im Wohnzimmer.

Fragen drängten sich mir auf. Mein Vater war ein Einzelkind gewesen; seine Eltern starben lange bevor er meine Mutter kennen lernte. Nun würde ich sie niemals fragen können, was er über sie gesagt hatte, wie sie gewesen waren. Und Mom – wie musste es gewesen sein, nach Amerika zu kommen, nachdem man die Nazis überlebt hatte, und zu sehen, wie sich mit McCarthy einheimische Faschisten erhoben? Ich wusste, dass sie Dad nach dem Krieg in Paris kennen gelernt hatte, konnte mich aber nicht entsinnen, ob er oder sie mir je erzählt hatte, wie sich ihre Wege genau kreuzten, was sie gesagt, wie sie einander angesehen hatten. Ich weiß, dass es ein paar Fotos von ihnen gab, Mom mit für die Vierzigerjahre typischen hochtoupierten, seidigen Haaren und Dad in einer zerknitterten Uniform der Army. Aber es stand nichts hinten drauf, was uns gesagt hätte, wo die Bilder gemacht worden waren oder von wem. Ich hatte Dad nie nach seinem Dienst in der Army gefragt, und von alleine war er nie damit herausgerückt. Ich hatte mich vor seinen Erinnerungen gefürchtet, wusste ich doch, dass sie unweigerlich zu seiner ersten Begegnung mit Mom, von seinem Krieg zu ihrem führen würden.

Aber all das war verloren. Ich hatte New York und der Vergangenheit so unbedingt entkommen wollen, nun aber hatte ich das Gefühl, nach ihr zu hungern. Und ich würde in einer Art und Weise hungern, die nie befriedigt werden könnte.

Durch meine Eltern hatte ich den Zugang zu meiner eigenen Vergangenheit verloren. Würde ich mir Fotoalben anschauen, alte, als Souvenir gekaufte Postkarten finden, wäre ich nicht in der Lage, in ihren Erinnerungen zu wühlen, die Geschichten zu hören. Ich hatte nicht nur eine Chance verpasst, Einzelheiten über Ferien, Krankheiten und schulische Triumphe wieder hervorzuholen – ich hatte die Einzelheiten als solche verloren. Der Tod meiner Mutter, das Verschwinden Dads in einen virtuellen Tod hatten mir riesige Stücke meines Lebens genommen. Ich war nicht nur allein, ich war kleiner geworden, reduziert.

Kein Wunder, dass Leute Kinder hatten. Wie sonst war es möglich, dass sie nicht das Gefühl hatten, mit jedem vergehenden Jahr ausgelöscht zu werden? Aber außer Valerie war ich nie einer Frau begegnet, mit der ich Kinder haben wollte.

Ich machte mir einen dritten Drink. Zum Teufel, ich kam – in mehr als einer Hinsicht – nicht weiter, was spielte es also für eine Rolle? In der Stille der Küche hörten sich die Eiswürfel und die gluckernde Limonadenflasche auf eine vorwurfsvolle Art und Weise laut an, aber da war niemand, den ich hätte anschnauzen können.

Zurück im Wohnzimmer, ließ ich mich von der Wand mit den gerahmten Fotos anziehen und suchte die, auf denen Val zu sehen war. Sie war groß, hatte schmale Hüften und volle und spitze Brüste und sich, vielleicht, weil ihr sommersprossiges Gesicht zu kantig, ihre Nase zu dünn war, selbst nie für schön gehalten. Aber wenn sie lächelte, schienen ihr tiefrotes Haar und ihre haselnussbraunen Augen in Flammen zu stehen. Angel Eyes nannte ich sie, nach dem Song auf dem Come-back-Album von Roxy Music, das wir während unseres ersten Jahres an der Columbia-Universität so oft gehört hatten.

Ich kippte meinen Drink zur Hälfte hinunter und ließ mich auf der Fensterbank nieder, die gestern, als Dina und ich stritten, Simon für sich beansprucht hatte, starrte auf das dicke, ölig aussehende, dunkle Wasser des Hudson hinaus, das von den Lichtern der unzähligen Gebäude auf der anderen Seite des Flusses durchzogen war, die eine ungleichmäßige Krene-lierung der Palisades bildeten. Die über das Wasser greifenden Strahlen kamen mir traurig, beinahe unvollständig vor. Die New Yorker hatten sich über »Jersey« schon immer lustig ge-macht, aber als ich aufwuchs, hatte ich die grünen und braunen Abschnitte zwischen den Häusern und Fabriken betrachtet, die den Bundesstaat auf der gegenüberliegenden Seite des Flusses so anders erscheinen ließen. Ich hatte mich gefragt, wie es sein würde, in einer Gegend zu leben, die nicht komplett mit Beton und Asphalt zugeschüttet war, aber das Stück der Uferlinie von Jersey, das ich sehen konnte, schien Manhattan nur nachzuäf-fen. Hatten Val und ich dort einst bei einem Doppelrendezvous mit Dina und jemandem, den ich nicht einordnen konnte, ei-nen Dschungel-Themenpark besucht? Ich versuchte, mich zu erinnern und sah Val kurz vor mir in einem rückenfreien Top, leichten Sandalen und einem dünnen, vorne durchgeknöpften Baumwollrock. Und ich erinnerte mich, dass ich mir einen Sonnenbrand holte. Sonst kam nichts wieder, aber es machte mich schon glücklich, wenigstens das zu haben.

Als ich meinen Eltern erzählte, dass Val und ich nach fünf Jahren Schluss gemacht hatten, war Dad enttäuscht und wü-tend. »Idiot! Valerie ist wie ein Lotteriegewinn. Was bist du, *meshugah*?« Aber so, wie meine Mutter es ausdrückte, war es viel schmerzhafter, weil sie so viel präziser war: »Ein gütigeres Mädchen wirst du nie kennen lernen.« Ob das nun eine Drohung, ein Fluch oder schlicht eine Feststellung war, es sah meiner Mutter ähnlich, dass sie sich auf etwas Unersetzliches fokussierte. Viele Mädchen waren hübsch, klug, talentiert, liebevoll, sogar jüdisch – aber gütig? Das war eine altmodische, ungewöhnliche Qualität.

Die Zeit und der Mist, den ich gebaut hatte, hatten meiner Mutter absolut Recht gegeben. Ich trank einem Bild von Valerie zu, das ein Stück hinter mir hing. Einem Gruppenfoto beider Familien vom 4. Juli, als wir eine Party gegeben und unser Stück Aussicht auf den Fluss dort voll und ganz genutzt und Boote auf dem Hudson beobachtet hatten. Selbst meine Mutter lächelte auf diesem Schnappschuss, stand mit Dad und Vals Eltern steif hinter uns Kids, als würden sie uns irgendwie in die Zukunft geleiten. Und sie lächelte auch auf einem anderen Foto mit Valerie und einem kleinen Mädchen, an das ich mich nicht erinnerte.

Dina und Simon hatten Valerie beide gern gehabt, und das traf auch umgekehrt zu. Ich hatte ihre Eltern gemocht, und sie hatten mich akzeptiert. Allseits ein Fest der Liebe, richtig? Aber ich war vom Karussell gesprungen, nicht bereit, diese Riesengelegenheit beim Schopf zu packen.

»Du wirst es bereuen«, hatte Dina mit scharfer und rachsüchtiger Stimme gesagt, als hätte ich sie irgendwie persönlich beleidigt und sie würde einen Zauber ersinnen, der für mein Unglück garantierte. Das war nicht nötig – ich hatte genug dafür getan, dass sich ihre Prophezeiung erfüllte. Simons Reaktion war verwirrter, aber das mag an der Sorte Drogen gelegen haben, auf die er damals gerade stand. Hätte er sein sibyllinisches Schweigen gebrochen, hätte auch er irgendwelche unheilvollen Vorhersagen gemacht, nehme ich an. Vielleicht hielt er sich zurück, weil er wusste, wie Recht Dina hatte.

Angel Eyes. Ich ertappte mich dabei, dass ich den Song summte. Ich trottete wieder in Simons und mein altes Schlafzimmer, um nachzusehen, ob ich das Roxy Music-Album mit den anderen zurückgelassen hatte, als ich aus New York weggezogen war und hauptsächlich Kassetten mitgenommen hatte, weil sie so viel leichter zu verpacken waren. Ich durchwühlte das Gerümpel auf dem Schrankboden und fand »Manifesto« und auch das Album »Siren« mit ihrem wahrscheinlich bekanntesten Song: *Love is a Drug*. Oh ja, den hatte Bryan Ferry hinbekommen.

Simons ramponierter, gebrauchter Bang & Olufsen-Plattenspieler stand noch auf unserem aus Pressspan gezimmerten Wandregal, und ich legte »Manifesto« auf, ohne mir die Mühe zu machen, erst groß die Nadel und die Platte zu reinigen, wie er es mit überraschender ritueller Sorgfalt zu tun pflegte.

Ich legte mich auf meinem Bett zurück und lauschte der Musik, die ich mit Valerie entdeckt hatte. Ich versuchte einzuordnen, wo genau wir gewesen waren, als wir den Song zum ersten Mal hörten, und dachte an sie. »Das bist du«, hatte ich gesagt, angesichts dieser Entdeckung gelächelt und über Bryan Ferrys Brillanz gestaunt. »Angel Eyes.«

Ich sah, dass Valerie zwar errötete und sich wegdrehte, sich aber, ihre schönen Augen abgewendet, an mich schmiegte. Ruhig hatte sie gesagt: »Okay.«

Während ich mir das Album mit geschlossenen Augen anhörte, war ich überrascht, dass ich mich an ganz andere Musik erinnerte. Eines Winters, als wir Karten für Seiji Ozawa und das Boston Symphony Orchestra in der Avery Fisher Hall hatten, hatte ich auf dem kühlen Platz des Lincoln Center auf sie gewartet und mir, als sie sich verspätete, jede nur mögliche urbane Katastrophe vorgestellt, weil sie äußerst gewissenhaft war, was Pünktlichkeit anging, und sie dann schließlich entdeckt, wie sie in großen Schritten in ihrem schwarzen, mit einem Pelzkragen besetzten Dr. Schiwago-Mantel daherkam und mich anlächelte, weil sie mir meine Panik und meine Erleichterung sofort angesehen hatte. Wie wir uns da umarmt hatten, ich das Gewicht ihres Körpers in meinen Armen hatte spüren wollen, damit ich wusste, dass es ihr gut ging und auch mir. Als sie drinnen ihren Mantel auszog, machten die Männer und selbst Frauen große Augen. Sie sah wie ein Model und viel älter aus in ihrem neuen langärmeligen Futteralkleid aus fliederfarbener Wolle, das am Busen eng anlag, violetten Strümpfen und hochhackigen Schuhen und mit der antiken Granatkette, die ich ihr zu ihrem einundzwanzigsten Geburtstag geschenkt hatte. An diesem Abend sang in der kupferroten, goldenen Halle jede Note von ihr, und ich war sprachlos, so atemberaubend war sie. Valerie war wie ein unentdecktes Land, von dem ein Forschungsreisender geträumt hat und das er kennt, das ihm unbeschreiblich nahe ist: fremd und zum Glück gleichzeitig vertraut. Während der Pause hatte ich Schwierigkeiten zu sprechen, und wir hielten uns einfach an den Händen und genossen die wunderbar gekleidete Zuschauermenge. Tranken wir etwas? Die erste Hälfte war ein von Alicia della Rocha gespieltes Klavierkonzert von Mozart gewesen, und so war ich auf die überwältigende emotionale Kraft von Tschaikowskys Pathétique nach der Pause nicht vorbereitet. Ich kannte das Stück aus dem Radio, besaß aber nicht einmal eine Aufnahme und hatte nie eine Aufführung davon erlebt. Als die Sinfonie sich entwickelte und die Musik auf mich wirkte wie ein Sturm, der im Begriff ist, das Dach eines Hauses in Florida abzureißen, ergriff mich das Verlangen, Val zu bitten, mich zu heiraten, aber nicht, indem ich mich einfach hinüberbeugte und es flüsterte. Nein, ich wollte sie an ihrem schmalen Handgelenk packen, durch unsere Reihe ziehen, den Gang hinauf und hinaus auf diesen offenen glänzenden Platz, sie dort in meinen Armen herumwirbeln und es herausbrüllen, als wäre das Leben ein Musical: Heirate mich! Heirate mich!

Warum hatte ich es nicht getan?

Bryan Ferry sang das traurige, romantische *Dance Away*. Ich setzte mich auf, konzentrierte mich, versuchte bei jenen Momenten zu bleiben, in denen sich mein Leben vollständig hätte ändern können. Aber alles, was ich wirklich mit ihnen verband, waren Taumel und Hast, nicht die Hemmungen. Nein, das stimmte nicht. Selbst, als ich dort allein in der Wohnung meiner Mutter lag, war ich noch immer nicht bereit, all dem ins Auge zu schauen, was mich von Valerie getrennt hatte. Oder um ehrlicher zu sein, all dem, dem ich erlaubt hatte, dass es uns trennte. Valeries Eltern waren genauso wie meine Mutter Überlebende des Holocaust, und die Vorstellung, sie zu heiraten, war mir manchmal vorgekommen, als würde ich mich für den Rest meines Lebens an den Holocaust binden: er würde alles überschatten, was ich tun oder sagen würde, wenn ich ein Kind von Überlebenden heiratete. Wie könnte ich diesen Bildern des Todes in den Ghettos und Lagern, dem Gefühl, gejagt zu werden, ein Opfer zu sein, je entkommen? Es machte mich krank.

Anders als meine Mutter sprachen Valeries Eltern offen über ihre Schwierigkeiten. Und Valerie war nicht mit dem Gefühl aufgewachsen, von deren Vergangenheit eingesperrt oder tyrannisiert zu werden, sondern sie hatte ihr Energie gegeben. Sie war nie vor ihr davongelaufen, sondern hatte ihr direkt ins Auge gesehen und sie in eine Kraft verwandelt, eine Quelle der Inspiration. »Ich bin stolz auf sie, weil sie nach Amerika gekommen sind und ein neues Leben angefangen haben. Überleg mal, was dafür nötig war!«

Valerie sprach in solchen Momenten eine Sprache, die mir nicht nur fremd war, sie war bedrohlich. Heiratete ich sie, würde ich mich anstrengen, sie zu lernen, oder sie verdrängen. Ich würde das endlose Rasseln der mich an die Bombenabwürfe, die Ghettos, die Lager, die Schornsteine, die Folter, an die mit Bulldozern zusammengeschobenen Stapel Leichen fesselnden Ketten hören. Ihre Fähigkeit, über das alles so ehrlich, so frei zu sprechen, wirkte manchmal obszön und machte mich sogar wütend, weil ich mir wie ein Versager, ein Feigling vorkam.

Das war es, was mich vor ihr und aus New York flüchten ließ. Das war es, warum ich an dem Abend, als wir die Pathétique hörten, plötzlich innehielt.

Heiratete ich sie, würde ich von der schrecklichen Vergangenheit meiner Mutter niemals frei sein.

Valerie und ich waren einander so nahe gewesen, dass ich mir sicher bin, sie bekam am Abend des Konzerts meine unausgesprochene Aufregung, meine innere Raserei mit. Vielleicht hatte sie sogar genau gewusst, was mich gepackt hatte. Wie viele Paare vervollständigten wir oft des anderen Sätze oder stellten fest, dass einer von uns ein Thema zur Sprache brachte, über das der andere nur Momente zuvor nachgedacht hatte.

Nach dem Konzert, als wir auf der anderen Straßenseite im O'Neal's etwas tranken, sah sie sehr traurig, beinahe reuevoll aus, selbst, als wir Idole von ihr entdeckten: Peter Maartins, der mit anderen lärmenden Tänzern an einem Tisch lümmelte, und Edward Gorey, der alleine saß, mit einem Gesicht, das auf eine so geistreiche Weise rätselhaft war wie seine Zeichnungen. Ich konnte mich nicht erinnern, worüber wir geredet hatten. Aber es war ein wenig kühl gewesen, und sie behielt ein paar Minuten ihren Mantel an und sah aus, als wüsste sie nicht, ob sie bleiben sollte. Ich fragte sie vorsichtig nach ihrer Stimmung, aber sie sagte nur: »Der Tschaikowsky ist mir ganz schön unter die Haut gegangen.«

Die Erinnerung verblasste, und ich dachte wieder daran, dass meine Mutter tot war. Ich sagte es ein paar Mal zu mir selbst, tastete daran herum, wie man einen entzündeten Zahn mit der Zunge prüft. Und Dad war es eigentlich auch. Ich hatte keine Eltern mehr. Ich war eine Waise, war es nicht so? Und während ich meinen Seven and Sevens trank, grübelte ich darüber nach, was das bedeutete. Ich fühlte mich vollkommen abgeschnitten wie der Astronaut, der in *2001: A Space Odyssey* in das kalte, herzlose Weltall hinaustreibt – weg von ihnen, von mir selbst.

Es klingelte ein paar Mal an der Tür, bevor das Geräusch zu mir durchdrang. Ich schaltete die Stereoanlage ab und stolperte hinaus in die Diele. Bevor ich mein Auge an den Spion legen konnte, hörte ich: »Paul? Ich bin's.«

Ich fummelte an den Schlössern herum, riss die Tür auf und starrte mit offenem Mund hinaus. Es war Valerie. Sie sah genauso aus wie damals auf dem College: ihre roten Haare fielen in Locken auf die Schultern eines eng gegürteten beigen Trenchcoats, ihr gerötetes Gesicht machte die Sommersprossen auf ihrer Nase und den Wangen heller. Wie oft hatten wir an dieser Tür gestanden und uns zur Begrüßung geküsst? Und hatte sie vor Jahren nicht genauso einen Mantel gehabt?

»Ich hoffe, du wirst dir noch einen Seven and Sevens machen«, sagte sie sanft. Ich trat zurück und ließ sie herein. »Denn ich denke, du brauchst ihn.« Als sie an mir vorbeiging und ich die Tür dröhnend ins Schloss fallen ließ, dachte ich, nein, sie ist nicht dieselbe. Ihre Haltung, ihr Gang hatten mehr Autorität, und sie wirkte größer.

Wie ein Zombie half ich ihr aus dem Mantel und hängte ihn auf.

»Dein Parfüm«, sagte ich.

»Angel.«

»Was?«

»Es ist Angel. So heißt es.«

Sie stand da, lächelte mich an und musterte mich. Und nun sah sie für mich doch wieder genauso aus wie damals, als wir auf dem College waren: sie trug schwarze Clogs, schwarze Samthosen mit weiten Beinen, eine weiße Seidenbluse mit einem langen Kragen und einen schwarzen Pullover mit V-Ausschnitt. Ich hatte sie in Schwarz immer geliebt.

»Deine Kleidung …«

Sie sah an sich herunter und zuckte mit den Achseln. »Ich weiß, die Siebziger sind wieder in. Warum nicht?«

Ich winkte sie in die Küche, und sie setzte sich an den Tisch, schlug ihre langen Beine übereinander und sah sich liebevoll und zwanglos um. Ich machte uns beiden einen Drink, wie ich es vor Jahren oft getan hatte, achtete darauf, dass ich das Gefrierfach mit den Eiswürfeln nicht aufriss oder die Flasche oder die Gläser fallen ließ. Nach einem Rendezvous saßen wir gerne hier, weil die Küche sich fast in der Mitte der Wohnung befand, so dass wir, wenn wir redeten, irgendwie das Gefühl hatten, unter uns zu sein.

Dies war einfach wunderbar und absolut bizarr.

»Aber wie – ?«

»Simon hat mich angerufen und mir gesagt, du wärst auf dem Weg hierher, ich hatte etwas freie Zeit, also dachte ich, warum nicht?«

»Simon«. Wenigstens war es nicht Dina gewesen. Dann dachte ich: *Sie wollte mich sehen.*

»Hast du Kontakt zu Simon?«

»Hin und wieder.«

Ich nickte, nicht sicher, was das bedeutete oder wie ich mich dabei fühlte.

»Es ist lange her«, sagte Valerie vorsichtig. »Es tut mir so Leid wegen deiner Mom. Das war ein Schock.«

»Danke.« Ich wusste nicht recht, was ich sonst sagen sollte. Ich stand ein Stück von ihr entfernt mit dem Rücken zur Spüle und nickte. »Woher wusstest du, was ich trinke?«

»Wenn du Seven and Sevens trinkst, kriegst du immer diese kleine Falte auf der Stirn, da, zwischen deinen Augenbrauen.« Sie zeigte darauf, und ich zuckte zurück, als könnte ich spüren, wie sie ihren Finger auf die Stelle presste. Im Bett hatte sie vor Jahren nach dem Sex gern eine Linie um meine Augen nachgezeichnet, mir nie erklärt, was, wenn überhaupt, sie für sie bedeutete, obwohl ich oft gefragt hatte.

»Ich glaube, die ist jetzt immer da. Ich werde alt.«

»Stimmt. Und du gehst eindeutig aus dem Leim«, sagte sie, nippte an ihrem Drink und betrachtete mich über den Rand des Glases hinweg.

»Bist du sicher, dass es nicht Dina war, die dir erzählt hat, dass ich hier bin?«

Sie sah entsetzt aus und verschränkte die Arme. »Nein, überhaupt nicht. Warum sollte sie? Ich komme hin und wieder hier vorbei und besuche Mrs. Gordon. Sie hätte mir von dir erzählt, wenn Simon es nicht getan hätte.«

»Moment mal. Woher kennst du *sie* denn?«

»Ich schreibe ein weiteres Buch. Diesmal wird es auf Interviews mit Überlebenden basieren. Deine Mom wollte nicht darin vorkommen, aber sie erzählte mir von Mrs. Gordon unten, und …«

Nun setzte ich mich schwerfällig an den Tisch und stellte mit einem dumpfen Geräusch mein Glas ab. »Moment! Sag das noch mal. Ein *weiteres* Buch?«

»Du hast meine Biografie nicht gelesen?« Val sah enttäuscht aus. »Hast du nicht davon gehört?«

Ich schüttelte den Kopf.

»Vor fünf Jahren? *Schatten des Holocaust*?«

Der Titel sagte mir alles. Selbst wenn ich davon gewusst hätte, hätte ich es gemieden.

»Ich war in *Fresh Air* auf NPR«, sagte sie stolz. »Es hat vier Auflagen erreicht und ich muss nicht mehr so viel als Freischaffende arbeiten. Paul, du bist Bibliothekar, wie konntest du das verpassen?«

»He – es werden jeden Tag mehr als hundertfünfzig Bücher in Amerika veröffentlicht. Und ich lese zwar *Publisher's Weekly*, aber alles kriege ich trotzdem nicht mit. Man verpasst leicht mal was. Außerdem ist der Holocaust nicht mein Gebiet.« Ich hielt inne. Wie viele Ausreden waren das? Zu viele.

Sie zuckte leichthin mit den Achseln. Sie sah sogar noch

besser aus als zu der Zeit, als wir zusammen waren: war es der Erfolg, der sie attraktiver gemacht hatte? Sie war jetzt einundvierzig, ein Jahr jünger als ich.

Ich versuchte den Faden wieder aufzunehmen. »Es muss aufregend gewesen sein, veröffentlicht zu werden.«

Sie wies das Friedensangebot nicht zurück. »Allerdings. Ich meine, ich hatte seit Jahren Buchbesprechungen für jüdische Magazine und Zeitungen verfasst …«

Ich versuchte, nicht so auszusehen, als hätte ich auch das nicht gewusst.

»Aber das war größer. Es war unglaublich! Knopf hat mich auf Tournee geschickt, nachdem es gut angelaufen war. Du weißt, wie Verleger sind – sie waren besorgt, wegen des Themas, aber sie irrten. Ich hatte in jeder Stadt eine Limousine und einen Fahrer, ich kam mir vor wie eine Berühmtheit. Moment mal – das Buch ist in der *New York Times* besprochen worden, und du hast auch das verpasst?«

Sie sprach wie eine geborene New Yorkerin, für die die *Times* der Prüfstein für die Wirklichkeit ist.

Aber wir würden hier keine Fortschritte machen, solange sie sich benahm wie eine missachtete Autorin und ich mir vorkam wie ein Narr. »Ich schätze, das habe ich. Und Dina hat dein Buch nie erwähnt. Simon auch nicht, aber wir reden auch nicht viel miteinander. Tut mir leid.«

Sie sah noch immer gekränkt und sogar skeptisch aus, auch wenn ich nicht sicher war, ob sie sich mehr über meine Familie ärgerte, weil sie es mir verschwiegen hatte, oder über mich.

»Val, ich bin nur ein Bibliothekar.«

Sie lächelte so nachsichtig, als hätte ich erklärt, das Versehen sei auf ein Jahrzehnt der Unterwasserforschung mit Jacques Cousteau zurückzuführen. »Okay, Zizi, ich verzeihe dir.«

Als ich meinen alten Spitznamen hörte, musste ich lachen. Wir hatten Cocteaus *The infernal machine* im Seminar für französisches Theater an der Columbia-Universität gelesen, und darin ist der Spitzname der Königin Jocasta für den Priester Tirésias »Zizi«. Das war französicher Jargon für Penis, und manchmal hatte Val mich mit warmem Spott so genannt. Ich war überrascht, dass sie ihn jetzt benutzte, und muss auf eine so schwanzwedelnde Art dämlich ausgesehen haben wie ein Spaniel, der den Bauch massiert bekommt.

Valerie sah aus, als fühlte sie sich ein klein wenig unbehaglich, als sei es ihr peinlich, dass sie meinen Spitznamen verwendet hatte, aber ich merkte, dass ich der höheren Macht, die mich an diesem Abend zur Wohnung meiner Mutter gebracht hatte, wahnsinnig dankbar war, um welche auch immer es sich dabei gehandelt haben mochte. Und ich war froh, dass Simon und Dina nicht hier waren und diese Wiedervereinigung miterlebten, weil sie, indem Dina schwärmte und Simon dramatisch schwieg, eine Staatsaffäre daraus gemacht hätten. »Vermassel das nicht!«, befahl ich mir, obwohl ich keine Ahnung hatte, was dies bedeutete.

»Wie geht's deinen Leuten?«, fragte ich.

»Die haben sich zur Ruhe gesetzt.«

»Florida?«

»Was sonst? Sie haben eine Eigentumswohnung in Boca und verbringen dort den Winter. Ihr Wohnung hier haben sie behalten. Sie gehen noch immer gern ins Theater, und sie wollen mich sehen und –« Sie brach ab, als schämte sie sich ein wenig, weil sie so redselig war.

»Weißt du, ich hab gerade Roxy Music gehört, bevor du geklingelt hast. Findest du das nicht merkwürdig?«

»Nein. Ich höre sie ständig.«

»Du hältst das aus?« Ihr Gesichtsausdruck änderte sich, und ich sprach schnell weiter. »Na ja, ich meine – tut das nicht weh?«

»Ah … sagte sie. »Das ist mehr als fünfzehn Jahre her.«

»Das« bedeutete unser Verhältnis und unsere Trennung. Es war eine seltsam unbestimmte Art, es auszudrücken, aber vielleicht passte Unbestimmtheit im Moment am besten zu uns. Ich versuchte einen höheren Gang einzulegen. »Du sagtest, du warst schockiert, als meine Mom starb …?«

Sie kannte mich gut genug, um die Frage herauszuhören, die ich ihr nicht gestellt hatte. Sie nahm das Bein vom Knie und lehnte sich in ihrem Stuhl zurück. »Ich hab nie aufgehört, sie zu besuchen, nachdem du New York verlassen hattest, Paul. Ich mochte sie. Ich weiß, sie war hart zu dir, aber ich mochte sie. Ich kam alle paar Wochen vorbei, und wir aßen zusammen zu Mittag. Manchmal gingen wir zusammen shoppen. Kleider kaufen. Und ich hab immer geglaubt, sie wäre bei guter Gesundheit. So, wie sie jeden Tag spazieren ging. Sie achtete darauf, was sie aß. Man sollte nicht meinen, dass so jemand einen Herzanfall hat.«

»Sie war also nicht krank?«

»Ich nehme an, sie war es, aber ich wusste nichts davon.«

»Hm.« Simon und Dina offenbar auch nicht.

»Aber es könnte der Krieg gewesen sein, weißt du.«

»Was meinst du?«

Sie schob die Finger ineinander. »Manchmal denke ich, wir vergessen, was das den Menschen, ihren Körpern angetan haben muss, Angst zu haben und zu frieren und jahrelang Hunger zu leiden. Zu leben, ohne zu wissen, ob man morgen oder sogar noch am selben Tag umgebracht wird. Zu sehen, wie Menschen geschlagen und ermordet werden und Städte brennen. Überleg mal, wie verheerend das für deinen Körper und deine Seele wäre, wie dich das angreifen würde. Wenn also so jemand vierzig, fünfzig Jahre später stirbt, woher weiß man, dass es nicht die Deutschen waren, die ihn umgebracht haben?«

Darüber wollte ich keine Vermutungen anstellen, und ich widerstand der ruhigen Leidenschaft in ihrer Stimme. Dann fragte ich mich, ob Valerie in Kontakt mit meiner Mutter geblieben war, sie hier besucht hatte, damit offen blieb, was aus *unserer* Beziehung werden würde. Ich war gerührt, aber dass

Val meine Mutter so viel besucht hatte, verstärkte das Schuldgefühl noch, das ich empfand, weil ich sie vernachlässigt hatte. Und ich fragte mich, warum hatte sie das deutsche Geld nicht Valerie vermacht, jemandem, der sich eindeutig um sie kümmerte?

»Was ist los?«, fragte Val und kniff die Augen zusammen. Es hatte immer den Anschein gehabt, als könnte sie meinen wechselnden Stimmungen, dem Weg meiner Gedanken folgen, und es war sowohl beruhigend als auch ein wenig unheimlich, festzustellen, wie wenig sich das geändert hatte.

Ich erzählte ihr von dem Testament, wenn ich auch keine Beträge erwähnte. Erzählte ihr, wie perplex ich durch das Vermächtnis meiner Mutter an mich war.

Hatte Valerie irgendeine Vermutung, warum? »Hast du mit ihr über die Reparationen, über den Krieg gesprochen?«

»Nein, nicht viel. Fast nie, eigentlich. Aber sie fand schon die Bezeichnung schrecklich. ›Wiedergutmachung.‹ Valerie sagte es vorsichtig, als wäre jede Silbe ein Stein, auf den sie trat, um einen Bach zu überqueren. »Deine Mom fand das immer idiotisch. Wie könnte man so etwas wieder gutmachen?« Sie schob ihre Haare von den Schultern nach hinten und krümmte ein wenig den Rücken. »Sie sagte, Vergebung, Wiedergutmachung könne es nicht geben. Ich habe nicht versucht, ihr zu widersprechen. Wie könnte ich? Meine Eltern haben das Geld nicht beantragt.«

Meine Gedanken wanderten. In der Küche, die so sehr zu unserer Vergangenheit gehörte, dachte ich merkwürdigerweise plötzlich daran, wie Valerie vor Jahren an sich herumgemäkelt, sich über ihre dünnen Hände, ihre herabhängenden Ohrläppchen und ihre schmale Unterlippe beklagt hatte. Das war mir damals alles so lächerlich vorgekommen und tat es jetzt noch mehr. Valerie hatte immer eine gute Haltung gehabt, und selbst, wenn sie ein wenig in ihrem Stuhl hing, leuchtete sie, hatte sie Ausstrahlung.

Dina bewunderte das immer an Valerie. Auch wenn Dina die attraktivere Frau war, mit einem Gwyneth-Paltrow-Look, wie Leute heute sagen würden, hatte sie behauptet, Valerie sei irgendwie imposanter, hinterlasse einen dauerhafteren Eindruck. »Val zieht die Aufmerksamkeit auf sich. Die Männer sehen bei ihr ein zweites Mal hin, Paul. Sie hat Tiefe, wie ein Gemälde. Und sie trägt immer genau das Richtige. Es geht mir auf die Nerven.«

Ein weiterer Song, den Val und ich auf dem College gehört hatten, fing an, mir durch den Kopf zu gehen: Iggy Pops schwermütiges, von Drogen beeinflusstes *Fall in Love With Me*.

»Aber vielleicht war es dein Dad«, sagte Valerie, und ich nahm schnell wieder Haltung an. »Vielleicht, weil sie zusah, wie sein Zustand sich verschlechterte, und ihn dann in das Pflegeheim bringen musste – das könnte sie mürbe gemacht haben. Deprimiert schien sie schon zu sein.«

»Woran hätte man das denn erkennen sollen? Mom war immer wütend oder deprimiert oder beides.«

Valerie sah mir meine nächste Frage an, noch bevor ich die Worte herausbringen konnte. »Ich hab deinen Vater an seinem Geburtstag, am Vatertag, im Urlaub, wann immer ich konnte, im Heim besucht. Deine Mutter hat beharrlich behauptet, er wisse es, wenn sie da sei, aber ich glaube, sie war einfach ein bisschen –«

»Verrückt geworden?« schlug ich vor.

»Nein. Ein bisschen zu hoffnungsvoll.«

»Jede Art von Hoffnung war verrückt. Sein Gehirn war vergiftet. Es wäre ihm auf keinen Fall noch mal besser gegangen. Ich hab ihn heute gesehen. Das hat *mich* verrückt gemacht. Es war ein Albtraum.«

»Ich weiß«, sagte sie, wirkte aber weit weniger bestürzt. Vielleicht, weil es nicht Jahre gedauert hatte, bis sie sah, was aus ihm geworden war. Vielleicht milderten häufigere Besuche den Schock. Ich hatte nicht vor, diese Theorie einem Test zu unterziehen.

So. Valerie, meine Ex-Freundin, die Frau, von der ich mich vor mehr als fünfzehn Jahren getrennt hatte, selbst *sie* hatte mehr Zeit meinen Eltern gewidmet als ich, war pflichtbewusster, respektvoller gewesen.

Ich trank aus, aber als ich aufzustehen versuchte, war ich ein bisschen wackelig auf den Beinen und probierte nicht, mir noch einen weiteren Drink zu machen. Ich muss betrunkener gewesen sein, als ich dachte, denn ich fragte sie, ob sie sich an den Abend erinnerte, als wir Seiji Ozawa gesehen hatten.

»Du meinst den Abend, an dem du mir beinahe einen Heiratsantrag gemacht hättest?«

Da war es nun also. »Du wusstest es.«

»Oh, ja. Du musstest nichts sagen – ich konnte es spüren. Du warst wie ein Turmspringer, der immer weiter die Leiter hochklettert, bis zum Rand des Brettes geht, sich startklar und bereit macht und dann umkehrt. Obwohl ich nach vorne zur Bühne geschaut habe, konnte ich spüren, wie du mich angestarrt, mich taxiert und es dann aufgegeben hast.«

Das Bild passte. Ich konnte mich vor mir sehen, ausgezogen bis auf meine Badehose, und Valerie als ein glänzendes Becken mit klarem Wasser, das auf mich wartete.

»Ich frage mich, ob ich dich hätte heiraten sollen.«

»Das ist dein Problem, Paul«, sagte sie schroff. »Dass du dich das immer noch fragst.«

Jetzt schaffte ich es, auf die Beine zu kommen, ging um den Tisch herum, setzte mich auf die Kante und nahm ihre freie Hand, die sie mich halten ließ und mich dabei argwöhnisch betrachtete. Ihre Hand war so kühl wie ihr Gesichtsausdruck, aber ich ließ mich dadurch nicht entmutigen.

»Val, erinnerst du dich, wie wir uns das erste Mal hier geliebt haben? In meinem Schlafzimmer?«

Sie schüttelte den Kopf.

»Und wir nur eine halbe Stunde hatten und die Tür offen ließen und deine Sachen ins Klo taten, damit du da rein rennen konntest, falls Mom zu früh von ihrem Zahnarzttermin an der East Side zurückkäme?«

»Tja, ich war damals schneller auf den Beinen.« Sie lächelte nicht, als sie daran zurückdachte.

Ich fragte sie, was los sei.

»Deine Augen. Sie sind so verzweifelt.«

Das genügte mir. Ich hielt ihre Empathie fälschlicherweise für eine Einladung und beugte mich hinunter, um sie zu küssen, aber sie stieß mich sanft zurück. Sie erhob sich und verkündete (immer noch sanft), dass sie nach Hause fahren und den Portier bitten würde, ihr ein Taxi herbeizuwinken.

Ich trottete hinter ihr her, als sie sich ihren Mantel zurückholte. Aus war's mit dem glücklichen Hündchen und seiner heraushängenden Zunge. Mein Schwanz und meine Nase hingen herab, meine Ohren wischten den Boden. »Hast du viel zu tun? Ich fahre nicht gleich zurück nach Michigan. Vielleicht können wir zusammen essen.«

»Möglicherweise.«

»Wann? Wo?«, fragte ich und klang dabei selbst für mich wie ein Depp.

»Wir sprechen uns«, sagte sie mit hochgezogenen Augenbrauen, schloss geschickt die Tür auf und öffnete sie. Sie schlüpfte hinaus in den Flur, um auf den Fahrstuhl zu warten. Rücksichtsvoll verhinderte sie, dass die Tür zuschlug. Die Ruhe, mit der sie hinausging, erinnerte mich daran, wie oft wir zusammen ausgegangen waren und ich unten am Riverside Drive mit ihr darauf gewartet hatte, dass keuchend der Bus No. 5 vorfuhr und sie nach Hause nach Washington Heights bringen würde.

Als ich zurück in die Küche torkelte, um aufzuräumen, kam ich mir plötzlich dumm vor und fühlte mich noch einsamer. Mit Simon konnte ich hierüber nicht reden, es war peinlich genug, dass ich ihm erzählt hatte, was mit Camilla passiert war. Ich ärgerte mich, dass ich niemanden hatte, den ich in der

Stadt anrufen, dass ich keine alten Freunde hatte, mit denen ich Kontakt aufnehmen konnte. Ich war nicht wie Dina, die noch immer mit Freunden aus der dritten Klasse sprach, sich über Umzüge, Babys oder Beförderungen auf dem Laufenden hielt. Ich hatte fast immer zugelassen, dass Beziehungen verblassten, ohne mich zu bemühen.

Dann stieß ich einen heiseren Schrei aus. Val war zurück! Und es war unglaublich, dass sie nach so langer Zeit überhaupt mit mir sprechen wollte und mich nicht für ein nichtsnutziges Stück Scheiße zu halten schien. Aber war ich das nicht? Plötzlich hätte ich am liebsten die Gläser an die Wand geschleudert und gegen den Tisch oder einen Stuhl getreten, bis etwas zerbrach. Ich war ein Idiot – ein Narr. Ich wurde ihr gegenüber zudringlich, und sie war nicht einmal eine halbe Stunde da gewesen – wie hatte ich sie und den Moment nur so vollkommen falsch einschätzen können? Ich erinnerte mich, wie mein Vater manchmal Leute auf jiddisch niedermachte: *Azah balvan*. Was für ein Trottel.

Nein, das war es noch nicht einmal. Val hatte es erfasst. Ich war etwas weit Schlimmeres. Ich war verzweifelt. Sie musste gar nicht alles andere sagen, was damit einher ging. Ich war ein verzweifelter, einsamer Versager mit einem Job, den ich gut machte, der mir aber nichts bedeutete, und ging auf die mittleren Jahre zu.

Aber sie war aus Mrs. Gordons Wohnung gekommen, um mich zu sehen, dachte ich mich selbst verteidigend, vor einer inneren Jury plädierend. Ich schaltete das Licht in der Küche aus und trat wieder in die Diele, die noch nach ihrem Parfüm duftete. Ich atmete es ein, als wäre ich ein abgefuckter Jugendlicher, der sich nach seinem Stoff sehnt. Es war ein toller Duft: er war erdig, blieb haften und roch irgendwie fast wie geröstet.

Als das Telefon klingelte, war mein erster verzückter Gedanke: »Val!«. Ich stürzte zu dem Tisch in der Diele, riss den Hörer von der Gabel und hätte das Telefon beinahe umgeschmissen.

Es war Dina. »Was tust du da?«, fragte sie misstrauisch. Kein Hallo, keinerlei Begrüßung, nur eine Frage, die implizierte, dass ich Dielen hochstemmte und nach versteckten Schätzen suchte.

Reichlich ernüchtert sank ich in den Stuhl. »Hast du mich deshalb angerufen?« Sie hatte es wahrscheinlich zuerst mit Simons Nummer probiert, und er hatte ihr gesagt, wo ich war.

Ihr Ton veränderte sich: nun versuchte sie schwesterlich zu sein. »Ich mach mir *Sorgen* um dich. Ich finde es morbid, in Moms Wohnung zu bleiben.«

»Morbid? Warum?«

Dina seufzte wie eine Krankenschwester mit einem gries-grämigen Patienten. »Du hast es jahrelang vermieden, Mom zu besuchen, und jetzt, wo sie tot ist, ziehst du ein? Kommt das nicht ein bisschen plötzlich?«

»Ihr Herzanfall kam plötzlich. Und ich bin *nicht* eingezo-gen!« Ich fühlte mich in die Enge getrieben, war nicht fähiger, mich klar auszudrücken, als ein frustrierter Teenager, der vergeblich versucht, sich vor einer Autorität zu rechtfertigen, außerstande, die Worte erstrahlen zu lassen, die hervorschnel-len und jeden mit ihrer grellen Klarheit und Wahrheit blenden würden. Ich stotterte – ich war eine Niete.

»Falls du versuchst, irgendeinen Anspruch anzumelden …« warnte Dina.

»Wovon redest du? Einen Anspruch worauf? Die Wohnung gehört Simon, und er findet nichts verkehrt daran, dass ich hier wohne.«

Sie tat das ab: »Simon ist ein *schmatteh*.«

Ich unterdrückte meine Erschöpfung und nahm all meine Kräfte zusammen. »Dina, warum piesackst du mich? Sagt Serge dir, dass du das tun sollst?«

Ihr wütendes »Nein!« klang, als hätte sie gerade ihren Finger in eine Steckdose gesteckt, also nahm ich an, ich hatte richtig geraten. Aber sie gab nicht nach. »Weißt du, Paul, ich kann das Testament anfechten lassen –«

»Mit welcher Begründung denn? Du spinnst!«

»Ein guter Anwalt kann etwas finden. Willst du das hier wirklich in die Länge ziehen?«

Das wollte ich nicht, also legte ich auf und den Hörer anschließend neben die Gabel, damit sie mich nicht noch mal anrufen und weiter ausschimpfen konnte. Aber sobald ich das getan hatte, bereute ich es. Ich hatte ein rotes Gesicht, atmete schwer und war kurz davor, zu explodieren. In Ann Arbor wäre ich jetzt laufen gegangen, um Dampf abzulassen. Ich kam mir betrogen vor, hatte das Gefühl, Dina hatte gewonnen, indem sie mich so wütend machte, dass ich auflegte, und mich so meiner Worte beraubte.

Sie hatte mich mit ihren Argumenten schon immer in die Tasche stecken können; warum war sie nicht Anwältin geworden, wo sie tagtäglich Menschen hypnotisieren und schikanieren konnte und dafür bezahlt und bewundert werden würde?

Ich schnappte mir das Telefon und wählte Simons Nummer. Die vorsichtige Art, auf die er den Anruf entgegennahm, machte mir klar, dass er auf das Nachbeben von Dinas Anruf bei mir gewartet hatte. Ich gab ihm eine kurze, böse Zusammenfassung unseres Wortwechsels, die er sich anhörte, ohne mich zu unterbrechen.

»So ist Dina eben«, sagte er, als ich plötzlich innehielt, als wäre ein Koffer zugeschnappt. »Sie liebt es, sich aufzuregen. Das gibt ihr das Gefühl, lebendig zu sein.«

Das traf es derart genau, dass ich ein Weilchen darüber nachdachte. Aber ich wollte mehr als Einblicke und Einschätzungen, ich wollte sie vernichten. »Was zum Teufel ist ihr Problem? Warum braucht sie noch mehr Geld? Sie hat jede Menge davon!«

»Genau deshalb«, sagte er verdrießlich. »Sie will mehr.« Es war ungewöhnlich, dass er Dina so kritisierte, und ich nahm es dankbar zur Kenntnis.

»Das wollte sie schon immer«, sagte ich und erinnerte mich, wie sie sich als Kind beschwert hatte, wenn es so aussah, als hätte einer von uns eine größere Portion Kuchen, einen größeren Pudding oder irgendeine andere Süßigkeit bekommen. Simon musste davon abgehalten werden, ihr etwas abzugeben, und was mich anging, so juckte es mich in den Fingern, Jimmy Cagney zu geben und ihr mein Dessert ins Gesicht zu schieben.

»Du willst mehr? Hier!«

»Beachte Dina einfach nicht, wenn sie so drauf kommt,« sagte Simon. »Sie meint es gut.«

»Das glaube ich nicht.«

Simon ignorierte das. Ich nehme an, seiner Meinung nach hatte er für einen Abend genug über Dina geschimpft. »Ich wünschte, Mom hätte das deutsche Geld nie beantragt.«

Es fiel mir schwer, ihm nicht beizupflichten. Aber auch wenn unsere kurze Unterhaltung mich beruhigt und mir das Gefühl gegeben hatte, genug abschalten zu können, um ins Bett zu gehen, so konnte ich doch nicht einschlafen. Zwar waren Immobilien oben auf Old Mission Peninsula teuer, weil es Traverse City und dem Michigansee so nahe war, aber mit meiner Erbschaft würde ich selbst nach Abzug der Steuern genug für ein kleines Haus haben. Es wurde nicht nur ein Traum damit wahr, es ging tiefer. Ich war so in Old Mission verliebt gewesen, dass ich es nicht gewagt hatte, davon zu fantasieren, dort oben ein Haus zu haben, weil ich wusste, dass ich niemals genug Geld verdienen würde. Es war mir grausam vorgekommen, mit der Idee zu spielen.

Aber wie konnte ich das deutsche Geld für etwas so Prosaisches wie ein Haus oder es überhaupt verwenden? Wie konnte ich irgendetwas davon ausgeben, so lange ich nicht verstand, warum meine Mutter es mir vermacht hatte? Ich dachte an Dinas Drohungen und begann mich zu fragen, ob Mom mich nicht vielleicht dafür hatte bestrafen wollen, dass ich mich ferngehalten hatte, wissend, dass es Schwierigkeiten verursachen, mich belasten und quälen und uns entzweien würde.

O Gott, konnte es sein, dass sie dermaßen wütend auf mich gewesen war, dermaßen böse?

Und selbst wenn ich auf Old Mission ein Haus kaufte oder, besser noch, eins baute, was hätte das für einen Sinn, wenn ich immer alleine wäre? Und damit war ich wieder bei Val. Was hatte sie mit »möglicherweise« gemeint, als ich vorschlug, mit mir essen zu gehen? »Frag Sie, Dummkopf«, meldete sich eine Stimme in meinem Innern.

Das tat ich nicht, aber ich stand auf, knipste das Licht an und öffnete die Schranktür. Ich schob das ganze alte Zeug zur Seite, bis ich hinten einen kleinen Pappkarton fand, dessen Seiten kurz davor waren, nachzugeben. Ich setzte mich im Schneidersitz am Fuß meines Bettes auf den blauen Teppichboden und wühlte in den Sachen herum, die aus meiner Zeit mit Val übrig geblieben waren. Ich hatte alle ihre Karten und Briefe verbrannt, und was aus jenen Jahren hier überlebt hatte, waren Kontrollabschnitte von Konzertkarten und Theaterprogramme, manche von Aufführungen, die wir gemeinsam gesehen hatten, manche aus der Zeit, bevor ich sie kennen gelernt hatte. Ich griff nach den Programmen mit einem Gefühl des unterdrückten Staunens, als wäre ich ein Archäologe, der Zeichen einer unbekannten Zivilisation freilegt.

Das alles erinnerte mich schlagartig an unzählige Situationen und das Gefühl, untrennbar, beinahe sexuell mit Valerie verbunden zu sein, wenn wir ins Theater oder in die Oper gingen. Alvin Ailey. Die Produktion des Les Grand Ballets Canadiens von *Tommy*. Eine Matinee von *Lucia di Lammermoor* an der Met mit der warmen und leidenschaftlichen Beverly Sills, in deren Anschluss wir uns mit einem Essen im Ginger Man in Unkosten stürzten. *The Crucible. Deathtrap. On Golden Pond. Evita.* Und die Rockkonzerte: Elton John, Seals and Croft, Jim Croce, Black Oak Arkansas, David Bowie.

Es gab auch verschiedene Postkarten von Museen. Wir liebten die ruhige Frick Collection an der Fifth Avenue, wo wir uns im zeitlosen Studium der mittelalterlichen Emaillearbeiten verlieren konnten, oder den mysteriösen de la Tour oder Ingres' Comtesse d'Haussonville mit ihrem auf eine niedliche Art an eine Kuh erinnernden, über Metern himmelblauer Seide thronenden Gesicht. Unser Lieblingsraum war die im englischen Stil gehaltene Bibliothek mit ihren Romneys und Stuarts gewesen.

Unter all diesen Sachen befanden sich *tchatchkehs*: eine steife Halskette aus echten weißen Perlen, die sie mir bei Lord & Taylor gekauft und die ich nie getragen hatte; ein weißer Elefant aus Alabaster, bei dem es sich um ein Souvenir von einer Reise handelte, die sie mit ihren Eltern nach Mexiko oder St. Thomas oder irgendwohin unternommen hatte; grüne, wie Säulen geformte Bücherstützen aus Marmor. War das alles, was aus unseren fünf gemeinsamen Jahren übrig geblieben war? Und warum war manches davon so hart und unnachgiebig?

Ich warf alles wieder in den Karton und schob ihn in den Schrank. Ich bin sicher, dass es in den Kommodenschubladen weitere Relikte gab. Hemden oder Pullover, es sei denn, ich hatte sie weggeworfen oder verschenkt. Aber es musste dort Bücher geben, die sie mir gekauft hatte. Ich konnte sie aus dem niedrigen Bücherregal neben der Tür ziehen und die Widmungen lesen, wenn ich mich wirklich selber quälen wollte.

Ich schaltete das Licht aus, kroch wieder ins Bett und versuchte mir einen runterzuholen, was mir, als ich jünger war, so zuverlässig beim Einschlafen geholfen hatte wie es nun, da ich älter war, drei Milligramm Melatonin taten. Aber mein Schwanz war schon vor mir tief und fest eingeschlafen.

Durchaus passend erwachte ich am Morgen aus einem schlechten Traum und starrte auf die großen LCD-Ziffern eines staubigen Weckers. Es war acht Uhr, und ich war überrascht, dass ich so lange geschlafen hatte. Und überrascht auch über meinen Traum, in dem ich nachts auf einem winterlichen Schlachtfeld gewesen war, barfuß, meine Arme und Beine eiskalt, und mich abgemüht hatte, im gefrorenen Boden einen Schützengraben auszuheben, aber meine Schaufel hatte nur Funken geschlagen.

Von der Kälte, von der ich nur geträumt hatte, wie benommen, lag ich wach im Bett und machte mir Gedanken über das Bild von mir, wie ich schaufelte. Es kam mir künstlich, melodramatisch vor, fast als wäre es aus dem Traum eines anderen geborgt. Hatte ich irgendwo eine solche Anekdote gelesen oder hatte ich dieses Bild schon einmal geträumt?

Der Lärm New Yorks fing an, zu mir durchzudringen, und trieb mich aus dem Bett und zur Dusche. Im Bad blieb ich stehen und starrte auf die sechseckigen weißen Bodenfliesen, in die sich Generationen von schmutziger Erde eingegraben hatten, und die niemals glänzen würden, egal, wie gewissenhaft meine Mutter oder eine der weniger tüchtigen Reinemachfrauen, die sie nur für kurze Zeit ertragen konnte, sie geschrubbt hatten. Es war ein typisch New Yorker Fußboden, dachte ich. Während ich mir die Zähne putzte, studierte ich mein Gesicht im Spiegel des Medizinschränkchens, verzog Mund und Nase und versuchte zu entscheiden, ob ich eher wie Mom oder wie Dad aussah, hörte jedoch auf, als mir bewusst wurde, dass dies Dinas Erachtens nach wahrscheinlich »morbid« war. Ich knurrte wütend, fand zu meiner Empörung vom Vorabend zurück, aber als ich mich in der Dusche einschäumte und meinen Kopf unter den gleichmäßigen heißen Strahl tauchte, kam mir mein Streit mit Dina kindisch vor. Vielleicht meinte sie es wirklich gut. Vielleicht versuchte sie auf ihre plumpe, laute Art zu helfen. Als ich mir den Schritt einseifte, schnellte mein Schwanz sofort empor und stand so stabil wie eine Straßensperre der Polizei auf dem Highway. Ich dachte an Val in Schwarz und befriedigte mich mit beiden Händen, als ruderte ich wild in die Freiheit. Ich kam so heftig, dass ich fast gestürzt wäre. Es dauerte eine Weile, bis ich wieder zu Atem kam.

Als ich mir ein wenig später die Haare trocken rieb, war ich noch großzügiger gestimmt, und die Kanne Kaffee, die ich anschließend aufsetzte, gab meiner guten Laune weiter Auftrieb. Als es klingelte, reagierte ich ruhig, wusste ich doch, dass es höchstwahrscheinlich nicht die Person war, der ich am liebsten guten Morgen gesagt hätte: Valerie.

Es war Mrs. Gordon, die in ihrer freien Hand ein mit einer Plastikfolie bedecktes silbernes Kuchentablett balancierte. Ich nahm es ihr ab, trat einen Schritt zurück und ließ sie herein. Heute war ihr zerknitterter Trainingsanzug malvenfarbig.

»Mokkakuchen«, sagte sie freundlich, als bedeuteten die Worte guten Morgen. »Viel besser als der von Entenmann – Sie werden sehen!« Sie schwang ihren Stock, als wäre sie ein gepflegter alter Gentleman aus der Zeit Eduards VII, und steuerte auf die Küche zu. »Riecht stark«, sagte sie beifällig. »Ich mag starken Kaffee. Wie Leute diesen Instantdreck trinken können, verstehe ich nicht. Igitt.«

Als sie sich in einem Stuhl niederließ und strahlend zu mir aufsah, dachte ich, dass sie mit ihrem äußerst freundlichen, faltigen runden Gesicht – dessen Umrisse leicht von winzigen Haaren verwischt wurden, die man nur bemerkte, wenn das Licht auf sie fiel – und dem Stock und all dem eigentlich Yoda in »Star Wars« ähnelte und nicht irgendeinem Bonvivant der Jahrhundertwende.

Aber wenn mich das zu Luke Skywalker machte, was war dann die Lektion, die ich zu lernen hatte? Ich grinste und packte vorsichtig ihren Kuchen aus, der so feucht und lecker aussah, dass er auf dem Titelblatt eines Lebensmittelmagazins hätte abgebildet sein können.

»Schön, was?«, fragte sie voll gespannter Ungeduld, und ich stimmte ihr zu. »Aber warten Sie, bis Sie ihn gekostet haben!«

Ich servierte jedem von uns ein dickes Stück, goss uns Kaffee ein und fragte mich, wie ich gewesen wäre, wenn meine Mutter so warm und entspannt gewesen wäre wie Mrs. Gordon. Andererseits jedoch, wie vieler Mokkakuchen und Rugelach hätte es bedurft, um mich satt zu machen?

Wahrscheinlich romantisierte ich Mrs. Gordon, aber was machte das schon? Ihre Ungezwungenheit war nicht gespielt, und ich spürte, dass ihre Sorge um mich echt war, als ich ein weiteres Stück von dem mit Zimt gewürzten, zuckrigen, nussreichen Kuchen aß und ihr mein Herz über das deutsche Geld ausschüttete und darüber, wie ich mich deswegen fühlte, wie ich mich vor Jahren allein schon gegen die Vorstellung gewehrt hatte, und nun plötzlich tief darin verstrickt war.

»Ja«, sagte sie und betupfte mit einer Serviette anmutig ihre Lippen, als wollte sie ihren Lippenstift nicht verschmieren. »Ich kann verstehen, dass das ein Problem für Sie ist.« Aber sie klang nicht ganz überzeugt.

»Und Sie sind sicher, dass meine Mutter es nie erwähnt hat?«

»Sie war eine sehr reservierte Frau.«

»Ich begreife nicht, warum sie es mir vermacht hat.«

»Sie sind nicht Sherlock Holmes. Wer muss das schon verstehen? Geld ist Geld.«

»Aber ist es nicht – ich weiß nicht – besudelt?«

»*Herr zech ein*, hören Sie mir zu, selbst wenn das Geld Ihnen schlecht vorkommt, selbst wenn es schlecht *ist*, sollten sie es nehmen.«

»Das meinen Sie. Aber warum? Einfach, weil sie es mir vermacht hat?«

»Das ist ein ziemlich guter Grund. Aber das ist nicht alles. Sie sollten das Geld nehmen, weil das Böse noch zu etwas Gutem führen sollte. Und würden Ihre Frau und Ihre Kinder es nicht zu schätzen wissen?«

Betreten erzählte ich ihr, ich sei Single.

Mrs. Gordon sagte lieb: »Das weiß ich! Aber wird es nicht Zeit, dass Sie Frau und Kinder *haben*? In Ihrem Alter, worauf warten Sie?«

Nun, ich war so weit gegangen, sah keinen Grund innezuhalten, und ich hatte sonst niemanden, mit dem ich reden konnte, also berichtete ich ihr von meinen wieder entflammten Gefühlen für Valerie.

»Hier sehe ich auch kein Problem. Liebe ist Liebe.« Sie schlug die Hände zusammen, um ihren Standpunkt zu unterstreichen, und ich dachte daran, wie Thelma Ritter in *Das Fenster zum Hof* über Liebe sprach und Jimmy Stewart dazu drängte, damit aufzuhören, zaudernd sein Leben zu vertun. Val und ich hatten den Film in einem auf Wiederaufführungen spezialisierten Kino am Broadway gesehen, und danach war Sie mir genauso verführerisch vorgekommen wie Grace Kelly.

»Sie,« sagte Mrs. Gordon eindringlich, »Sie sollten nicht länger über die Vergangenheit Ihrer Mutter nachdenken. Es wird Zeit, dass Sie sich selbst eine Zukunft schaffen.« Sie nickte weise, aber mit einem schwachen Lächeln, als wollte sie mir zeigen, dass sie das Phrasendreschen genauso genoss wie das Erteilen von Ratschlägen.

Aber etwas nagte an mir. »Hatte meine Mutter irgendwelche Herzbeschwerden?«

Sie runzelte die Stirn. »Natürlich! Sie hatte einen Herzanfall. Hat man Ihnen das nicht gesagt?«

»Aber ich meine davor.«

Sie zuckte auf eine sehr jüdische Art mit den Achseln. »*Ich veys*? Weiß ich's?«

»Sie ging jeden Tag spazieren, im Park.«

»Ich weiß. Sie liebte ihre Spaziergänge. Aber glauben Sie mir, Menschen sterben andauern, obwohl sie doch gut aussehen und man es nicht erwartet. Meine Freundin, diejenige, die

mir ihre Wohnung unten vererbt hat? Ich bin bei ihr eingezogen, nachdem ihr Mann gestorben war. Er war jünger als
Ihre Mutter, und eines Nachmittags ging er in die Küche, um
Milch zu holen. Ein Glas Milch, etwas ganz Einfaches, und sie
hörte, wie er hinfiel. Bum! Wiedersehen, Charlie! Das passiert
andauernd. Man ist hier, und dann ist man weg, als ginge es
niemanden etwas an. Glauben Sie mir, das ist die beste Art zu
sterben. Schnell.«

Ich fragte nicht nach Einzelheiten; ihre forsche Vertrautheit
mit dem plötzlichen Tod bestürzte mich.

»Ihr Vater war Buchhalter, nicht wahr? Sie sind genauso,
was? Prüfen die Details.«

»Na ja, vielleicht.« Ein Buchhalter der Bücher, dachte ich.

»Es ist so eine Schande, was mit ihrem Vater passiert ist.«
Sie seufzte. »Schrecklich, schrecklich. Am Leben zu sein, aber
nicht lebendig. Ihre arme Mutter – was sie wegen ihm gelitten
hat. Aber das ist jetzt vorbei. Es könnte schlimmer sein.« Sie
winkte mich zu sich und sagte spöttelnd: »Sie müssen mir
hoch helfen.« Als sie ging, um sich, wie sie erklärte, für ihren
täglichen Einkaufsbummel fertig zu machen, drohte sie mir
mit einem runzligen Finger und sagte: »Machen Sie sich nicht
verrückt wegen dieser Sache mit dem Geld.«

Nachdem sie gegangen war, spülte ich das Geschirr und sah
dabei aus dem Küchenfenster auf den riesigen braunen und
beigen Wohnblock gegenüber, hinter dessen Fenstern, die alle
von verschiedenen Vorhängen oder Rouleaus eingerahmt waren, wie es schien, sich Stockwerk für Stockwerk verschiedene
Leben abspielten. Es war ein bisschen weniger abstoßend als
zuvor. War das Vals Einfluss? Mrs. Gordons? Oder einfach all
der Zucker und das Koffein?

Ich genoss es, dass ich so bemuttert und für mich gebacken
wurde. Es machte Spaß, Mrs. Gordon zum Lächeln zu bringen und ihr die Gelegenheit zu geben, mir Rat anzubieten, der
irgendwie nicht aufdringlich oder unverschämt wirkte. Dass

ich mich mit Mrs. Gordon so wohl fühlte, war zum Teil natürlich darauf zurückzuführen, dass wir keinerlei gemeinsame Vorgeschichte hatten. Sie hätte eine interessante Fremde sein können, die sich mir im Flugzeug zuwendet, um zu plaudern und sich die Zeit zu vertreiben. Unsere Kommunikation hatte dieselbe Qualität der unerwarteten Intensität und des ohne Folgen bleibenden Charmes. Oder war es mehr als das?

Ich hatte mir von meiner Arbeit zu Hause frei genommen. Ich war allein in der Wohnung meiner Mutter. Ich wartete auf einen Anruf von Val, obwohl ich keine Ahnung hatte, wann er kommen würde. Aber ich konnte ja jederzeit sie anrufen, war es nicht so?

Im Telefonbuch meiner Mutter, in dem die Einträge unerklärlicherweise mit Bleistift vorgenommen worden und nur schwer lesbar waren, fand ich eine Nummer für Val Hoffman und eine Adresse in der East Side. Ich prägte mir beides ein, starrte auf die kleine abgenutzte Seite, als gehörte sie zu einem mittelalterlichen Stundenbuch und ich wäre der törichte Aristokrat, der es in Auftrag gegeben hatte. Ich fuhr mit dem Finger über ihre Daten und ertappte mich bei dem Wunsch, mich hinabzubeugen und die Worte und Zahlen zu küssen.

Aber bei dem Gedanken, dass Mom dies geschrieben hatte, wich ich zurück. Irgendetwas von ihren Sachen, von dem, was ihr gehörte, zu küssen, schien nicht nur geschmacklos, sondern unwürdig. Dieses Wort. Wie oft hatte ich sie etwas als »unwürdig« abtun hören? Ihr Gesicht verzog sich dann, und sie betonte die erste Silbe so stark, dass man das Gefühl hatte, geohrfeigt worden zu sein. Seltsam, dass Serges Familie dieselbe Bezeichnung für Dinas Job verwendet hatte.

Ich trat von dem Tisch zurück und dachte, Dina könnte Recht haben und ich litt tatsächlich an einem Anfall von Morbidität. Plötzlich wirkte die Wohnung erdrückend, und ich dachte kurz daran, noch am selben Tag nach Hause zu fliegen, aber ich war noch nicht so weit. Und auch wenn es Sinn machte, dass Mrs. Gordon und Simon sagten, ich müsse mich anderen Dingen zuwenden, war das nicht mein Problem? Hatte ich nicht so viele Jahre mit dem Versuch zugebracht, mich anderem als Val zuzuwenden, dass ich in Wahrheit auf der Stelle getreten hatte?

Simon hatte mir erzählt, dass es in der Nähe seiner Wohnung in Queens ein Fitnessstudio gab, und ich hatte meine Schutzbrille, meine Badehose, mein Vorhängeschloss und mein Shampoo für Schwimmer mitgebracht. Nun grub ich die Gelben Seiten aus, um zu sehen, ob ich im Viertel meiner Mutter ein Fitnessstudio mit einem Schwimmbecken finden konnte. Es dauerte ein paar Minuten und einen Anruf, um mir für einen Tag eine Mitgliedschaft als Gast zu sichern, und bald fuhr ich eine halbe Meile die West End Avenue hinunter. Ich hatte vergessen, wie hügelig die Straße war, die in Wellen auf und ab ging in einer Art und Weise, durch die die Autos und Taxen wirkten, als würden sie an einer Vergnügungsfahrt teilnehmen.

Irgendetwas hatte sich definitiv in mir verändert. Anstatt dass ich mich durch all den die Straße säumenden Backstein, Kalkstein und Granit eingeengt, durch die jämmerlichen Bäumchen in ihren blöden Quadratmetern Erde beleidigt und den Lärm tyrannisiert fühlte, fühlte ich mich stark und lebendig. Es war die Art von gesundem Schub, wie ich ihn nach einem guten Lauf auf der Aschenbahn der Highschool in der Nähe meines Wohnkomplexes in Ann Arbor bekam oder nachdem ich einen Film gesehen hatte, der das Publikum nicht erniedrigte, indem er fröhliche Unwirklichkeiten bot wie Brotkrumen, die an einen drängelnden Trupp Enten verstreut werden.

Merkwürdigerweise – jedenfalls in meinen Augen – war das Fitnessstudio im Keller eines riesigen Wohnblocks aus der Zeit vor der Depression untergebracht, dessen kunstvolle Fassade üppig mit in den Stein gemeißelten Gesichtern und

Arabesken verziert war. Das Studio selbst war mit seinen arg mitgenommenen, frei stehenden Metallspinden, dem müde aussehenden Linoleumboden und den nachlässig gestrichenen Wänden, verglichen mit dem, was ich gewohnt war, ziemlich heruntergekommen. Mein Fitnessstudio in Ann Arbor war eine Kombination aus Gesundheitstempel und einer kleinen Einkaufspassage: ein auffallend und protzig restauriertes, zweistöckiges Geschäftshaus, wo Disko-Musik durch die Luft wehte wie Weihrauch und die Mitglieder den Göttern der körperlichen Ertüchtigung ihren Schweiß darbrachten. Das West Sider machte einen trübsinnigen Eindruck, und selbst die wenigen Topfpflanzen sahen müde aus.

Mein eigenes Fitnessstudio aber war immer überfüllt, egal, zu welcher Tageszeit ich hinging, als versuchten die Mitglieder gegen das Image von Ann Arbor als einem Zufluchtsort für Intellektuelle anzukämpfen. Das Gedränge war so schlimm, dass zwischen den Leuten über die Benutzung eines Geräts oder auch nur eines Satzes Hanteln häufig offener Streit ausbrach. Das muffige West Sider war herrlich leer, und in dem in Bahnen unterteilten Schwimmbecken war niemand. Als ich meine Schutzbrille aufzog, ihren Sitz prüfte und in das kühle Wasser glitt, nahm es mich schnell in einer Weise auf, wie es das nur selten tat, wenn ich schwimmen ging. Alles an diesem Morgen passte für mich zusammen. Beim Brustschwimmen war mein Zug so gleichmäßig und sicher wie beim Butterfly, und selbst in meiner schwächsten Disziplin, dem Rückenschwimmen, fühlte er sich stark an. Ich schwamm langsam, kümmerte mich nicht darum, wie lange ich dort war, genoss einfach das Gefühl der Verbundenheit mit dem Wasser und selbst den Geruch des Chlors. Oft hatte ich beim Schwimmen das Gefühl, als würde ich meinen Körper dem Wasser aufdrängen, wäre irgendwie nicht mit ihm synchron. Aber heute nicht. Heute bahnte ich mir meinen Weg, trat mit den Beinen aus und wendete, als wäre das Becken mein Zuhause.

Als ich mich nach, wie ich an der Wanduhr feststellte, einer Stunde aus dem Becken zog, nickte ich dem gelangweilt als Bademeister arbeitenden Möchtegern-Baywatch-Typen zu und machte mich, die Schutzbrille um den Hals, auf den Weg zu meiner zweiten Morgendusche. Die Duschen waren so leer wie die heruntergekommene Umkleidekabine.

In dem kleinen Saunaraum dachte ich über unsere lange zurückliegenden Sommer in Far Rockaway nach, wo Dad uns allen geduldig das Schwimmen beigebracht hatte. Man hätte nie gedacht, dass ein so lauter Mann so ruhig sein konnte, so unerschütterlich, so bereit, sich ohne Ärger zu wiederholen. Als er uns das Fahren beibrachte, war es dasselbe, und rückblickend fragte ich mich, was natürlich und was gezwungen war: die Raubeinigkeit oder die stille Konzentration? Ich konnte fast spüren, wie mich seine großen Hände im Wasser festhielten, während ich die Bewegungen der Arme und Beine übte, und das erste Mal, als er seinen Griff löste und ich mich selbst verblüfft hatte, indem ich durch das Wasser davon schoss, bis mich die schiere Freude und Aufregung dazu brachten, dass ich auftauchte und lachte: »Du hast mich losgelassen! Du hast mich losgelassen!« Ich erinnerte mich an sein Lächeln, bei dem er mir die Zähne zeigte. Jene Tage am Strand waren unendlich viel spannender gewesen als Fahrradfahren zu lernen, was vielleicht daran lag, dass wir uns körperlich näher waren und es war, als wäre seine Energie in mich hineingeströmt.

Komisch, wie ich jahrelang geschwommen war, ohne an die Rolle zu denken, die Dad dabei gespielt hatte. Irgendwie hatte ich es geschafft, diese Verbindung zu verdrängen. Ich hatte ihm nie für seine Lektionen, für seine Unerschütterlichkeit, für dieses Geschenk gedankt. Zu spät. Wie für so vieles andere in meinem Leben war es auch dafür zu spät.

Und ich bereute es, dass ich nie mit Val schwimmen gegangen war. Ich hatte eifersüchtig darauf geachtet, dass es allein mein Ding blieb, und konnte die Gründe dafür nun nicht mehr

wirklich erkennen. Mit einer von anderen kaum wahrnehm-
baren Halsstarrigkeit hatte ich auch nicht zum Schwimm-
team meiner Highschool gehören wollen, obwohl ich damals
schnell war und mithalten hätte können. Was versuchte ich zu
wahren? Mein Privatleben? Meine Unabhängigkeit?

Ein wenig ausgepowert vom Schwimmen und durch die
Endgültigkeit von Tod und Krankheit ernüchtert, ging ich
zu Fuß zurück zu Moms – oder Simons – Wohnung. Ich war
als Kind und als Erwachsener immer gesund gewesen und
hatte erst in Michigan angefangen, mich gegen Grippe imp-
fen zu lassen, wo die Menschen dazu neigten, alle Arten von
allgemein als »Michigan-Nase« bezeichnete Allergien und
Nasennebenhöhlenbeschwerden zu entwickeln. Ich hatte nie
eine Operation gehabt, mir nie einen Knochen gebrochen. Ich
hatte mich fit gehalten und war mit 42 wahrscheinlich besser
in Form als zehn Jahre zuvor. Meine Taille maß nach wie vor
75 Zentimeter. Ich hatte beobachtet, wie Kollegen bei mir in
der Bibliothek und Bekannte von der Universität, die ich auf
dem Campus und in der Stadt sah, anfingen, aus den Fugen
zu geraten. Die Frauen nahmen die Form einer Birne an, ihr
Gang wurde ungleichmäßig und strahlte ein Unbehagen aus,
und ihre Gesichter bekamen Falten des Verschleißes oder der
Bitterkeit über den Verrat durch die Zeit; den Männern wuch-
sen Bäuche, die ihre Gürtel bedrohten und stets gewannen,
ihre Gesichter waren gerötet und hatten Tränensäcke oder
waren weiß und verbraucht. So lange hatte ich mich über
diese Zeichen des Verfalls insgeheim erhaben gefühlt. Aber
wem machte ich etwas vor? Ich konnte enden wie Dad, und es
konnte bei mir früher ausbrechen als bei ihm.

Es sei denn, ich starb wie meine Mutter. Bum. Wiedersehen,
Charlie.

Als ich im Fahrstuhl zur Etage meiner Mutter hinauffuhr, beschloss ich, Val anzurufen und ihr eine Nachricht zu hinterlassen. Ich ging direkt zum Telefon und wählte die Nummer, ohne

dass ich im Adressbuch meiner Mutter nachschlagen musste.

Aber es war kein Anrufbeantworter, der meinen Anruf entgegennahm, sondern Val: »Paul? Bist du das?«

Ich schluckte.

»Paul?«

Ich wollte gerade fragen, woher sie wusste, dass ich es war, dann begriff ich: »Du kannst sehen, wer dich angerufen hat.«

»Gute Detektivarbeit.«

Ich zögerte. Als ich Val anrufen wollte, hatte ich mir vorgestellt, ihre Nachricht zu hören und selbst kurz eine zu hinterlassen. Jetzt aber mussten wir uns unterhalten, und sie letzten Abend zu sehen war eine Sache gewesen, nur mit ihrer Stimme klarzukommen aber war eine andere. Ich war überrascht und hatte gleichzeitig das Gefühl, unterbrochen worden zu sein. Außerstande, mir spontan etwas Banales einfallen zu lassen, hörte ich mich sagen: »Ich hab gerade über meinen Dad nachgedacht«. Ich entspannte mich, und meine bis zum Nacken hochgezogenen Schultern sanken herab. Es war ein gutes Gefühl, ihr das gesagt zu haben.

»Es ist schrecklich, oder? Ihn anzusehen und sich zu erinnern, wie lebhaft er war.«

Das war nicht das Wort, das ich benutzt hätte, und Valerie schien zu spüren, dass ich nicht einverstanden war. »Dieses Lachen von ihm – «

»Er lachte viel«, stimmte ich verdrießlich zu.

»Es war nicht gerade ein Picknick mit ihm«, versuchte es Valerie.

»Oh, doch, das war es. Ein Picknick mit Ameisen, einer Lebensmittelvergiftung und einem Gewitter.«

Valerie ignorierte meine Bitterkeit. »Er hat eine Menge durchgemacht in seinem Leben«, sagte sie.

Ich ließ es für den Moment dabei bewenden und nickte so gelassen, als würden wir auf einer Parkbank sitzen und einen faulen Sonntag genießen. Fünfzehn Jahre, seit wir wirklich

Zeit miteinander verbracht hatten, und es kam mir alles andere als steif vor; das Schweigen, zu dem es jetzt zwischen uns kam, war überhaupt nicht gespannt.

»Und wie ist es für dich, in der Wohnung deiner Mom zu sein?«, fragte sie.

»Seltsam«, erwiderte ich. »Einsam. Ich hab das Gefühl, ich muss hier bleiben, um – ich weiß nicht, etwas herauszufinden.«

»Über sie oder über dich?«

»Teufel, wenn ich das wüsste, wäre ich schon bereit zu gehen, denke ich.«

»Vielleicht trauerst du, da du die Beerdigung ja versäumt hast.«

Und Val hatte sie nicht versäumt, wurde mir in diesem Augenblick klar. Simon hatte nicht erwähnt, dass sie dort gewesen war, und ob er es vor mir verbarg oder mich einfach schützte, ich kam mir gönnerhaft behandelt vor. Glaubte er, ich hätte mit der Information nicht umgehen können? Oder war es einfach ein weiteres Beispiel für die im emotionalen Bermuda-Dreieck unserer Familie verschwindende Ehrlichkeit?

»Du bist zu Hause«, sagte ich zu Valerie und kam damit noch einmal darauf zurück, wie überrascht ich gewesen war, dass sie das Telefon abgenommen hatte.

»Was hast du denn gedacht, wo ich arbeite? Ich bin Autorin.«

»Da hab ich gar nicht drüber nachgedacht.« Um mich von diesem Fauxpas zu erholen, versuchte ich einen Scherz: »Die Jury wird die letzte Bemerkung nicht beachten.«

Valerie lachte nicht und machte selbst auch keine witzige Bemerkung. Sehr ernst sagte sie: »Paul, ich urteile nicht über dich.«

»Das ist gut.« Ich dachte, ich sollte aufhören, bevor ich noch etwas Dummes sagte, also fragte ich sie, ob es ihr an diesem Abend passen würde, mit mir essen zu gehen.

»Na ja …«

Ich schlug eins unserer weit weg in Downtown gelegenen Lieblingsrestaurants vor. »Hat das noch offen?«

»Oh ja, und es ist immer noch ganz gut.«

»Also?«

Sie seufzte. »Lass mich nachdenken. Wenn ich es – ich kann mich um halb neun dort mit dir treffen.«

»Großartig! Dann lass ich dich jetzt los«, sagte ich. Aber als ich auflegte, kam mir der Ausdruck ungeschickt vor. Ich wollte sie nicht loslassen. Ich wollte den Fehler, den ich schon einmal gemacht hatte und nun tiefer denn je bereute, nicht wiederholen. Aber was bedeutete das genau, und hatte ich bei dem, was jetzt zwischen mir und Valerie passierte, wirklich etwas zu sagen?

Es schien klug, dass sie es so arrangiert hatte, dass wir getrennt dort eintrafen. Das gab, zumindest mir, mehr Zeit, mich an diese ganz neue Wirklichkeit zu gewöhnen. Ich hatte zwischen meinen Beziehungen immer mal wieder an Valerie gedacht, aber meine Fantasien waren nie so weit gegangen, dass ich mir Gespräche mit ihr vorgestellt hätte. Auch wenn ich mich, als Camilla kürzlich versucht hatte, uns im Fitness-studio für einen Kurs in Nouvelle Swing anzumelden, dem widersetzt hatte, weil ich mich erinnerte, wie viel Spaß es in den späten Siebzigern und Anfang der Achtziger gemacht hat-te, mit Val *Bump and the Hustle* zu tanzen. Wir waren nicht besonders gut, aber wir lachten viel. Es hatte mir nie etwas ausgemacht, mit anderen Frauen zu tanzen, aber ich bemühte mich nicht darum, und außerdem hatte ich befürchtet, Camilla würde den Kurs mit der Zielstrebigkeit angehen, die sie beim Sex hatte, und ihn zu einer Teilzeitbeschäftigung machen.

Wieder in meinem Zimmer, wählte ich ein paar alte Disko-Alben aus und spielte als erstes Carol Douglas' *Midnight Love Affair*. Val hatte sich über die geschäftigen, getragenen Streicher und die geistlosen Texte der Platte lustig gemacht, es aber geliebt, zu ihr zu tanzen.

Während die Platte vor sich hin groovte, ging ich in den vorderen Teil der Wohnung, als hätte die Musik mir irgendwie die Erlaubnis erteilt, dort einzudringen. Das kleine Schlafzimmer meiner Mutter roch muffig und gleichzeitig süß, und das Rouleau war zugezogen. Ich ließ es unten, stand im Zimmer und betrachtete die alte, kunstvoll mit Schnitzereien verzierte Schlafzimmergarnitur aus Mahagoni, die Dads Cousins gehört hatte. Die Stücke waren zu groß für den Raum, ließen ihn klein erscheinen, und es blieb kaum Platz zum Stehen. Auf dem in das Kopfbrett eingebauten Bord standen Moms preisgekrönte Krimis, Bücher von Agatha Christie, Ngaio Marsh und Dorothy L. Sayers. Ich sah mir die düsteren und albernen Titel an: *False Scent*, *Elephants Can Remember*, *Strong Poison*, *Appointment With Death*. Meine Mutter las diese gebundenen Bücher immer noch mal, was mich verblüffte, da mir keins von ihnen substantiell genug zu sein schien, um einer wirklichen Prüfung standzuhalten, der man ein Buch unterzieht, wenn man es ein zweites Mal liest. Und was machte das überhaupt für einen Sinn, wenn man einmal wusste, wer der Mörder war? Mom hatte auch abgegriffene Taschenbücher mit weniger vertrauten Titeln: *Unorthodox Practices*, *Likely to Die*, *Shadow Image*, und ich wusste, dass sie einen Krimi-Buchladen am Broadway aufsuchte. Dina hatte mir einmal erzählt, dass unsere Mutter Krimis mochte, die in der Upper West Side spielten. Ich konnte mir nicht vorstellen, dass es auf dem Gebiet besonders viel zu lesen gab.

Als Nächstes machte ich Dads Schrank auf, und ich zuckte erschreckt zurück, als wäre eine Leiche herausgefallen. Da war nichts. Der Krawattenhalter in der Tür war leer. Ebenso die ganzen Schuhständer aus Zedernholz und die Kleiderbügel. Keine Jacken, keine Anzüge, keine Hosen. Nur eine Patina aus Staub. Mom musste seine Kleider weggeworfen oder verschenkt haben. Es schockierte mich, weil er noch am Leben war, zumindest war das sein Körper. Und es machte mich traurig. Sie hatte nicht gewartet, bis er wirklich starb und Simon und ich seine Kleider durchstöbern konnten und uns vielleicht selbst etwas nahmen, etwas, was wir vielleicht nicht getragen, aber als Souvenir behalten, als Erinnerung oder Totem in einen Schrank gehangen hätten.

Aber ich machte ihr keine Vorwürfe. Ich konnte mir vorstellen, wie meine Mutter, wütend über das Schicksal, all seine schicken, gut gepflegten Kleider von ihrem Platz riss und alles zu einem Opferhaufen auf dem Bett zusammenwarf. Es konnte wie bei mir gewesen sein, als ich Vals Briefe verbrannte, ein Versuch, mich von ihr zu lösen, der zum Scheitern verurteilt war. Für mich war der Akt der Zerstörung nicht mehr als das wilde Gebell eines Hundes an einer brutal kurzen Kette, der versucht, an einen Peiniger heranzukommen. Ich hatte sehr wenig damit erreicht, als ich Vals Briefe zerstörte, und bereute jetzt, was ich getan hatte.

Dads Seite des großen Schranks mit den Schubladen war ebenfalls leer, wodurch Moms seltsam voll gestopft wirkte. Sorgfältig hob ich jedes Stück, jedes Halstuch, jeden mit Spitze besetzten Slip, jeden Hüfthalter hoch und war dabei, wie mir bewusst wurde, von Bildern besessen, die ich von Filmen her kannte. Wenn Menschen starben, gab es immer etwas zutiefst Dramatisches, das an einer gewöhnlichen Stelle auftauchte. Aber ich fand nichts in ihren Schubladen oder ihrem Schrank, als ich jedes Kleid, jede Tasche und selbst die in Beuteln an der Tür hängenden Schuhe und die Hutschachteln auf den höheren Fächern durchwühlte. Meine Hände begannen wie die in ihren Sachen verstreuten Lavendelkissen zu riechen.

Was würde mit all diesem Zeug passieren? Und was mich noch mehr interessierte, was würde mit all *meinem* Zeug passieren, wenn ich wie der Mann von Mrs. Gordons Freundin in die Küche ginge und tot umfiele? Ich hatte nie auch nur daran gedacht, ein Testament zu machen.

Als das Telefon neben dem Bett klingelte, zuckte ich zurück und starrte es an, ließ es ein paar Mal klingeln, bevor ich abhob. Es war Simon, der sagte, er habe nicht allzu weit weg einen Fahrgast abgesetzt, und mich fragte, ob ich mit ihm zu Mittag essen wolle. Er bot an, etwas zu holen, und ich sagte, das sei mir recht. Als die Carol Douglas-Platte zu Ende war, legte ich Gloria Gaynor auf und summte bei *Never Can Say Goodbye* mit.

Weniger als eine halbe Stunde später tauchte er auf und sah in seinem Tweedblazer, der kastanienbraunen und goldenen Krawatte und dem blauen Hemd mit Button-down-Kragen ein bisschen aus wie Dad.

»Was ist das für Musik?«, fragte er gedankenverloren. Wir hatten eine Menge zu bereden, aber ich ließ ihn stolz die Fladenbrote, das Sodawasser mit Vanillegeschmack und die großen schwarzweißen Kekse (für jeden von uns einen) auspacken.

»Erinnerst du dich an die?«, fragte er gespannt. Das tat ich.

Wir legten unsere Platzdeckchen auf den Esszimmertisch. Er setzte sich an das eine Ende, und ich setzte mich links neben ihn.

»Ich bin froh, dass du hier wohnst«, sagte er mit vollem Mund.

»Warum?«

»Weil ich glaube, dass es Mom gefallen würde.«

Das wusste ich nicht, aber mir wurde klar, dass es, wenn Menschen starben, nichts gab, was andere davon abhielt, ihnen Gedanken und Gefühle zuzuschreiben – wer konnte noch sagen, dass sie Unrecht hatten?

Ich dachte, er wollte wahrscheinlich sagen, dass es ihm gefiel, dass ich in ihrer Wohnung war, aber das Nächste, was er sagte, änderte meine Meinung.

»Sie weiß, dass du hier bist.«

»Nun werd nicht komisch.«

»Ich kann es fühlen.« Er kaute ernst.

»Was kannst du sonst noch fühlen?«, fragte ich, versuchte

zu verhindern, dass meiner Stimme irgendwelche Zweifel oder Kritik anzuhören waren, und fürchtete gleichzeitig, was er als Nächstes sagen könnte.

»Dass sie noch hier ist.«

Ich musste an mich halten, um nicht zu lachen oder unter den Tisch zu schauen. Ich beschloss, das Thema nicht weiter zu diskutieren; schließlich leitete ich keine Talkshow.

»Dads Kleider sind weg«, sagte ich.

»Ich weiß. Nachdem Mom und ich Sachen für das Pflegeheim ausgewählt hatten, sagte sie mir, sie habe alles an eine Wohltätigkeitsorganisation verschenkt.« Sein Blick war angespannt. Er zuckte die Achseln. »So war Mom eben.«

Nun kam es mir weniger vor wie ein Versuch der Selbsterhaltung, der sie davor bewahren sollte, dass die Katastrophe seiner Krankheit sie kaputtmachte, und eher wie die Rücksichtslosigkeit aus einer griechischen Tragödie. Medea, die ihre eigenen Kinder tötet.

»Er braucht das ganze Zeug nicht mehr«, argumentierte Simon. »Mom war seine Frau, also war es ihre Entscheidung. Ich meine, es war …«

Die Stimmung heiterte sich auf, als wir gleichzeitig in unsere schwarzweißen Kekse bissen und beide sagten: »Lecker.« Mit vollem Mund grinsten wir einander an wie kleine Jungen. Ich aß in New York mehr als zu Hause. Ich war viel hungriger.

»Lebst du gern in Michigan?«, fragte er mit der Neugier jedes gebürtigen New Yorkers, der glaubt, woanders zu leben sei nicht viel besser als sich in einem Graben niederzulassen.

»Das tue ich. Ich werde dir eine Reklamerede ersparen, aber die Leute sind freundlich, und es ist ein schöner Bundesstaat.«

»Aber gibt's da nicht den Klan? Und Bürgerwehren? Ich hab über sie gelesen, und es macht mir Angst.«

Ich war gerührt. Und vielleicht als Reaktion darauf sagte eine zynische Stimme in meinem Innern: »Soviel Angst, dass du nicht zum Hörer greifen konntest?« Mein Gott, das war mein

Dad, der da sprach. Zeit, das Thema zu wechseln und ihn aus mir raus zu kriegen: »Ich hab Valerie gestern Abend gesehen.«

Simon schluckte schwer. »Hast du sie angerufen?« Er klang beinahe hoffnungsvoll.

»Nein. Du. Und sie hat beschlossen, vorbeizukommen.«

Er nickte, wartete vielleicht darauf, dass ich plötzlich feindselig werden würde.

Leidenschaftslos breitete ich den ganzen Rest vor ihm aus. »Val ist zur Beerdigung gegangen. Val hat Mom hier die ganze Zeit besucht. Sie besucht Dad im Pflegeheim. Niemand hat mir das gesagt. Es ist, als wäre sie die ganze Zeit, seit ich in Michigan lebe, Teil eures Lebens gewesen.« Ich wusste nicht, ob ich wütend oder neidisch war, aber noch während ich mich zu entscheiden versuchte, wurde mir bewusst, wie sehr sich mein Leben verändert hatte. Ich sprach mit Simon, der immer so abgeschottet und unzugänglich gewirkt hatte wie eine Schildkröte, so mürrisch und distanziert gewesen war, über Val und meine Gefühle.

»Ja, schon«, gab er zu. »Aber es war hauptsächlich Mom. Ich sehe Val nur selten oder – Ich mag sie aber immer noch«, fügte er hinzu, als könnte ich ihn beschuldigen, er verhalte sich einem von uns gegenüber illoyal.

»Das tu ich auch.«

Seine Augen leuchteten auf. »Wirklich?«

»Sie sieht toll aus, oder?«

Er nickte. »Ihre Haare sind wieder lang. Sie hatte sie richtig kurz, und das stand ihr nicht. Ließ sie zu ernst aussehen.«

»Was verstehst du denn von Haaren?«

Er schnaubte verächtlich. »Mehr als du, Bruder. Die Schwulen haben die Haare *erfunden*.«

Nun machte ich mich über Simons Ausflug ins Tuntige lustig. »Aber du bist nur halb schwul, wenn du bisexuell bist.«

»Gott, du hörst dich an wie Dina. Die muss auch immer das letzte Wort haben.«

Einsichtig sagte ich »Entschuldigung« und erzählte ihm dann, dass ich mit Val in unserem alten Stammlokal essen gehen würde.

»Wow.«

»Ja, wow.«

»Was wird denn – ?« Denkst du – ? Wirst du – ?«

»Ich will mehr über Mom mit ihr reden, das ist das Erste, da sie Mom ja alle paar Wochen gesehen hat.«

»Hat Valerie das gesagt?« Er schüttelte den Kopf. »Ich wusste nicht, dass es so oft war. Mehr als ich und Dina. Viel mehr.«

»Hast du Vals Biografie gelesen?«

Er nickte. »Sie war ziemlich gut. Ich hab Bücher über Kinder von Überlebenden gelesen, weißt du, wie deren Eltern über-ängstlich sein können und solche Sachen. Wie schwer es für die Kids ist, sich loszureißen.«

Dies schien, was uns drei anging, nicht ganz zu stimmen. Dina wurde ein romantischer Jesse James; ich ging nach Michigan; Simon schloss sich dem an, was von der sexuellen Revolution übrig geblieben war.

»Komm ich drin vor? In Vals Buch?«

»Nein – es handelt von ihr und ihrer Mom und ihrem Dad, und es endet, bevor sie dich kennen lernte.«

»Hat Dina es auch gelesen?«

»Sicher.«

Dina und Simon und Tausende andere Leute, Fremde, wuss-ten mehr über Valerie als ich, hatten mehr an ihrem Leben teilgehabt als ich. Aber ich war selber Schuld.

Ich muss verzweifelt ausgesehen haben, denn Simon griff nach meinem Arm und drückte ihn.

»Was auch immer passiert«, sagte er. »Zumindest hast du sie geliebt, und sie liebte dich.«

Das war sicher als Trost gemeint, aber es hörte sich an wie eine Grabschrift, und die Art und Weise, in der er meine Hand ergriff, hatte etwas von einem Abschied.

Ich zog ihn aus seinem Stuhl und umarmte ihn. Die Arme umeinander geschlungen standen wir da. Ich fragte ihn, ob er sich erinnerte, wie wir *Tod eines Handlungsreisenden* gesehen hatten, und wie durcheinander er danach gewesen war.

»Ich bin in dein Bett gekrochen wie als wir Kinder waren und einander Rätsel erzählten«, sagte er ruhig.

»Ich war richtig verlegen.«

»Ich weiß. So wie du mich an dem Morgen angeschaut hast, als hätte ich etwas Ungeheuerliches getan. Aber ich verstand. Du hast es nie sehr mit Körperkontakt gehabt. Genau wie Mom.«

»Wie Mom«, ahmte ich ihn nach.

»Kann ich mich jetzt wieder hinsetzen?«, fragte er, und ich ließ ihn los. Dann erklärte ich, da wir ja alte Geschichten aus der Vergangenheit aufrührten, dass ich mir auch über den Abend nach dem Stück Gedanken gemacht hatte, und ob er –

»Ob ich mich von dir angezogen gefühlt habe?« Er sah mich erstaunt an. »Bist du verrückt? Du bist mein Bruder!«

»Gut. Bleib dabei.«

»Außerdem mag ich Männer nicht, die einen Großen haben«, platzte er heraus. »Manches lässt sich leichter bewältigen, wenn jemand einen Kleinen hat. Was soll ich sagen?« Er grinste anzüglich: »Das ist meine Natur.«

Ich fand das Zitat amüsant, aber seine Enthüllung war mehr als ich wissen wollte und wahrscheinlich mehr, als er mir hatte mitteilen wollen, denn er wurde rot, und als hätte jemand ein Zeichen gegeben, fingen wir an, den Tisch abzuräumen. Trotzdem, seine Bemerkung hatte mich nachdenklich gemacht. Wenn Simon sich einen anderen Mann ansah, wollte er wahrscheinlich, dass dieser jemand war, der er nicht war, jemand, der ihn vervollständigen oder ins Gleichgewicht bringen würde. In diesem Sinne war es dasselbe, wie sich zu einer Frau hingezogen zu fühlen. Hatte ich eine so schnelle Auffassungsgabe oder was? Mein Vater hatte einen sarkastischen jüdischen Ausdruck für genau so einen eindeutigen Moment: *A choocham a Yeed*!« Grob übersetzt: Bist du aber ein schlauer Jude.

Simon sagte, das Abräumen des Tisches habe ihn an das erste Mal erinnert, als er und Janet Freunde zum Essen dahatten, wie nervös sie gewesen waren, und wie alles gut gelaufen war, bis es Zeit wurde, den Tisch abzuräumen. »Und Janet sah mich einfach nur an und sagte: ›Ich bin ein *Mensch* – ich muss das nicht machen.‹«

»Noch ein Therapieopfer«, stellte ich fest, ließ damit aber nur ein Klischee vom Stapel. Dieser ganze Teil seines Lebens kam mir unwirklich vor.

»Schätze ja.«

»Und was ist dann passiert?«

»Na ja, wir ließen uns scheiden.« Er lächelte. »Aber nicht deshalb.«

»Das scheint schon so lange her zu sein«, sagte ich.

»Nicht lange genug.«

In der Küche erzählte ich Simon, dass es mir vorkam, als hätte ich den größten Teil der Zeit, seit ich wieder in New York war, mit Essen und dem anschließenden Abwasch zugebracht.

»Was ist schon dabei? Ich werde spülen, bevor ich wieder an die Arbeit muss.«

Während er im Bad war, dachte ich über ihn und uns beide nach. Ich konnte mir weitere Gelegenheiten wie diese vorstellen – gemeinsam zu essen, zu reden, etwas übereinander herauszubekommen. Dass wir uns wieder gefunden hatten, konnte ich nicht sagen, denn ich glaube nicht, dass ich mich in Simons Gegenwart jemals vorher wohl gefühlt hatte. Vielleicht sollte ich ihn einladen, mich in Michigan zu besuchen. Wir hatten in den letzten paar Tagen mehr Zeit miteinander verbracht, mehr miteinander geredet und einander gesagt als im ganzen letzten Jahrzehnt. Ich konnte entweder darüber lamentieren, dass ich so lange gebraucht hatte, um an diesen Punkt zu kommen, oder es genießen und versuchen, etwas aufzubauen.

Visionen, meinem Bruder den Bundesstaat zu zeigen, in den ich mich verliebt hatte und den ich nie mehr verlassen wollte, ergriffen Besitz von mir. Wir konnten ein Zelt mieten und in meinem neuen Grand Prix mit offenem Verdeck und aufgedrehter Bose-Stereoanlage herumfahren. Die Sehenswürdigkeiten spulten sich vor mir ab wie ein filmischer Reisebericht: die Sleeping Bear Dunes, das Grand Hotel, die verblüffend lange Mackinac Bridge zur Upper Peninsula, die Taquamenon Falls, die Hügel von Houghton-Hancock, die Aussicht vom herrlichen und einsamen Coppers Harbor auf Keweenaw. Michigan hatte dreitausend Meilen Uferlinie, und wir konnten so viel davon sehen, wie wir wollten. Ich fühlte mich beinahe, als würde ich etwas an eine andere Generation weitergeben.

In meinem ersten Jahr in Michigan hatte ich schnell gemerkt, dass Menschen defensiv reagierten, wenn ich sagte, woher ich kam, als wäre ich irgendein hoher ruritanischer Offizier und darauf aus, einen anmaßenden Haufen Provinzler zu vernichten und zu unterdrücken. Und die New Yorker, denen ich in Ann Arbor begegnete, neigten tatsächlich dazu, sich zu benehmen, als hätte sie das Leben verraten, indem es sie, wie kurz auch immer, ins Exil schickte. Aber ich war so darauf erpicht, eine neue Heimat anzunehmen, so darauf erpicht, zu entkommen, dass ich es schließlich ganz natürlich fand, über den Verkehr, den Lärm und die Grobheit New Yorks zu meckern. Indem ich mich über New York, nicht über Michigan beschwerte, war ich auf halbem Wege, anerkannt zu werden. Ganz geschafft hatte ich es, als ich ohne Übertreibung meinen ersten Sonnenuntergang über dem Michigansee beschrieb. Ich zeltete im Süden von Charlevoix, und der Himmel schien an diesem Tag aufgeschnitten worden zu sein, legte Schichten von Violett, Ockergelb und Karmesinrot bloß wie Felsen in einem tiefen Canyon. Ich trug diese Vision mit mir wie andere Menschen einen Glücksbringer oder ein Mantra haben.

»Das war toll«, sagte Simon, als er seine Sachen von dem Tisch in der Diele zusammensammelte.

»Auf jeden Fall.« Vielleicht sorgten wir für eine Art Fluch, indem wir beteuerten, wie gut die gemeinsame Zeit gewesen war. Aber bevor er ging, musste ich ihn etwas fragen, das mir gerade in den Sinn gekommen war. Es war grausig, aber ich musste die Antwort wissen. »In den Nachrichten, die du mir hinterlassen hast, hieß es nur, dass Mom tot ist. Ist sie allein gestorben – im Schlaf? War jemand bei ihr? Warst du es, der sie gefunden hat?« Mir war vorher nicht ganz wohl dabei gewesen, mit irgendetwas davon anzufangen, aber jetzt konnte das sicher nicht mehr tabu sein.

»Nein, nein. Das war Mrs. Gordon. Sie hat nach ihr geschaut, weil sie einen Spaziergang machen wollten. Mom ging nicht ans Telefon, also kam Mrs. Gordon rauf und fand sie. Sie war diejenige, die die 911 angerufen hat.«

»Mrs. Gordon hat den Hausmeister dazu gebracht, sie reinzulassen?«

»Das glaub ich nicht. Mrs. Gordon hatte einen Extrasatz Schlüssel für Notfälle. Manche von den älteren Nachbarn sind gestorben oder weggezogen, also nehme ich an, Mom hat sich sie ausgesucht. Ich muss los, Bursche.« So hatte er mich noch nie genannt; es gefiel mir.

Wir umarmten uns noch einmal, diesmal förmlicher, wie Diplomaten, die das Interesse ihrer jeweiligen Nation vertreten, aber ich war ein wenig beunruhigt und mir nicht sicher, warum. Als die Tür sich schloss, dauerte es nicht lange, und ich kapierte. Meine Mutter hatte mich gebeten, meine Schlüssel zurückzugeben, als klar war, dass ich fest nach Michigan gezogen war. Trotzdem war hier jemand, den sie erst seit kurzem gekannt hatte und der so vertraut mit ihr war, dass er Zugang zu ihrer Wohnung hatte, was mir nicht erlaubt war. Eine weitere mich strafende kleine Erinnerung an den Preis dafür, dass ich auf Distanz geblieben war.

Ich mochte hier zwar geschlafen, gegessen und versucht haben, etwas zu erfahren, indem ich ihre Sachen durchging, aber ich war nur ein Durchreisender. Genau wie meine Mutter. Sie hatte einen Mann, Kinder, ein Zuhause, etwas, was die meisten Menschen als ein Leben bezeichnen würden, aber hatte meine Mutter nicht trotz all der Grobheit in ihrer Stimme, der Art und Weise, in der sie wie angewurzelt in einer Tür stehen und einen tadelnd anstarren konnte, etwas Unwirkliches an sich? Der Krieg, von dem sie nicht sprach, hatte sie zu so etwas wie einem Roboter gemacht, einem nicht authentischen Menschen. Warum also sich die Mühe machen und versuchen, sie festzunageln?

Trotzdem konnte ich es nicht lassen, was auch immer es war, wonach ich suchte.

Ich schnappte mir die Schlüssel, und als ich draußen im Flur war, schloss ich die Tür mehrmals ab, um sicherzustellen, dass ich es richtig machte. Als der Aufzug kam, fragte ich Tommy, welche Wohnung Mrs. Gordons sei, und er runzelte die Stirn, als ich ihm dankte und zur Treppe hinunter zur 3E ging.

Sie war da, und nachdem sie, wie es sich anhörte, langsam fünf oder sechs Schlösser aufgeschlossen hatte, öffnete sie die Tür und sah strahlend zu mir auf. »Junge, bin ich überrascht! Kommen Sie rein, kommen Sie rein.« Ihre Begeisterung stand in einem so scharfen Gegensatz zu dem typischen kalten Empfang, wenn meine Mutter mich sah, dass ich spürte, wie mich eine Welle des Bedauerns durchströmte, die einer Übelkeit nahe kam. Ich bedeckte augenblicklich mein Gesicht, aber das war nicht nötig, da ich hinter Mrs. Gordon ging, die ein wenig wacklig ihren Stock schwang, während sie mich aus der dunklen, schmalen Diele in ein kleines, beengtes Wohnzimmer führte. Dickens, dachte ich. Fransen und Samt, Velourstapete und Zierdeckchen, gemusterte Lampenschirme und getrocknete Kränze, glänzende runde Tische mit Gruppen von Schäfern und Milchmädchen aus Porzellan, schwere Vorhänge und Zimmerpflanzen, die die Köpfe hängen ließen.

»Nichts davon gehört mir«, sagte Mrs. Gordon, die auf einem an einen Thron erinnernden Stuhl hockte, die Füße auf einer mit Quasten reich verzierten Fußbank. »Ich hab alles aus meinem Haus in New Jersey verkauft oder verschenkt. Es wurde Zeit.«

Ich setzte mich auf eine harte, kastanienbraune Sitzbank mit einer höckerförmigen Rückenlehne und dachte, eine größere Frau als Mrs. Gordon würde hier wohl von Klaustrophobie überwältigt werden. Ich jedenfalls fühlte mich eingeengt.

»Nicht wie die Wohnung Ihrer Mutter, was?« Sie lächelte, und um ihre Augen bildeten sich tausend Fältchen. »Erstens kein Blick auf den Fluss. Und dann all diese *smochtehs* und *trantehs*.« Sie schüttelte ironisch ihren kleinen Kopf. »So *ungemacht*.«

Ich wartete auf eine Übersetzung, und sie fasste es kurz zusammen: »Übertrieben, Mist. Aber das hat Dora gehört, und ihre Kinder wollten es nicht. Sie wollten nicht mal die Wohnung – können Sie so was glauben? Sie sagten ihr, sie soll sie mir vermachen. Es ist schön, wenn man so reich ist, dass man eine Wohnung verschenken kann. Ein Junge, er ist Kardiologe, schon pensioniert, lebt in Palm Springs, der fährt Jaguar«, sagte sie. »Der andere ist an der Wall Street, hat drei Häuser. Könnten auch vier sein. Mein Gedächtnis ist nicht so gut in manchen Dingen.«

Sie faltete die Hände in ihrem Schoß und sah sich so vergnügt um, als hätte sie jeden Schnörkel, jedes winzige Wappenschild oder jeden Greifvogel geschnitzt. »Es ist hässlich. Aber nach einer Weile gewöhnt man sich dran. Außerdem werde ich nicht ewig da sein, also …« Sie zuckte gutmütig mit den Achseln, und dann sagte sie: »Mein Gott, Sie kommen, um einen Besuch zu machen, und ich biete Ihnen keinen Tee an oder irgendwas.«

Ich versuchte sie dazu zu bringen, dass sie sitzen blieb, aber sie schnappte sich ihren Stock und ging schnurstracks auf die Küche zu, von wo aus sie mir laut über ihre Fortschritte mit dem Kessel, den Tellern und selbst den Messer und Gabeln berichtete. Ich hätte irgendein wütender Potentat sein können, dessen Minister ihn mit beruhigenden Dummheiten zu beschwichtigen versucht.

Als ich mich in dem zu voll gestopften, übermäßig dekorierten und überheizten Zimmer umsah, empfand ich es als emblematisch für meine Zeit in New York, das so sehr ein Ort der Interieurs war, dass Ann Arbor im Vergleich wie »Big Sky Country« wirkte. Kein Wunder, dass Woody Allen einen seiner Filme *Interiors* genannt hatte.

»Mrs. Gordon, brauchen Sie Hilfe?«

»Sie stehen jetzt nicht auf! Sie sind mein Gast!«

Aber ich stand trotzdem auf. Auf der anderen Seite des Zimmers sah ich ein neueres Foto meiner Mutter in einem silbernen Rahmen. Es war bei etwas aufgenommen worden, das aussah wie ein Straßenfest. Hinter ihr waren zahlreiche Kinder mit Luftballons, Händchen haltende Verliebte und Stände zu sehen, an denen T-Shirts oder Lebensmittel anderer Kulturen verkauft wurden. Mom auf einem Straßenfest zu sehen, hätte ich mir bis dahin kaum vorstellen können. Sie sah auf eine ruhige Weise distanziert oder zumindest neutral aus, trug einen dunklen Pelzmantel und eine dazu passende Baskenmütze, die sie fremd und ein wenig mysteriös wirken ließ. Aber Bilder von Mom kamen mir immer leicht mysteriös vor, weil jedes den Mangel an Fotos in ihrem Leben hervorhob. Dad hatte mehrere quietschende Alben, in denen jede der mit undurchsichtigem, braunem Papier abgedeckten Seiten den Umzug seiner Großfamilie nach Amerika festhielt, und hinzu kamen einige grimmige, in der alten Heimat aufgenommene Studioporträts. Meine Mutter hatte kein Album, keine Bilder. Die Nazis waren sehr gründlich gewesen.

An der Highschool hatte Simon mich einmal Passagen aus der von einem französischen Historiker geschilderten Geschichte des Holocaust lesen lassen, in denen beschrieben wurde, wie die Nazis Juden nicht nur abgeschlachtet, sondern sie wie irgendeine barbarische Horde aus der Antike ausgeplündert hatten. Wir hatten uns über den Volkswagen Beetle gestritten. Ich fand ihn cool, und Simon sagte, er könnte nie etwas besitzen, was in Deutschland hergestellt worden war. Ich erklärte ihm, das sei bigott.

Um mir den Mund zu stopfen, drängte er mir das Buch auf, und ich las nicht nur von Goldfüllungen, Geld und Juwelen, sondern auch von Koffern, Wäsche, Gläsern, Pelzen, Schuhen, Uhren, Federhaltern, Brieftaschen, Pfeifen, Silber und Klavieren.

»Stell dir vor, du würdest nach Deutschland fahren und in einem Hotel wohnen, und in deinem Zimmer wäre dieser alte Kronleuchter, und er wäre von Mom – gestohlen aus ihrem Haus.«

»Aber ich fahre nicht nach Deutschland.«

»Wenn du etwas kaufst, was die hergestellt haben, tanzt du auf jüdischen Gräbern. Die haben sechs Millionen Juden ermordet und ihnen alles gestohlen, was nicht festgenagelt war. Paul, die haben Kämme mitgenommen. Kämme! Das ganze Land sitzt auf einem Haufen bei den Juden gemachter Beute.«

Ich gab ihm das Buch zurück, war damals nicht überzeugt, langsam aber taten seine Leidenschaft und die Bilder in diesem Buch ihre Wirkung bei mir, und schließlich ertappte ich mich dabei, wie ich heimlich die Unterseite einer Uhr oder andere Gegenstände prüfte, um zu sehen, wo sie hergestellt worden waren. Mom oder Dad hatten über das Thema nie gesprochen, aber ich bin sicher, sie empfand genauso und behielt es für sich.

Als ich in der dritten Klasse war und an einem Stammbaum arbeitete, war ich schockiert, dass sie mir das Buntpapier aus der Hand riss und das Lineal zerbrach. »Da ist nichts!«, schrie sie. »Nichts .. . Nichts .. .« Ich gab die Arbeit nur mit Dads Familie ab und hatte schreckliche Angst. Ich war beschämt, erwartete eine schlechte Note, bekam sie aber mit einem Häkchen und ohne Kommentar meines Lehrers zurück. Jahre später erzählte Dad mir, er habe in der Schule angerufen und erklärt, dass meine Mutter nicht über ihre Familie sprechen könne und warum.

Mrs. Gordon fuhrwerkte noch immer in der Küche herum.

Mrs. Gordon hatte einen Satz Schlüssel. Mrs. Gordon hatte ein Foto von meiner Mutter, das sie aufgenommen oder von dem sie, wenn es ein Straßenfotograf gemacht hatte, einen Abzug bekommen hatte. Meine Mutter hatte in Mrs. Gordons Leben eine Rolle gespielt, während ich versuchte hatte, sie aus meinem herauszudrängen. Ich hatte nie ein Bild von meinen Eltern aufgehangen oder aufgestellt, als hätte ich kein Vorleben, als wäre ich ein amerikanischer Pionier des letzten Jahrhunderts, der aus einer dunklen Vergangenheit in die Tabula rasa des Westens flüchtet.

Mrs. Gordon rief mich in die Küche. Ihren niedlichen, peinlich genauen Anweisungen folgend trug ich ein dampfendes Tablett mit »ungemacht« Porzellantassen, Teekanne und Zuckerdose und einen Teller mit russischen Rosinenbrötchen ins Zimmer.

»Grüner Tee«, sagte sie. »Der ist gesund. Ihre Mutter, die trank ihn die ganze Zeit. Sie liebte ihn.«

Das verblüffte mich, denn es war mir neu und von Bedeutung. Als ich vor einigen Jahren, als ich sie angerufen hatte, um ihr zum Geburtstag zu gratulieren, weil ich nicht rechtzeitig eine Karte geschickt hatte, während des Gesprächs verzweifelt nach einem Thema suchte, hatte ich eine Predigt über die Vorzüge von grünem Tee und Echinacea mit Golden Seal gehalten. »Grüner Tee?«, hatte meine Mutter gespottet. Anscheinend aber hatte sie die Anregung aufgegriffen. Mir wurde ein wenig schwindlig, da ich begriff, dass ich sie in etwas beeinflusst hatte, und ich fragte mich, ob sie wohl an mich gedacht hatte, wenn sie ihn trank. Nicht, dass der Tee ihr irgendwie geholfen hatte.

Mrs. Gordon goss mir etwas von dem wohlriechenden Tee ein, ich legte einen Rosinenkuchen auf meinen Teller und fügte, nachdem sie mich mit ihrem ungläubigem Blick ermahnt hatte, zwei weitere hinzu. »Was? Machen Sie sich Sorgen, Sie könnten dick werden? Neiiin …. Nicht in einer Million Jahren. Seien Sie nicht knauserig mit sich«, warnte sie mich und deutete auf die kleinen Kuchen. »Sie sind weg von Zuhause, Sie sollten etwas Spaß haben, besonders, da – «

Sie sprach den Satz nicht zu Ende.

»Meine Mutter hat die manchmal gemacht.«

»Ich weiß.«

Was wusste sie sonst noch über meine Mutter? Ich biss in einen der nach Mandel schmeckenden Rosinenkuchen, bemüht, den Puderzucker nicht auf meinem ganzen Kinn zu verteilen. Mrs. Gordon beobachtete mich mit der ruhigen, ein wenig naiven Freude einer Großmutter, und ich genoss es in vollen Zügen. Großeltern hatte ich nie gekannt, hatte nie unterhaltsame Verbündete gehabt, die mich vor meinen Eltern verteidigen konnten, das heißt, wenn sie nicht gerade dabei waren, mir zu erzählen, was für ein Glück ich hätte und wie verwöhnt ich sei, weil das Leben so viel härter für sie war, als *sie* jung waren. Es war eine klischeehafte Vision, aber deshalb hatte ich mich nicht weniger nach ihr gesehnt.

»So«, sagte sie gut gelaunt, »Sie haben Fragen?«

»Woher wissen Sie das?«

»Ihre Augen.«

Erst Valerie, und nun machte auch Mrs. Gordon eine Bemerkung darüber, was sie in meinen Augen sah. Es weckte den Wunsch in mir, eine Sonnenbrille aufzusetzen.

Ich begann langsam. »Simon sagte mir, dass Sie meine Mutter gefunden haben. War sie – «

»Schon tot? Ja.«

Das bedeutete, keine letzten Worte, keine Klage oder Invokation auf dem Sterbebett, keine Botschaft, die in Wirklichkeit aus dem Grab kommen würde. Wir hatten vor Jahren aufgehört, miteinander zu sprechen, warum also hoffte ich auch nur auf ein bisschen, wenn es vielleicht doch nicht das war, was ich hören wollte? Und wenn sie etwas Wundervolles oder Inspirierendes oder Versöhnliches gesagt hätte, würde ich mich nicht schuldig fühlen und getroffen? Es kam mir so oder so erbärmlich vor.

»Ich bin so froh, dass Valerie hier war, es wäre schrecklich gewesen für mich allein.«

»Val war hier? Wo war sie?«

»Sie kam bei mir vorbei, weil sie versuchen wollte, mich davon zu überzeugen, mit ihr über den Krieg zu sprechen. Für ihr neues Buch. Interviews oder so was. Als sie ihre Mutter wegbrachten, da ist sie aufgetaucht. Furchtbar. *A gantzeh iberdreyenish.* Was für eine böse Geschichte, mit der Ambulanz …«

Val hatte das nicht erwähnt, und Simon auch nicht. Ich schob es beiseite und beeilte mich, weitere Fragen zu stellen, obwohl mir gar nicht wohl dabei war. »Wo war sie?«

»Ihre Mutter? Lag auf der Couch. Vielleicht hat sie sich ausgeruht, wir wollten doch weggehen. Sie wurde schnell müde.«

Das passte nicht ganz zu Moms täglichem flotten Spaziergang, es sei denn, der war nur eine Tarnung, und sie hatte nicht gewollt, dass jemand wusste, dass ihre Kräfte tatsächlich nachließen.

»Haben Sie ihren Puls geprüft?«

»Natürlich«, sagte Mrs. Gordon sanft, mich geduldig ertragend. »Aber das war nicht nötig.«

»Warum nicht?«

»Da, wo ich im Krieg war, hab ich den Tod reichlich gesehen. Glauben Sie mir, man vergisst nicht, wie er aussieht. Ob in einer stinkenden Baracke oder einem bequemen Bett in der West Side Avenue, der Tod ist derselbe.«

»Ich dachte, Sie sagten, sie lag auf ihrer Couch?«

Sie zuckte die Achseln. »Ich bin alt, ich bring ständig Worte durcheinander. Sie werden sehen, das wird Ihnen auch passieren.«

»Ich wünschte, ich wäre da gewesen. Am Ende.« Ich nippte an meinem Tee. »Sie haben mir gestern gar nicht erzählt, dass Sie sie gefunden haben.« Es klang beinahe schroff, aber ich entschuldigte mich nicht.

Mrs. Gordon schien nicht beunruhigt. »Natürlich nicht. Ich wollte Ihnen nicht wehtun. Das ist nichts Schönes.«

Tja, das stoppte mich so gründlich, als wäre ich in eine Schneewehe gefahren. Sie hatte Recht, aber wenn ich auch keine weiteren grässlichen Einzelheiten wissen wollte, so ärgerte es mich doch, dass ich von jemandem, den ich gerade erst kennen gelernt hatte, wie ein Kind behandelt wurde. Warum verbarg man mir etwas?

»Sie fühlen sich schuldig«, stellte Mrs. Gordon fest. »Sie vermissen sie.«

Ich nickte stumm.

»Also tun Sie, was sie wollte«, sagte Mrs. Gordon und stellte klirrend ihre Tasse auf die Untertasse wie ein zu kurz geratener Richter mit einem winzigen Hammer. »Sie hat Ihnen Geld vererbt? Nehmen Sie es, fahren Sie zurück nach Michigan. Leben Sie. Sie wollte, dass Sie leben.«

»Das hat Ihnen meine Mutter gesagt?«

Mrs. Gordon zuckte die Achseln. »*A voo den*? Was sollte es denn sonst bedeuten? Ist es nicht offensichtlich genug? Sie wusste, was sie brauchten. Sie wollte sie glücklich machen. Man vererbt jemandem nicht ohne guten Grund einen Haufen Geld.«

Natürlich, die Erklärung lag nahe. Aber dass meine Mutter mich in ihrem Testament großzügig bedenken, mir das Leben leichter machen wollte? Unwahrscheinlich. Dann fragte ich Mrs. Gordon, woher sie wisse, dass es sich um eine große Summe handelte.

Sie warf die Hände hoch. »Dafür braucht's keinen Einstein. Würden Sie sich so aufregen, wenn es *bubkes* wären? Peanuts?«

Da gab ich ihr Recht. »Sie sind Dina begegnet, stimmt's?«

Sie nickte. »Oh, sicher«, sagte sie in einem neutralen Ton, den ich angesichts der Tatsache, wie fröhlich sie sonst war, als kritisch auffasste.

»Dina will, dass ich das Geld verschenke oder zwischen uns dreien aufteile.« Ich weiß nicht, ob ich um Rat bat oder einfach vor Publikum mit mir selbst sprach.

»Es ist ja schön, was zu wollen.«

»Aber – «

»Wo liegt das Problem? Denken Sie, es ist vernünftig, was sie sagt?«

»Nein. Ich denke, sie ist wütend. Und neidisch.«

»Sie ist schon reich. Ihr mehr Geld zu geben, würde nichts ändern. Dieses Mädchen, ihr Problem ist nicht das Geld.«

Das war sicher richtig.

»Kennen Sie die alte Werbung für die Fluggesellschaft, Paul, wo es heißt ›Manche Menschen wissen einfach, wie man fliegt?‹«

»Northwest«, sagte ich ohne hinzuzufügen, dass wir die Gesellschaft, die das Monopol auf Detroit-Flüge hatte, wegen ihres miesen Services, ihrer Verspätungen und schlechten Beziehungen zu den Kunden in Michigan »Northworst« nannten. Northwest hatte den gesamten Staat Michigan in Futter für eine Talkshow über unlauteres Geschäftsgebaren verwandelt.

»Manche Menschen wissen, wie man lebt, und manche nicht«, sagte sie. »Manche beklagen sich, egal, was ihnen passiert. Schauen Sie sich Ihre Mutter an. Hat die sich beklagt? Neiiin … Mein Mann starb an Leberkrebs, von der Chemotherapie wurde ihm hundeelend. Er hat sich nie beklagt. Selbst als er starb, wusste er, wie man lebt.«

»Aber es geht um mehr als sich beklagen oder nicht beklagen, oder?«

Sie zuckte mit den Achseln und wartete darauf, dass ich deutlicher wurde, aber ich war nicht sicher, ob ich das konnte. Ich hatte eine ähnliche Überzeugung gehegt bezüglich des Wissens, wie man lebt, seit ich mit Val Schluss gemacht und New York verlassen hatte. In den Jahren, die folgten, als ich mich das innere Schlachtfeld erforschen ließ, das ich selbst verursacht hatte und vor dem ich geflohen war, glaubte ich schließlich, dass etwas in mir fehlte. In mir und in Dina und Simon. Dass wir alle drei in ein klein wenig verschiedener Hinsicht handlungsunfähig waren. Unfähig, das Leben oder wenigstens unsere besten Gelegenheiten zu nutzen. Simon war auf eine missmutige Art und Weise selbstzerstörerisch, Dina eine theatralische und suchende Unzufriedene, und ich ein Saboteur, der systematisch sein eigenes Glück zerstörte.

Und an welchem Punkt war ich nun? Meine Mutter hatte mir genug Geld hinterlassen, dass ich meinen unterdrückten Traum ausleben und in einem der schönsten Teile Michigans ein Haus haben konnte, und dennoch fühlte ich mich außerstande zu feiern, das Geschenk anzunehmen und es zu genießen. Stattdessen fühlte ich mich belastet, war niedergeschlagen und voll von widersprüchlichen Gefühlen. Wären andere nicht verrückt vor Freude über diese guten Neuigkeiten?

Mrs. Gordon schien kurz davor zu sein, einzuschlafen. Ich trank noch etwas Tee und fragte mich, was nötig sein würde, damit ich diese glückliche Wendung mit offenen Armen annahm.

Mrs. Gordon schüttelte sich ein wenig und sagte mit einem bescheidenen Lächeln: »Ich hab nur meine Augen ausgeruht.«

»Sie brauchen die Ruhe – all das Backen.«

»Neiiin … Ich liebe es. Und es macht mir Freude, zu sehen, dass es Ihnen schmeckt.«

»Haben Sie Kinder?«

Ihr Gesicht wurde verschlossen. »Ich konnte nicht. Der Krieg hat es unmöglich gemacht. Nick war alles für mich. Aber nachdem er gestorben war, beschloss ich, dass ich leben würde. Ich war noch nicht bereit, aufzugeben.« Und sie griff in die Tasche ihrer Trainingshose, holte ein Knäuel hellblauer Papiertaschentücher heraus, nahm sich ein paar und schnäuzte sich die Nase.

»Tut mir Leid, dass ich damit angefangen habe.«

»Woher sollten Sie es denn wissen?«

Dies schien ein guter Moment zu sein, um zu gehen, und unter ebenso präzisen Anweisungen wie zuvor brachte ich unser Teegeschirr zurück in die überfüllte, dunkle Küche, und Mrs. Gordon folgte mir mit ihrem stapfenden Stock.

Ich sprang die Treppe zu Moms Etage hinauf und erinnerte mich, wie viel Spaß es als Kind gemacht hatte, Simon und Dina auf eben dieser Treppe zu jagen, wie wir auf jedem Absatz um die Ecken gestürzt waren, während Mom uns befahl, langsamer zu machen, weil wir uns sonst umbringen würden. Das Getrappel unserer Schuhe, das Keuchen und Schreien. Ich erinnerte mich an die Momente, wenn ich Dina und Simon halb widerstrebend, halb aufgeregt auf ihren Dreirädern hinunter zum Park geführt hatte, die Verantwortung und Macht genoss und mich zugleich darüber ärgerte, an sie gefesselt zu sein, wo ich doch lieber oben gewesen wäre und ein Büchereibuch über Delphine, den Ersten Weltkrieg oder UFOs gelesen hätte.

Das Licht des Anrufbeantworters leuchtete und es gab eine kurze Bitte von Dina, sie unter ihrer Nummer in Quebec City anzurufen. Ich hatte nur einmal Bilder von diesem Haus gesehen: ein hübsches dreistöckiges weißes Reihenhaus aus dem frühen 19. Jahrhundert mit himmelblauen Fensterläden und aus den Blumenkästen quellenden Blumen, wie ein Diamant in einer schmucklos aussehenden engen Straße gelegen, deren Häuser weit weniger interessante und verspielte Fassaden hatten.

Dina war Serge zum ersten Mal in Quebec City begegnet, wo sie alleine Urlaub machte und ihr Französisch auffrischte. Sie ließ es klingen wie eine Szene direkt aus einem Film, *Charade* vielleicht, wo Audrey Hepburn hartnäckig von Cary Grant angebaggert wird. Dina hatte in einem schwarzen samtenen Minikleid und schwarzen Lederstiefeln auf der Terrasse des grandiosen Hotels Chateau Frontenac ein Glas Bollinger getrunken, den Jongleuren, Sängern, Akrobaten und anderen Straßenkünstlern auf dem riesigen Holzweg unter ihr zugeschaut, als der in einen Seidenanzug gekleidete Serge an ihrem Tisch aufgetaucht war und auf Englisch gesagt hatte, er würde ihr gern eine Flasche ausgeben, was auch immer sie da trinke.

»Er sah so gut aus, ich hätte ihn auffressen können«, hatte Dina erzählt. »Nein, besser als das. Bei so jemandem möchte man sich was für später aufheben. Aber ich war sauer, weil er es auf Englisch bei mir versuchte. Ich kam mir sehr chic vor.«

Kühl hatte Dina mit einer Stimme wie Sharon Stone, wie ich mir vorstellte, geantwortet: »*Monsieur, vous pouvez parlez en français, car je le comprends, et ç'est la langue du pays?*« Ihr Akzent und ihre Bitte an ihn, Französisch zu sprechen, weil sie wusste, was die Sprache Quebecs war, hatte ihr sogar noch mehr Punkte eingebracht als ihr Aussehen. Sie hatten die Flasche bald gelehrt und aßen in einem der berühmtesten Restaurants der Stadt, dem A La Table de Serge Bruyère. Das Essen hatte elf Gänge, jedenfalls behauptete Dina das.

»Elegant, sicher. Aber es ging zu wie in einem Ausbildungslager der Armee!«, lachte sie, als sie es mir erzählte. »Der Ober und die Kellner patrouillierten durch die Räume wie Wachposten, und alle flüsterten. Das Essen war allerdings toll. Und es flogen ständig Leute aus Paris ein, um dort zu essen. Der französische Außenminister saß auf der anderen Seite des Raumes – er winkte Serge zu! Ich war beeindruckt.«

Das Wort – impressed – ließ mich seltsamerweise an Presspatrouillen der britischen Kriegsmarine denken, die auf den Meeren Menschen kidnappten.

Unsere Mutter hatte im Wohnzimmertelefon alle unsere Nummern auf Schnellwahl eingestellt, und ich rief Dina in Quebec City zurück.

»Wie geht's dir?«, fragte sie, und ich war erfreut, dass ihr erster Gedanke nicht Simon galt, obgleich ich mich fragte, wie ehrlich sie war. Ich trug das Telefon zur Fensterbank hinüber und setzte mich.

»Mir geht's gut. Ich war unten und hab mit Mrs. Gordon über Mom gesprochen.«

»Magst du sie? Sie ist irgendwie neugierig.«

»Ich bin ihr nur ein paar Mal begegnet. Aber ja, ich mag sie. Ich denke, sie ist sehr warm, und Simon sagt immer wieder, dass sie nett zu ihm war auf der Beerdigung.«

Dina zögerte, als wäre sie im Begriff, mir zu widersprechen, begnügte sich dann aber damit, Mrs. Gordon abzutun, indem sie sagte: »Ich schätze, sie ist okay.«

»Sie war Moms Freundin«, gab ich zu bedenken.

»Das scheint sie zu glauben.«

»Was soll *das* denn heißen?«

»Ich weiß nicht, ich verstehe alte Leute nicht. Aber ich hatte nie das Gefühl, als wären sie Busenfreunde oder so was. Mom hat sie nicht oft erwähnt.«

»Mom hat über gar nichts viel geredet«, sagte ich.

»Tja, das ist wahr.«

Ich erinnerte mich, dass Simon mir, als er an der Highschool darin vertieft war, über den Holocaust zu lesen, von Überlebenden erzählt hatte, wie sie oft ihre Vergangenheit für sich behielten, weil es das Trauma schwer für sie machte, über den Krieg oder irgendetwas zu sprechen. Das erklärte das Verhalten meiner Mutter, aber warum hatte sie nicht anders, eine Ausnahme sein können?

»Stimmt. Simon hat mir ein bisschen erzählt. Gerne hab ich das nicht gehört.«

»Sie ist in die Wohnung gegangen, als Mom sich verspätet hatte und das Telefon nicht abhob.«

Dina schnaubte verächtlich. »Mom hat ihr einen Satz Schlüssel gegeben? Mom gab nie einem der Nachbarn Schlüssel – sie hat ihnen nicht getraut. Sie hat immer gesagt, dass sie es sogar hasst, dass der Hausmeister Schlüssel hat, als würde er ihr nachspionieren oder so was.«

Zwar hatte Dina unsere Mutter während der letzten fünfzehn Jahre öfter gesehen als ich, aber auch sie hatte sie nicht so oft besucht wie Simon, und somit waren wir beide nicht wirklich dazu berechtigt, über sie, ihre Freunde oder ihre Gewohnheiten Erklärungen abzugeben. Mom war älter geworden, Dad war im Pflegeheim, und sie konnte zu dem Schluss gekommen sein, dass sie ein Gefühl von Sicherheit brauchte und auf einen Notfall vorbereitet sein wollte. Ich teilte diese Überlegung Dina mit, um ihre Meinung dazu zu erfahren, die aber nicht zugeben zu wollen schien, dass sie nicht in ständigem Kontakt mit Mom gestanden hatte.

»Aber es spielt keine Rolle«, sagte Dina. »Mom ist tot, und es spielt keine Rolle, wer sie gefunden hat oder wie. Warum schikanierst du diese kleine alte Dame? Was soll das? Warum fährst du nicht einfach zurück nach Michigan?«

»Ich bin noch nicht so weit. Und warum drängst du mich so – gibt es da etwas, das ich nicht wissen soll? Ich meine, niemand hat mir gesagt, dass Val praktisch hier gelebt hat, oder dass Mom Herzbeschwerden hatte. Was ist sonst noch gelaufen?«

»Mom hatte keine Herzbeschwerden, sie hatte einen Herzanfall. Du bist paranoid.« Dina holte heftig Luft, und ich spürte, dass sie mich jetzt richtig herunterputzen würde. »Sag mir bloß, was zum Teufel du da unten zu beweisen versuchst. Dass du ein guter Sohn warst?«, spottete sie. »Entschuldige – ist es dafür nicht zu spät?«

Ich antwortete ebenso sarkastisch: »Und du warst eine gute Tochter?«

»Zumindest bin ich nicht jahrelang weggeblieben.«

»Tja, was auch immer du getan hast, Mom fand es nicht so toll, denn sowohl Simon als auch mir hat sie mehr Geld vermacht als dir.«

Dina legte auf, ich hatte das Echo des aufgeknallten Hörers im Ohr und war alles andere als stolz auf mich. Dies war kein Sieg. Wir hatten gezankt wie Kinder im Sandkasten, die sich gegenseitig mit ihren Schippen und Eimern verprügeln. Was konnte widerlicher und kindischer sein, als von sich zu behaupten: »Mom mochte mich am meisten!« Und was noch schlimmer war, ich hatte es gesagt, ohne daran zu glauben. Wenn wir noch länger telefoniert hätten, hätte ich wahrscheinlich damit geprahlt, dass ich mich an diesem Abend mit Valerie treffen würde und wie viel netter sie sei als Serge. Lächerlich. Meine Beziehung zu Dina hatte durch den Tod unserer Mutter nicht an Würde gewonnen; er hatte bewirkt, dass wir schlagartig zur Kleinlichkeit und Wut unserer Kindheit zurückgekehrt waren.

Aber das war noch nicht alles. Ich saß da, starrte das Telefon an und begriff zum ersten Mal, dass Dina und ich genauso miteinander umgegangen waren, wie es unsere Eltern manchmal taten, nur in primitiverer Form. Mom ließ ruhig giftige, provozierende Bemerkungen fallen, bis Dad schließlich explodierte. Ich erinnere mich, dass sie einmal auf eine Party gehen wollten und Mom Dad musterte und fragte, ob er vorhabe, diesen Blazer zu tragen.

»Natürlich! Deshalb hab ich ihn ja an!«

»Wenn du so aussehen willst, mach nur.«

»Wie aussehen?«, schnappte er.

»Wie ein Bauer.«

Mit hochrotem Gesicht probierte er drei weitere Blazer, bevor sie gingen.

Wir hatten dieser Pay Per View-Show jahrelang zugesehen – war es da ein Wunder, dass sie unser Leben infiltriert hatte? Dinas Sprache war unflätiger, und bei mir brannten die Sicherungen nicht so leicht durch wie bei Dad, aber es war dasselbe Muster, und selbst Simon spielte bei uns dieselbe Rolle wie bei ihnen, wenn er da war: den neutralen, verzweifelten Beobachter.

Ich sah auf meine Uhr. Nur noch ein paar Stunden, bis ich mit Val essen würde. Würde sie mir helfen können, mich von all dem ein bisschen zu befreien und das Testament meiner Mutter zu verstehen? Ich hatte Valeries gesunden Menschenverstand vor Jahren geliebt, weil er nie brutal war, aber sie war nicht der Zauberer von Oz, nur Valerie, und vielleicht interessierten sie meine Probleme nicht einmal. Vielleicht war sie einfach nur nett. Ich wusste, wer sie gewesen war; die Frau, zu der sie geworden war, war mir dagegen ein Rätsel.

Dinas Beschimpfungen gaben mir einen Stoß, und ich ging zum Telefonbuch meiner Mutter, um die Nummer ihres Arztes zu überprüfen. Ich hoffte, dass es noch Dr. Stein war, der jahrelang nach uns allen gesehen hatte. Er war ein bärenhafter Mann mit traurigen Augen, gewölbtem Brustkasten und einem schwerfälligem Gang, bei dem er den Rücken krümmte und die Arme schwenkte, und er trug den Klischees entsprechend zerknitterte Anzüge, aber wir alle mochten seine Schroffheit, und eine Berührung durch seine schweren, behaarten Hände überzeugten mich stets davon, dass es mir bald besser gehen würde, egal, wie krank ich war. Ihr Gewicht fühlte sich ungeheuer überzeugend an.

Als ich seine Nummer wählte, hob tatsächlich eine Arzthelferin ab. Das bedeutete also, dass er noch praktizierte, aber ihre Stimme war mir fremd. Ich erwartete, dass mir gesagt würde, es ein anderes Mal zu versuchen, oder auch gänzlich abgewiesen zu werden, aber mein Timing war ausnahmsweise einmal perfekt. Ich hatte ihn zwischen zwei Patienten erwischt, von denen sich einer verspätet hatte, und kam sofort durch, als die Arzthelferin ihm sagte, wer am Apparat war.

»Paul?«, ertönte Dr. Steins ungläubiges Poltern. »Hört man von Ihnen auch mal wieder? Tut mir Leid wegen Ihrer Mutter.«

»Hatte sie Herzbeschwerden?«, fragte ich, ohne mich erst lange mit Nettigkeiten aufzuhalten oder auch nur zu erkundigen, wie es ihm ging.

»Nein, sie war bei ziemlich guter Gesundheit. Sie prahlte damit.«

»Aber sie hatte einen Herzanfall.«

»Paul, Ihre Mutter war nicht mehr die Jüngste. Sie wurde alt, und seien wir ehrlich, ihr Leben war nicht gerade ein Zuckerschlecken.«

War das eine Anspielung auf den Krieg, auf uns Kinder oder auf Dad?

»Sie hat einen großen Fehler gemacht, als sie versuchte, sich zu Hause um Ihren Dad zu kümmern, aber selbst wenn sie das nicht getan hätte, Demenz kann einen brechen. Als würde man dabei zusehen, wie jemand in Treibsand verschwindet. Ich hab gesehen, wie das den Ehepartner zerstörte, dem es noch gut ging.«

»Aber waren sie nicht überrascht? Ich meine, sie hat sich doch jeden Tag bewegt.«

»Sie ist spazieren gegangen, Paul. Das war alles. Und der berühmte Läufer, wie hieß er noch, Jim Fixx, damals in den Siebzigern? War der gut in Form? Natürlich war er das! Der Beste, kerngesund, aber er fiel trotzdem tot um. Er lief! Wir alle sterben, mein Junge. Asche zu Asche und Staub zu Staub. Ich bin überrascht, dass Ihre Mutter solange durchgehalten hat. Sie war ein sehr bekümmerter Mensch, sehr unglücklich.«

»Nahm sie Antidepressiva?«

»Hat sie nicht angerührt, aber ich hab ihr immer wieder gesagt, sie soll es versuchen. Man kann niemanden zu seinem Glück …«, sagte er und machte sich nicht die Mühe, den Satz zu beenden. »Was haben Sie denn, Paul?«, fragte er streitlustig. »Warum all die Fragen? Wann haben Sie sie überhaupt das letzte Mal gesehen?«

Scheinbar wusste jeder in New York, was für ein beschissener Sohn ich gewesen war. Gedemütigt rang ich mir ein Dankeschön dafür ab, dass er sich die Zeit genommen hatte, und erst nachdem ich aufgelegt hatte, fasste ich die Möglichkeit ins

Auge, ihn darum zu bitten, die Krankenakte meiner Mutter sehen zu dürfen.

Das war verrückt. Er würde denken, dass ich sein Urteil in Frage stellte, und vielleicht sogar argwöhnen, ich schnüffelte herum, um ihn wegen Fahrlässigkeit zu verklagen. Ich versuchte meiner Mutter durch all diese Fragen näher zu kommen, die Jahre der emotionalen und räumlichen Distanz wettzumachen, aber das war nicht wirklich möglich. Irgendwie waren fünfzehn Jahre rasend schnell vergangen, ohne dass ich mir je die Möglichkeit eingestanden hatte, dass meine Mutter sterben könnte, bevor wir eine Gelegenheit gehabt hatten, zwischen uns wieder eine wirkliche Beziehung herzustellen. Wir hatten einander zum Geburtstag Karten geschickt und telefoniert, und am Muttertag schickte ich Blumen, aber das bisschen Wärme, das es vor langer Zeit vielleicht einmal gegeben hatte, hatte sich verflüchtigt.

Ich konnte mich noch erinnern, wie sie verächtlich gefragt hatte: »Michigan? Du willst da studieren? Bibliothekswissenschaft? Wie können Bibliotheken wissenschaftlich sein? Das ist Unsinn!«

Es interessierte sie nicht, dass die Universität von Michigan das beste Lehrprogramm des Landes hatte. Es hatte meine Mutter umgehauen, sie nahm es persönlich, dass ich mein Studium an der Columbia-Universität, wo ich in Englisch promovieren wollte, abgebrochen hatte, all das Theoretisieren leid war, das Leute widersinnigerweise Kritiker höher schätzen ließ als Autoren. Nicht ein Professor oder ein Kurs hatte zum Wendepunkt beigetragen, sondern ein Kommilitone, ein spindeldürrer Popper mit einer für Long Island typischen Wortkargheit, der mich *Middlemarch* lesen sah und sagte: »Du liest Basisliteratur? Wie retro!« Da wusste ich, dass es Zeit wurde, die Columbia-Universität zu verlassen.

Dad reagierte etwas freundlicher auf meine Entscheidung, bis ich hinzufügte, dass ich im Begriff sei, mich von Valerie zu trennen. Da stimmte auch er in den verächtlichen Reigen ein, und beide hackten ordentlich auf mir herum. »Michigan? Wer geht denn schon nach Michigan?« Und dann verwendete er das jiddische Wort für Verrückte: »*Michigoyim*, die tun so was! Hahaha!«

Ich hatte das Gefühl gehabt, in New York zu ersticken, und gehofft, dass die Flucht mich erlösen würde. Was für ein Irrtum. In meinem letzten Jahr am College hatte ich mich in einem Senior Honors Seminar langsam durch Henry James' *The Ambassadors* gearbeitet. Der an einen jungen Mann gerichtete Schrei des Protagonisten, »Lebe, lebe so viel du kannst«, war mir damals peinlich und unheimlich vorgekommen, fast wie die Phantasien eines Obdachlosen, der einen auf einem Bahnsteig der U-Bahn anbrüllt. Nun aber hallte er schmerzhaft wider. Ich war nicht annähernd so alt wie Strether in diesem Roman, aber auch ich hatte nicht viel gelebt, und ich hatte zu viele Gelegenheiten versäumt.

Während ich darüber nachdachte, hatte ich das Adressbuch durchgeblättert und einen Eintrag für Bruce Menzies, Rechtsanwalt, gefunden. Ich war mir nicht ganz sicher, ob das Moms Anwalt war, derjenige, der ihr Testament aufgesetzt hatte, aber ich versuchte es mal mit der Nummer. Die Sekretärin einer unter mehreren Namen firmierenden Kanzlei begrüßte mich mit monotoner Stimme, sagte, er sei nicht zu erreichen, und verband mich mit Menzies' Voicemail.

Ich hinterließ meinen Namen und meine Frage: Hatte er sich mit dem Testament meiner Mutter befasst, und wenn ja, könnte er mir ein paar Fragen beantworten? Als ich auflegte, war ich mir jedoch nicht sicher, welche Fragen ich ihm stellen würde, falls er zurückrief.

Von all den Zweifeln an diesem Tag überwältigt, entschied ich, dass es das einzig Kluge sei, ein Nickerchen zu machen. Ich stellte zwei Wecker, einen in Dinas Zimmer und einen neben meinem Bett, um sicherzustellen, dass ich rechtzeitig auf war, um mich mit Val zum Essen zu treffen. Nach fünfzehn Jahren wäre es schrecklich gewesen, wenn ich mich verspätet hätte.

Aber ich hätte mir die Mühe sparen können, denn etwa eine Stunde später weckte mich das Telefon. Ich taumelte vom Schlafzimmer zur Küche und hörte gerade noch, wie Valeries Stimme eine Nachricht hinterließ: »… wenn du also erst hier vorbeikommen möchtest, können wir zusammen nach Downtown fahren.« Ich riss den Hörer vom Wandtelefon.

»Val – ich bin hier. Ich hab geschlafen.«

»Oh, gut. Du sahst ziemlich müde aus gestern Abend.«

Gestern Abend, dachte ich verblüfft. Es war weniger als vierundzwanzig Stunden her, seit ich Val gesehen hatte …

»Du hast also gehört, was ich gesagt habe? Hast du? Gut. Ich hab heute mehr Arbeit geschafft, als ich erwartet hatte, und ich konnte – konnte eine Regelung finden, und ich könnte eine Pause gebrauchen.« Sie gab mir ihre Adresse, und als ich auflegte, war ich ganz überwältigt. Wir würden uns früher treffen als geplant. Sie lud mich zu sich ein. Wir trafen uns nicht auf neutralem Boden oder genauer, in der Vergangenheit. Sie ließ mich sehen, wo sie *jetzt* lebte.

Ich duschte, einfach, um wach zu werden, noch einmal, zog mich um und wünschte, ich hätte etwas Schickeres mitgenommen als die schwarzen Jeans und den blauen, im Zopfmuster gestrickten Baumwollpullover. Aber als ich eine halbe Stunde später vor Vals Tür auftauchte, nickte sie zustimmend; ich hatte ihr in Blau immer gefallen.

Joe Jacksons romantisches, jazziges Album *Night and Day* lief – ich fasste das als ein gutes Zeichen auf; Gangsta Rap oder Marilyn Manson wäre entmutigend gewesen.

Der Fußboden in Vals großem Wohnzimmer glänzte, und über dem Kamin gab es an einer Backsteinmauer ein riesiges Display: in dessen Zentrum hing der Einband ihrer Biografie, eingerahmt in einen Nimbus aus Kritiken und Features aus verschiedenen Zeitungen und Magazinen, wie ich vermutete.

Ich trat nicht näher, denn ich wollte nicht neugierig wirken, aber ich konnte erkennen, dass der Schutzumschlag ein braun eingefärbtes Foto von ihr als kleines Mädchen mit ihren Eltern enthielt, auf dem sie alle ein wenig zögernd lächelten. Es war sehr ansprechend und ein wenig traurig, vielleicht ein Foto, das an ihrem letzten Tag an einem von ihnen geliebten Urlaubsort aufgenommen worden war. Sie hatte es mir nie gezeigt.

Ich schämte mich wieder, weil ich von ihrem Buch nicht gehört hatte. Hätte ich ein Buch veröffentlicht, wäre ich sehr gekränkt gewesen, wenn sie etwas so Wichtiges in meinem Leben verpasst hätte, auch wenn jeder von uns sein ganz eigenes Leben gelebt hatte. Es schien offensichtlich, dass ihr Buch und dessen Rezeption so dramatisch für sie waren und ihr Leben so sehr verändert hatten, als wäre sie verheiratet gewesen und hätte ein Baby.

Ich wandte mich von der Wand ab, und sie sah mich nicht an, sondern musterte mit stiller Zufriedenheit die Lobeshymnen. »Es gibt noch mehr. Ich hab nur die Besten eingerahmt.«

»Ich fühl mich richtig schlecht, dass ich nicht – dass ich es nicht wusste.«

Sie nickte.

Ich konnte nicht umhin zu denken, dass das Wohnzimmer und die Essecke, die rostfarben und golden gestrichen und mit Möbeln im spanischen Stil der zwanziger Jahre bestückt waren, einen perfekten Hintergrund für ihren Teint abgaben. Wenn ich das aussprach oder ihr erzählte, dass alles wunderschön sei, würde sie dann glauben, ich würde vor ihr kriechen?

Gegenüber des Kamins bestand die Wand aus massiven Regalen, und viele Hunderte von Büchern drängelten dort um Platz wie japanische Pendler in einem Zug.

»Rezensionsexemplare – das Beste am Rezensieren. Ständig schicken einem Leute Bücher. Es ist, als lebe man in einem Märchen. Du weißt schon: Es war einmal ein kleines Mädchen, das sehnte sich nach einer eigenen Bibliothek …«

»Schreibst du noch viele Kritiken jetzt, wo dein Buch so gut gelaufen ist? Rezensierst du gerne?«

»Ich schreibe eine Menge, und ich liebe es. Tonnen kostenloser Bücher – und Leute bezahlen dich dafür, dass du deine Meinung äußerst – und dann wird dein Name gedruckt. Was soll daran schlecht sein? Wie wär's jetzt mit einem Drink? Wenn du in Michigan lebst, musst du Scotch mögen. Ich hab Laphroig, Macallan, Dalwhinnie …« Ihr Ton hatte etwas Desinteressiertes, als würde sie sich zurückhalten oder mich auf Geheiß eines anderen unterhalten. Sie war gut gelaunt, aber es schien nicht viel mit mir zu tun zu haben.

Ich entschied mich für Laphroig, setzte mich auf die Couch und sah Valerie in der Pullman-Küche zu. Sie trug einen ihren Körper betonenden glitzernden schwarzen Pullover, schwarze Clogs und einen waldgrünen Rock aus Veloursleder und sah sexy und tüchtig aus, wirkte vollkommen eins mit sich selbst. Sie strahlte ein Wohlgefühl aus, das ich selbst gern gehabt hätte. Wenn sie sich drehte, schwang ihr Haar genau wie in einer gottverfluchten Shampooreklame von einer Seite zur anderen, wenn natürlich auch nicht gerade in Zeitlupe. Ich konnte beinahe spüren, wie das sanfte Gewicht dieser Mähne Jahre zuvor auf mein Gesicht gefallen war und auf meine Schenkel. Sie kam herüber, reichte mir meinen Drink und setzte sich mir gegenüber auf einen der Stühle.

»Weißt du, Michigan ist gar nicht so kalt«, sagte ich. »Du musst Minnesota im Kopf haben.«

Sie schüttelte den Kopf. »Ich denke nie an Minnesota.«

»Nicht einmal, als du *Fargo* gesehen hast?«

»Besonders da nicht.« Sie sah auf mich herab und lächelte.

Ich trank die Hälfte von meinem Scotch.

»He, mach langsam«, warnte sie und schlug die Beine übereinander.

»Ich versuch's.« Ich war so aufgeregt, als hätten wir ein erstes Rendezvous: ich hatte einen roten Kopf, war voller Erwartung und besorgt. Aber vielleicht war es eher wie ein letztes Rendezvous, Vals Gelegenheit, zu Ende zu bringen, was ungeklärt geblieben war, als ich aus New York verschwand. Was bedeuten würde, dass es gar kein richtiges Rendezvous war, sondern nur ein mieses Nachspiel. Ich hatte sie aus Michigan nicht angerufen und ihr auch keine Briefe geschrieben, nachdem ich gegangen war; ich hatte einen vollständigen Bruch gewollt, als wäre so etwas möglich.

»Ist es nicht komisch?«, fragte sie und hörte sich an wie jemand, der auf einer langweiligen Party ausdrücklich nach einem Gesprächsthema sucht. »Mit Scotch? Und Zigarren? Die waren dermaßen uncool, als wir auf dem College waren. Ich meine, Nixon und Kissinger, das waren so die Leute, bei denen man sich vorstellen würde, dass sie ein Gläschen und einen Zigarillo genießen. Die Insignien der Macht«, sagte sie mit singender Stimme wie ein CNN-Moderator, der versucht, dem Trivialen Bedeutung zu verleihen. »Jetzt sind sie wieder da, und sie sind hip.«

Ich deutete auf ihre Clogs. »Das sind die auch.«

Val wippte mit dem oberen Fuß. »Es kommt alles wieder, oder?«

»Wie Paisley-Krawatten. Die waren jetzt schon zweimal wieder da oder öfter.«

»Und die Psychoanalyse – die ist wieder richtig in.«

»Hast du – ?«

»Nein. Aber eine Therapie hab ich schon gemacht, nachdem du gegangen warst. Nachdem wir uns getrennt hatten, genauer gesagt. Bevor du gegangen bist.« Sie lächelte, als machte sie sich über ihre journalistische Genauigkeit lustig. Dann zuckte sie mit den Achseln. »Du hättest das auch gemacht, wenn du geblieben wärst. Zumindest eines Tages.«

»Was meinst du?«

»Das ist jetzt Gesetz. Jeder in New York muss eine Therapie machen. Deshalb gibt es so viel weniger Verbrechen.«

»Ich dachte, das liegt daran, dass mehr Cops auf der Straße sind.«

»Nein, es ist mehr die Einsicht.«

Das war gut, das war sehr gut. Ich hatte mich angespannt, als sie meinen Weggang aus New York erwähnte, aber nun scherzten wir miteinander. Halte es am Laufen, dachte ich.

»Sogar Sinatra ist wieder da, aber ich schätze, es hilft, dass er tot ist«, stellte ich fest.

»Na ja, ich glaub nicht, dass die Leute Gin-Fizz mit Schlehdorn trinken werden wie wir es getan haben.«

»Gott, waren die abscheulich.« Ich sah es vor mir, wir beide lachend an einer Bar mit großen, runden, an Irishcoffee erinnernden Gläsern mit diesen rosafarbenen süßen Drinks vor uns. Im CD-Player sang Joe Jackson davon, mit seiner Liebe in einem Taxi zu sein. »Was für ein tolles Album«, sagte ich.

»Klassisch«, pflichtete sie mir bei, und wir hörten beide eine Weile der Musik zu, ließen ihren treibenden Beat das Zimmer füllen und sich über den Abend ausbreiten. Das würden wir bald tun: hinausgehen in die Nacht, genau, wie Joe Jackson es besang.

»Du trägst wieder Angel«, bemerkte ich.

»Ich trage nichts anderes.«

»Es ist fantastisch.«

»Männer lieben es, das hat der Typ bei Bloomie's mir erzählt.«

»Ein Typ hat es dir verkauft?«

»Ich schätze, sie wollten auch mal einen Mann am Parfümstand haben«, sagte sie beiläufig. »Ich wollte etwas Neues, und es war gerade reingekommen.«

Männer mochten es. Welche Männer? Hatte sie es für jemand Bestimmten gekauft? Diese Frage zu stellen war ich nicht berechtigt, also fragte ich sie, damit der Fokus auf sie und mich gerichtet blieb: »Was magst *du* daran?«

Sie sah weg, dachte darüber nach und wandte mir dann den Blick wieder zu. »Ich mag es, weil es hält.«

Ich bin sicher, sie wollte mich damit nicht herunterputzen, fühlte mich aber erneut schuldig, weil ich sie sitzen gelassen hatte. Ich nehme an, es war natürlich, dass die einfachste Bemerkung von ihr Reue und Verlegenheit bei mir auslöste, aber ich hasste die Art und Weise, auf die es schmerzte. Ich hatte fast das Gefühl, als läge die Frage unserer Zukunft dort auf dem Tisch wie die von einem umsichtigen Kellner präsentierte Rechnung, der darauf achtet, dass sie genau zwischen uns liegt. Wer würde als erster danach greifen?

Wir taten es beide nicht, wie sich herausstellte, ließen den Moment verstreichen, da auf der CD die nächste Nummer begann.

Ich wollte, dass alles perfekt war, und ich wollte, dass das Leben dem Song entsprach, den Jackson so gefühlvoll gesungen hatte, also fragte ich, wie ihre Aussicht sei. Schließlich lebte sie im zehnten Stock.

Val belehrte mich eines Besseren. »Es lohnt sich nicht, die Rouleaus aufzumachen – da gibt's hauptsächlich nur ein paar weitere Hochhäuser wie das hier.« Ihres war mit diesem scheußlichen glasierten weißen Backstein verkleidet, von dem ich immer dachte, dass er besser zu einem römischen Vomitorium als zu einem Hochhaus passte, aber eine Menge Projektentwickler in der East Side waren offensichtlich anderer Meinung gewesen. »Wie kommst du mit Simon und Dina klar – das muss schwer sein.«

»Ich hatte ein paar gute Gespräche mit Simon.«

Val sah überrascht aus, erinnerte sich ohne Zweifel an mein altes Gefühl der Frustration darüber, dass er so unzugänglich und von seiner ganzen Art her so stoned war. »Und Dina? Immer noch streitsüchtig?«

»Streitsüchtig trifft es längst nicht. Versuch's mit arrogant. Dass sie einen reichen Mann hat, bringt das Schlimmste in ihr zum Vorschein. Und wo wir von Reichen sprechen, es überrascht mich, das du hier drüben lebst.«

»Warum? Weil es steril und versnobt ist?«, fragte sie.

»Das ist schon mal ein guter Anfang.« Als ich aufwuchs, hatte ich mich stets der Unterscheidung angeschlossen, dass die West Side warm, menschlich, voller Kultur und im Grunde alles das war, was die East Side trotz des Guggenheim Museums, des Whitney, der Frick Collection und des Metropolitan Museum of Art nicht war. Und Val, die in Washington Heights lebte, schien mir zuzustimmen, zumindest erinnerte ich mich so. Seltsam, dass ich mich, als ich aufwuchs, über New Jersey auf der einen und die East Side auf der anderen Seite lustig gemacht hatte. Noch seltsamer war, dass ich nach Michigan gezogen und mich in die Strände, die öffentlichen Parks, die ausgedehnten Dünen, die Großen Seen und diese atemberaubende Fahrt über die unheimlich lange Mackinac Bridge verliebt hatte. New York war der Mittelpunkt meines Universums gewesen, und ich war in dem festen Glauben aufgewachsen, dass es woanders nicht auszuhalten sei, Michigan jedoch hatte mir diese starre Einstellung mit einem Schlag genommen.

»Oh, an den Mist über die East Side glaube ich nicht mehr«, sagte Val. »Dies ist eine Gegend wie jede andere.« Sie stürzte ihren Drink hinunter. »Komm, lass uns was essen gehen.«

Hatte ich sie gekränkt? Val raffte eine schwarze Lederjacke an sich, und ich kam mir vor, als würde ich aus der Wohnung befördert. Aber vielleicht interpretierte ich da zu viel hinein.

Als wir im Taxi in Richtung Village rasten, bemühte ich mich, nicht wie ein Waschlappen darauf zu reagieren, dass wir so schnell durch den Verkehr holperten und schlingerten, dass unsere Köpfe nach vorn und zurückgeworfen wurden, aber die Fahrt war die Hölle. Man hätte meinen können, wir wären in einem Film und würden von jemandem gejagt, der gerufen hatte: »Folgen Sie diesem Wagen!« Hatte ich, wenn ich vor Jahren Taxi gefahren war, nie gemerkt, dass die Straßen so holprig waren und die Fahrt so Schwindel erregend? Vielleicht waren mir damals als Student am College und später im Hauptstudium Taxen, verglichen mit der U-Bahn und den Bussen, exotisch vorgekommen und ich hatte das schlicht alles verdrängt.

Bei dem Gedanken an schlechte Straßen erinnerte ich mich an einen Abend – wir waren damals gut zwei Jahre zusammen –, an dem wir in einem sich wild durch den Verkehr drängelnden Bus quer durch die Stadt durch den Central Park zu einer Party fuhren. Val hatte plötzlich erschreckt ausgesehen, und ich drückte ihre Hand, um ihr zu versichern, dass uns nicht passieren würde. »Ich hab keine Angst«, hatte sie geflüstert. »Ich bin – « und sie sah verstört auf ihre übereinandergeschlagenen, in superengen Jeans steckenden Beine hinunter und dann zu mir auf, als spiele sie eine verzweifelte winzige Scharade. Als ihr Gesicht vor Verlegenheit errötete, begriff ich, dass der Druck auf ihren Schritt gerade richtig war und all das Auf-und-nieder-hüpfen sie dazu bringen würde, dass sie kam, wenn wir nicht bald hielten. Der Bus kam früher zum Stehen, als wir erwarteten, und Val und ich lachten uns den ganzen Abend immer wieder kaputt, wenn sich auf der Party unsere Blicke trafen. Die klammheimliche Anarchie unseres Scherzes rettete uns, denn die Gastgeberin hatte irgendeinen Streit mit ihrem Freund und bestand immer wieder darauf, dass *Under My Thumb* von den Stones gespielt wurde. »Guter Song, schlechte Vibes«, hatte Val später gesagt. »Na wenigstens ist niemand erstochen worden«, hatte ich zu bedenken gegeben.

Als ich nun einen viertel oder halben Meter von Valerie entfernt in dem Taxi saß, ihre Gegenwart mich wärmte und ich über unsere Vergangenheit nachgrübelte, wollte ich sie. Nicht so, wie ich Camilla und andere Frauen gewollt hatte, um mein Können zu beweisen, sie dazu zu *bringen*, dass sie kamen, sondern um sie im Arm zu halten, mich mit ihr verbunden zu fühlen, das Gefühl zu haben, dass ich es wieder gut gemacht und sie mir verziehen hatte.

»Erzähl mir, was du tust in der Bibliothek. Du bist mit speziellen Sammlungen befasst, nicht wahr?«

Vom Sublimen zum Lächerlichen. Ich zwang mich, wieder an meine Arbeit zu denken, während mich aus jedem Ladenfenster, an dem wir vorüberfuhren, die Lichter grell anleuchteten.

»Ich mache verschiedene Sachen. Ich verbringe eine Menge Zeit am Computer und kümmere mich um Wünsche, Bücher über die Fernleihe auszuleihen. Und wir führen Ordner zu verschiedenen Themen und ich sortiere Zeitungsausschnitte, Broschüren, Merkblätter, hefte das Material nach Sachgebieten ab. Außerdem helfe ich, für den Rest der Bibliothek Bücher zu bestellen, lese also auch das *Library Journal* und andere Fachzeitschriften. Und manchmal beschäftige ich mich damit, irgendwelche Fehler auszumerzen – suche nach Material, das studentische Hilfskräfte falsch eingeordnet haben.«

»Klingt ein bisschen, na ja, trocken.«

»Meistens ist es das auch. Was ich wirklich genieße, ist, wenn ich von meinem Schreibtisch wegkomme, weil ich dann mit Menschen arbeite, mit ein paar Leuten vom Lehrkörper, hauptsächlich aber mit Studenten.«

»Lass mich raten – sie schreiben Klausuren und wollen deine Hilfe?«

»Genau. Als Erstes brauchen sie Hilfe, um rauszufinden, was sie wollen, weil sie so breit gefächerte Themen haben.«

»Also ist es wie unterrichten.«

»Richtig, nur dass es auf dem Arbeitsmarkt auf meinem Gebiet immer besser ausgesehen hat und man sich dabei nicht mit Marxisten, Strukturalisten, Feministen, seltsamen Theoretikern oder Postmodernisten herumschlagen muss.«

»Aber ich wette, du wärst gut gewesen mit Studenten.«

Auf dem College war Valeries Ziel der Journalismus gewesen und meins das Unterrichten, was der Grund dafür war, dass wir beide an der Columbia-Universität das Hauptstudium aufgenommen hatten. Aber ich war unglücklich dort und hatte diesen Traum ganz aufgegeben, nie wirklich sicher, wie groß der Verlust war. Ich würde niemals unterrichten, aber in den Jahren seit meiner Zeit an der Columbia-Universität hatte ich beobachtet, wie die akademische Welt von der politischen Rechten niedergemacht und durch lebhafte Auseinandersetzungen über politische Korrektheit unterminiert wurde. Buchhalter übernahmen die Verwaltung und versuchten, Studenten zu Kunden und Mitglieder des Lehrkörpers zu Arbeitern eines intellektuellen Ausbeuterbetriebs zu machen. Es war kein besonders erbaulicher Anblick.

»Ich hab mit ein paar Mitgliedern des Lehrkörpers und Absolventen früherer Jahre zu tun, ein paar Leuten aus dem näheren Umkreis, aber hauptsächlich mit Studenten. Das ist wirklich das Beste an meinem Job – ihnen zu helfen, herauszufinden, was sie brauchen, wonach sie suchen und worüber sie schreiben sollten. Und viele Studenten haben keine Ahnung, wie man mit Büchern – oder irgendwelchen anderen Sachen – arbeitet, die im Lesesaal bleiben müssen. Das kann lästig sein, weil es mich zum Aufpasser macht. Ich muss sie darauf hinweisen, dass sie keine Limo oder Pizza in den Lesesaal mitbringen, ihre Ellbogen nicht auf seltene Bücher legen, keine Seiten rausreißen oder irgendwo drauf schreiben, wo sie drin nachschlagen.«

Sie sah mich ungläubig an. »Versuchen sie das?«

»Absolut. Sie glauben, sie wären zu Hause und es wäre egal, was sie tun. Einer von den Burschen hat mich angebrüllt, als ich gesehen habe, dass er irgendwo was reinkritzeln wollte. ›Warum schikanieren Sie mich? Ich hatte nicht vor, in *Ihr* Buch zu schreiben!‹«

»Das ist verrückt.«

»Dann gibt es da die mürrischen Mittelschüler, die von ihren Müttern kontrolliert werden, oder Typen, die ihre Freundin nicht für sich selbst sprechen lassen. Weißt du, diese Typen, die ihre Hand im Nacken ihrer Freundin haben und antworten, sobald du ihr eine Frage stellst.«

Val schauderte. »Ich hasse das. Du hast das nie gemacht.«
Ein Punkt für mich.

»Aber macht es Spaß? Reicht es?«, fragte sie. »Du klingst nicht sehr zufrieden.« Die Bemerkung war nett, aber ein wenig streng, als hätte ich sie enttäuscht. Wie hatte sie sich mein Leben während all dieser Jahre vorgestellt? Wenn sie meine Mutter regelmäßig sah, musste sie gewusst haben, dass ich nur ein kleiner Emporkömmling von einem Bibliothekar war, aber vielleicht hatte sie angenommen, die Arbeit hätte irgendwie mehr Bedeutung.

Ich wusste nicht, wie ich ihre Fragen beantworten sollte. Ich hatte mehr als ein Jahrzehnt meines Lebens in einem Job verbracht, der in mancherlei Hinsicht nicht viel besser war als der eines Mitarbeiters an der Ausleihe. Er verlangte sehr wenig von mir, und gab mir noch weniger. Aber lebten nicht die meisten Menschen so? Wer hat gesagt, das Arbeit Spaß machen oder befriedigend sein müsse? Dass sie erträglich war, schien mir ein akzeptables Fazit zu sein, und mein gegenwärtiger Job hatte nichts, was ich nicht hinnehmen konnte. Trotzdem wäre es schwierig gewesen, dies Val zu sagen, denn sie war erfolgreich und hatte in der *New York Times* eine gute Besprechung bekommen, und das war die höchste Anerkennung in New York, der höchste Segen. Sie war in New York geblieben und hatte es geschafft; ich war gegangen und hatte nichts weiter geschafft, als Spuren zu hinterlassen.

Und was mich noch mehr entmutigte, während wir in südlicher Richtung durch das funkelnde und dröhnende New York fuhren, war mein Gefühl, dass die Arbeit, die ich ihr beschrieben hatte, nicht nur nicht besonders aufregend und sogar niveaulos, sondern auch wenig substantiell war. Ich hatte Jahre mit ihr vergeudet.

»Ich dachte immer, du würdest vielleicht Autor werden«, sagte Val.

»Warum?«

»Wegen der Art, wie du die Dinge aus der Distanz beobachtet hast.«

»Selbst dich?«

Sie lachte ein wenig. »Ja, selbst mich.«

»Ich hab gern über die Natur geschrieben, als ich klein war.«

»Wirklich? Hast du mir nie erzählt.«

»Meine Mutter fand, es sei nicht der Mühe wert – und ich war noch klein, was wusste ich schon?«

Valerie schüttelte den Kopf. »Denkst du heute daran?«

»Manchmal.«

»Worüber würdest du schreiben wollen?«

»Das ist leicht!« Ich legte mit einer begeisterten Beschreibung von Old Mission Peninsula los, sprach von der Hütte, in der ich gewohnt hatte, und den sich über flache, sanfte Hügel erstreckenden Weingärten. Ich erzählte ihr von Chateau Chantal, dem 65 Morgen großen Weingut mit Fremdenzimmer in der Nähe des nördlichen Endes der Halbinsel, wo das Mikroklima tatsächlich dem eines Teils der Gegend von Frankreichs Bordeaux ähnelte. Das mitten in mit Reben bedeckten Hügeln gelegene, mit Ecktürmen versehene Hauptgebäude sah aus wie eine Schweizer Skihütte, bot wunderbar komfortable Suiten, hatte in dem in Fachwerk gehaltenen Hauptsaal einen riesigen Kamin und eine phantastische Aussicht. Ich hatte es mir angesehen, bisher dort aber nur kurz Halt gemacht, um den exzellenten Pinot Noir zu kosten. Ich sprach es nicht aus, dachte aber, sie würde erkennen, dass ich mir wünschte, ich hätte jemanden, mit dem ich das teilen könnte.

Valerie registrierte alles, lächelte, nickte, hatte Freude an meiner Begeisterung, aber als sie schließlich sprach, war ich enttäuscht. Ich hatte gehofft, sie würde sagen, dass sie die Halbinsel und Chateau Chantal gern einmal sehen würde. Stattdessen war ihr einziger Kommentar: »Es muss schön sein.«

Ich hatte versucht, sie für mich zu gewinnen und dem Bild entgegenzuwirken, dass ich langweilig geworden sei und kein

Potential habe, aber ihre Bemerkung ernüchterte mich, als hätte ich auf einen englischen Snob eingequatscht, der deinen Vortrag mit einem müden »Wie interessant« aufnimmt, bevor er sich abwendet. Genauso gut hätte ich ihr eine Broschüre gereicht haben und sie abheften lassen können.

Ich schwieg und beobachtete die Straßen, die Autos, die unglaubliche Vielfalt der Menschen dort draußen. Sie unterschieden sich auf eine so bizarre Weise voneinander, dass Ann Arbor im Vergleich sehr sanft und homogen, wie ein akademischer Themenpark wirkte. Val schien sich in sich selbst zurückgezogen zu haben. Das war gar nicht gut. Bis zu meinem Fehltritt als wandelndes Reisebüro hatte ich mich ruhig in etwas gesonnt, das ich seit vielen Jahren nicht mehr empfunden hatte: eine Wärme und ein Behagen, die langsam durch meinen Körper pulsierten wie eine Droge. Vor Jahren hatte ich mich mit Val wohl und glücklich, mich bei ihr aufgehoben gefühlt. Seit ich New York und sie verlassen hatte, hatte ich diesen Frieden bei keiner anderen Frau mehr gefunden. Es war ganz einfach, und es war fürchterlich kompliziert.

Unser Fahrer, ein Sikh, der vielleicht spürte, dass sich die Stimmung auf dem Rücksitz verändert hatte, wechselte den Radiosender, der das monotone Geschwafel irgendeiner Talkshow brachte, und schaltete etwas Lebendigeres ein, und Val lachte über die Musik, die nun zu hören war: Blondies *Heart of Glass*, ihr erster großer Dance-Hit.

»Dieser Song! Oh, mein Gott«, sagte sie lachend und wackelte mit den Schultern und dem Kopf wie ein Tänzerin aus *Solid Gold*.

»Als wir den das erste Mal gehört haben, waren wir in einem Jeansladen am Broadway, erinnerst du dich? Und die Verkäuferin ließ ihren Hintern kreisen, als wir reingingen.«

»Ja! Sie war schwarz, stimmt's? Halblange Afro-Frisur, mit schwarzen Stiefeln, die übers Knie reichten. Gott, wir waren bloß Kids«, staunte sie. Wir drei hatten am Ladentisch zu dem ansteckenden Beat und dem doofen Text Boogie getanzt, und ich erinnere mich, dass mir der Song für den ganzen Tag Auftrieb gegeben hatte.

Das Taxi hielt vor dem Restaurant Odeon am West Broadway, und wieder besser gelaunt teilten wir uns das Fahrgeld. »Viel Glück«, sagte der Fahrer, als ich ihm ein großzügiges Trinkgeld reichte. Er wirkte so wissend und wohlwollend wie ein Hellseher, der gute Neuigkeiten und glückliche Ereignisse voraussagt.

Einst eine Cafeteria, war das Odeon bereits seit einer Weile ein Restaurant gewesen, als wir es damals während unserer gemeinsamen Zeit zufällig an einem Wochenende entdeckten. Obwohl Val mir erzählte, die langen, rechteckigen, hoch oben angebrachten Spiegel seien neu, sah es vertraut aus und kam mir bekannt vor. Die glänzende dunkle Täfelung wie auch die tief hängenden Ventilatoren und die vier Säulen, die ihn unterteilten, verliehen dem großen, hohen Raum, der an einem Ende eine Bar hatte, eine intime Atmosphäre. Val und ich hatten immer hinten in einer Nische aus schwarzem und burgunderfarbenem Vinyl mit Blick auf die Küchentüren gesessen.

Der gepflegte, in einen schwarzen Anzug gekleidete Oberkellner – der zu unserer Begrüßung so geschmeidig herüberschwebte, als hätte er Räder unter den Füßen – begrüßte Val mit Namen und musterte mich dann kurz freundlich, worüber ich mich genauso ärgerte wie über seine offensichtliche langjährige Bekanntschaft mit Valerie. Sie muss also häufig hierher kommen, dachte ich, und mein Vorschlag war für sie nicht wirklich nostalgisch. Als ich mich umsah, konnte ich die Leute, die kein Schwarz trugen, nicht gepierct waren und keine schnittigen Frisuren hatten, an einer Hand abzählen. Ich kam mir vor wie ein Hinterwäldler.

Aber das ging vorbei, als unsere Mäntel weggebracht wurden und wir in unserer früheren Lieblingsnische saßen und uns umsahen. »Einmal hab ich jemanden von *Law and Order* hier gesehen«, bemerkte sie. »Einen der Bezirksstaatsanwälte. Guckst du die Sendung?«

»Nicht wirklich.«

»Ich mag es, wie die Geschichten an einer Stelle anfangen, sich dann drehen und zu etwas vollkommen Unerwartetem entwickeln können. Oh – bevor ich es vergesse –« Val griff in eine Tasche und gab mir ein paar Schlüssel. »Ich wollte sie dir gestern schon geben. Es sind die deiner Mom.«

»Sie hat dir einen Satz gegeben?« Ich muss richtig neidisch geklungen haben, denn Val nickte nur und ging dazu über, die Speisekarte zu lesen. Nachdem wir ausführlich darüber diskutiert hatten, was wir nehmen könnten, fragte Val, wie es mir gehe, und ich wusste, dass sie nicht nur Konversation machte.

»Ich versuche immer noch zu begreifen, warum sie mir das deutsche Geld vermacht hat. Das ist ein Haufen Geld, fast zu viel.« Es war mir peinlich, zu sagen, wie viel genau – es hätte so ausgesehen, als würde ich prahlen. »Kannst du dir einen Grund vorstellen, warum sie das getan hat?«

»Mehrere.« Sie starrte mich über ihre Speisekarte hinweg an. »Deinem Vater konnte sie es nicht vererben, weil er so krank ist, nicht wahr? Du bist der Älteste. Vielleicht hat das vorher nicht viel bedeutet, aber die Dinge ändern sich, wenn Menschen ihr Testament schreiben. Sie können sehr traditionell werden, vielleicht sogar sentimental.«

Es wäre mir nie eingefallen, dieses Wort für meine Mutter zu gebrauchen, aber schließlich war nicht ich es, der sie während der vergangenen fünfzehn Jahre besucht hatte und mit ihr shoppen gegangen war. Am Ende kannte Val Mom wahrscheinlich besser als ich. Ohne es zu wollen wurde ich bei dem Gedanken ärgerlich. Es war fast, als hätte meine Mutter eine Tochter adoptiert. Moment – hatte sie sich möglicherweise schuldig gefühlt deswegen und mir das Geld vererbt, um es wieder gutzumachen? Junge, was spekulierte ich hier herum.

Unsere langbeinige Kellnerin – die natürlich Schwarz trug – brachte Wasser und beschrieb die Abendgerichte mit einer scheuen Anmut, die zu ihren Julia-Roberts-Locken passte.

Val schlug vor, den Räucherlachs und gegrillten Thunfisch zu nehmen, und ich und unsere Kellnerin waren einverstanden. Ich schlug eine Flasche Pinot Grigio vor, und wir waren wieder allein.

»Okay, aber warum hat sie das Geld dann nicht aufgeteilt?«, fragte ich. »Es uns dreien geben, zu gleichen Teilen.«

»Das hätte niemals funktioniert. Deine Mom traute Simon nicht genug. Das hat sie nicht wirklich so gesagt, aber immer, wenn er erwähnt wurde, war es fast, als wäre sie misstrauisch.«

»Aber er hat schon lange nichts Verrücktes mehr getan. Und er hat einen festen Job.« Ich dachte an die Autounfälle, die Scheidung, die Schulden, daran, dass er das College nicht abgeschlossen hatte, an das Dealen, für das die Polizei ihn glücklicherweise nie drangekriegt hatte – das war es, was wir über seine Vergangenheit wussten. Es gab zweifellos noch mehr und schlimmeres, von dem wir keine Ahnung hatten.

»Er ist bi. Deine Mutter konnte damit nicht umgehen. Sie war der Meinung, er sei nicht normal. Sie hat nie dieses Wort benutzt, aber es war ziemlich klar«, beeilte Valerie sich zu erklären. »Also nehme ich an, dass sie meinte, ihm zwar etwas vererben zu müssen, aber nicht den Großteil. Nicht so viel, wie sie dir vererbt hat.«

»Und was ist mit Dina?«

Val lächelte nachsichtig. »Dina braucht nicht so viel. Sie ist fürs Leben gerüstet.«

»Mrs. Gordon sagte schon so was.«

Valerie beugte sich vor. »Deine Mom könnte dir das Geld auch vererbt haben, weil sie dich geliebt hat. Denk drüber nach.«

»Ausgeschlossen. Sie war so kalt.«

Val seufzte. »Du weißt nicht, was der Krieg ihr angetan hat. Aber selbst wenn sie schon vor den Lagern so war, na und? Es kann nicht jeder Mutter Teresa oder Prinzessin Di sein. Die Menschen machen es als Eltern so gut sie können.«

Ich konnte das nicht akzeptieren. Es war zu nachsichtig.

»Du glaubst, sie hat mich geliebt? Wirklich?«

»Oh, ja. Viel mehr als Dina oder Simon. Sie hat es vielleicht nicht gezeigt oder darüber gesprochen – das war nicht ihre Art.«

Ich dachte an Dads joviales »Das ist meine Natur.«

»Warum bist du so sicher?«

»Weil von euch dreien du derjenige bist, der deiner Mom am Ähnlichsten ist, und sie wusste das.«

Das war keine Bemerkung, die mir irgendwie inneren Frieden verschafft hätte, besonders, da Dina mich mit der Behauptung verspottet hatte, ich sei so distanziert geworden wie meine Mutter es war.

»Findest du, ich bin reserviert?«

Valerie schürzte die Lippen und antwortete mit dem trockenen Humor eines Arztes, dessen Patient sich an all die Symptome, wegen derer er die Praxis ursprünglich aufgesucht hat, anscheinend nicht erinnern kann. »Ist das dein Ernst? Du hast die Dinge immer aus der Distanz betrachtet, dich zurückgehalten, genau wie deine Mutter, das weißt du. Du konntest die Dinge nie wirklich leicht nehmen, nie auch mal loslassen. Als wir zusammen waren, war es – « Sie zögerte. »Es war faszinierend, schätze ich. Romantisch vielleicht. Du fragst immer wieder, warum deine Mom dir das Geld vererbt hat. Begreifst du es nicht? Du bist so kritisch und unglücklich, wie sie es immer war.« Sie zuckte mit den Achseln, als würde sie sagen: »Ich nehme es dir nicht übel.«

Val hatte Recht, aber es war sogar noch schlimmer. Ich hatte mir das Unglücklichsein selbst *ausgesucht*. Ich war vor ihr und der Realität geflüchtet und hatte mich in einer Universitätsstadt niedergelassen, einem Ort, wo mich niemand gut kannte, wo mein Leben oberflächlich und unwirklich war. In Ann Arbor prahlten Menschen, sie seien dorthin gekommen, um zur Universität von Michigan zu gehen, und blieben für den Rest ihres Lebens. Es war ein Mantra, stolz darauf zu sein, dass man in Treibsand eingesunken war.

Ich konnte den Gedanken an all das nicht ertragen, also drängte ich sie, mir zu erklären, warum sie nicht erzählt hatte, dass sie da war, als meine Mutter starb, oder jedenfalls kurz danach. Dass sie gesehen hatte, wie die Leiche meiner Mutter auf einer Trage weggebracht wurde, eine mir aus unzähligen Zeitungsberichten und Fernsehsendungen vertraute Szene, die ich vorher nie als real empfunden hatte, nun aber auf eine quälende Weise vertraut war.

Mit gesenktem Blick und sich deutlich unwohl fühlend sagte sie: »Ich wollte dir nicht wehtun.«

Genau wie Mrs. Gordon, dachte ich. »Ich versteh das nicht, Val. Bin ich ein psychisch Kranker, der wegen eines falschen Wortes zusammenbrechen könnte? Müssen mich alle behandeln, als würde ich zerbrechen, wenn ich weiß, was läuft?«

»Paul«, sagte sie besänftigend, »da läuft gar nichts. Aber selbst wenn es so *wäre*, fällt es einem bei dir nicht gerade leicht, etwas zu erzählen.« Es war die Art von unerträglich leiser Stimme, die mich zwangsläufig zur Raserei bringen musste wie wahrscheinlich jeden anderen auch, und ich war kurz davor, ihr vorzuwerfen, dass sie mich zum Kind mache, aber die Kellnerin brachte unseren Wein. Wir sahen zu, wie sie ihn geschickt entkorkte und eingoss; ich sagte, er sei gut, und Val und ich tranken, ohne anzustoßen.

»Du hast nicht geheiratet«, sagte ich ein paar Augenblicke später aus heiterem Himmel, nachdem unsere Vorspeisen gekommen waren, und Vals erschrecktes Grinsen ließ sie aussehen wie einen Verbrecher, der im Zeugenstand beim Lügen erwischt worden ist.

Dann entspannte sie sich. »Damit wären wir schon zwei.«

»Ich hab's nie in Betracht gezogen. Du?«

»Ich schon. Es war lange, nachdem du gegangen warst. Ein Journalismusprofessor an der Columbia-Universität.« Ich muss zynisch ausgesehen haben, denn sie versicherte mir, dass sie anfingen miteinander auszugehen, lange nachdem sie ihr Examen gemacht hatte. »Ich hab ihn zufällig an der West Side getroffen, und er erinnerte sich an mich.«

»Wie war er?«

Sie schürzte die Lippen. »Wie man sich das so vorstellt. Älter, konservativ, schütteres Haar. Ein Philip Roth-Typ, aber ohne die Wärme.« Ich muss ein verdutztes Gesicht gemacht haben, denn sie sagte: »Das war ein Witz. Roth ist nicht besonders warm …«

»Und was ist passiert?«

»Wir waren zwei Jahre zusammen, wie man es wohl nennen könnte, und ich fand heraus, dass er mit einer seiner Studentinnen schlief. Nicht sehr originell, hab ich ihm gesagt.« Sie klang leidenschaftslos, wie eine viel ältere Frau, die auf ihre *Liebschaften* zurückblickt, Liebhaber einordnet, als arrangiere sie eine Vase Blumen. »Keine Sorge, das wird nicht zu dieser Szene in *Vier Hochzeiten und ein Todesfall*, wo Andi McDowell all ihre Liebhaber aufzählt und es dabei auf zweistellige Zahlen bringt.«

»Heißt das, du hast nicht so viele gehabt?«

»Das heißt, dass ich es, selbst wenn, für mich behalten würde.« Sie schob ihre Haare von den Schultern nach hinten, und als sie ihre Arme so gehoben hatte und ihre Brüste nach vorne drängten, stellte ich mir vor, meine Hände unter sie gleiten zu lassen und meinen Kopf in ihrem Dekolleté zu vergraben, mit meinen Daumen ihre Brustwarzen zu streicheln, nur leicht die Spitzen zu berühren. Als hätte sie meine Gedanken erraten oder es einfach in meinen Augen gelesen, verschränkte sie die Arme vor der Brust.

Ich zählte grob meine Freundinnen in Michigan durch. Während des Hauptstudiums hatte ich, nur um zu sehen, ob ich es konnte, ein ganzes Büro von Assistentinnen durchgepoppt, wo ich der einzige Kerl war, hatte danach aber langsamer gemacht und mich auf eine oder zwei Frauen im Jahr beschränkt.

»Zählst du sie zusammen?«, fragte sie verschmitzt.

Ich nickte.

»Na, wenigstens hast du mich nicht betrogen. Ich bin dankbar dafür.«

Ich sagte ihr nicht, dass ich noch nie eine Frau betrogen hatte. Wozu wäre das gut? Was hätte ich damit bewiesen? Sicher liebte ich es, andere Frauen anzusehen, aber ich wartete, da ich fast immer im Voraus wusste, wen ich zu verführen versuchen würde. Alice, eine der vielen Assistentinnen an der Universität von Michigan, mit denen ich geschlafen hatte, hatte, als wir Schluss machten, zu mir gesagt: »Du guckst sie dir im Voraus aus wie ein Krokodil, dass sich auf das schwächste Gnu stürzt, wenn eine Herde den Fluss durchquert.« Ich hatte gelacht und mit den Zähnen nach ihr geschnappt, aber sie meinte es ernst und fand das gar nicht komisch.

»Dieser Typ, siehst du ihn manchmal noch?« Vielleicht war das eine lausige Frage, aber ihre Bemerkung, dass ich sie nicht betrogen hatte, hatte mich mutlos gemacht. Auch wenn es ein Kompliment war, so hob es den Rest meines Verhaltens doch auf wenig schmeichelhafte Weise hervor. Dieses vernichtende »Wenigstens«.

»Steve hat einen Job in Berkeley angenommen, ich sehe ihn also nicht, aber – « Sie wurde rot.

»Aber?«

Sie holte tief Luft wie jemand, der im Begriff ist, etwas Riskantes zu sagen. »Ich sehe sein Gesicht. Libby sieht ihm sehr ähnlich.«

»Libby.«

»Seine Tochter. Meine Tochter.« Obwohl sie mir herausfordernd in die Augen sah, war ich in diesem Moment alles andere als kämpferisch gestimmt. Geplättet traf es eher.

»Du hast ein Kind.« Ich faltete die Hände in meinem Schoß und fragte mich dann, warum. Ich hatte das Gefühl, als würde jeder in dem Restaurant mich anstarren, sich über mich lustig machen.

»Sie ist siebeneinhalb. Sie schläft heute nacht bei meinen Leuten. Die sind aus Florida zurück. Sie ist sehr gerne mit ihnen zusammen.«

»Warum hast du mir nicht früher von ihr erzählt?«

Sie runzelte die Stirn, sah sich ausdruckslos nach den anderen Gästen um und raffte mit beiden Händen ihr Haar zusammen, als wollte sie es zu einem Pferdeschwanz zusammendrehen. Sie entspannte sich, ließ die Haare los, fuhr mit den Fingern hindurch, und als sie sich mir wieder zuwandte, war ihr Gesicht wieder weich und offen.

»Wie hättest du dich gefühlt, wenn sie da gewesen wäre, als du heute Abend zu mir kamst? Oder wenn ich sie gestern mitgebracht hätte?«

Jetzt sah ich zur Abwechslung weg. Ich konnte mir nicht vorstellen, dass es jemand anders in Vals Leben gab, jemanden, der immer da war. In meinen Phantasien wartete sie auf mich, unberührt von der Zeit und den Umständen, und wir würden dort weitermachen, wo wir fünfzehn Jahre zuvor aufgehört hatten.

»*Deshalb*«, sagte sie, als würde sie meine Gedanken lesen.

»Wissen Dina und Simon, dass du eine Tochter hast? Wusste es Mom?«

Sie nickte. Natürlich wussten sie es.

»Gott, ich komm mir vor wie ein Trottel. Warum hat mir das nie jemand erzählt?«

»Wozu?«, schnappte sie. »Was hätte es für eine Rolle gespielt?«

Die Frage konnte ich ihr nicht beantworten, da sie mich überforderte. »Ich hab in deiner Wohnung keine Fotos von ihr gesehen.«

»Das ist typisch. Du hast nicht geguckt. Da waren überall welche. Ich wette, dir sind auch die DVDs entgangen. *Herr der Ringe*, *Shrek*, *Monsters Inc.*, *Bambi*.«

Jetzt kam ich mir vor, als hätte sie mir eine geknallt. Ich erinnerte mich an den großen Fernseher, nicht aber an jedes Detail.

»Ich hab sie bisher nicht erwähnt, weil ich nicht der Meinung war, dass ich das müsste.«

»Aber sie ist ein Teil deines Lebens.«

Val nickte und überließ es mir, mich darüber ins Bild zu setzen, was das sonst noch alles bedeutete. Ich war nicht Teil ihres Lebens. Sie hatte ein Kind, machte Karriere, und ich passte da überhaupt nicht hinein.

Mir war ein wenig schwindlig und ich fühlte mich ausgelaugt, als wäre ich gerade geschwommen, bis mir übel wurde. Ich wischte mir mit meiner Serviette die Stirn ab. »Du hasst mich.«

»Vielleicht hasst du dich selbst, Paul.«

Ich war hin- und hergerissen, wollte einerseits gehen, andererseits den Kopf auf den Tisch legen und schlafen, bis dieser plötzliche Alptraum vorbei war. Val war Mutter. Sollte ich sie bitten, mir ein Schulfoto zu zeigen? Bilder von dem Baby? Wie sollte ich mich jetzt verhalten?

Wir saßen eine Weile so ausdruckslos da wie jene seit langem verheirateten Paare, die man in Restaurants sieht und die sich, nachdem sie bestellt haben, kaum in die Augen sehen, und deren Tische vom Schweigen vergiftet sind.

»Ich hab mit dem Arzt meiner Mutter gesprochen«, sagte ich, als die Teller mit der Vorspeise abgeräumt waren und ich wenigstens *irgendetwas* sagen musste.

»Oh. Hat es geholfen?«

»Was?«

»Hat es geholfen? Deshalb hast du wegen ihr so viele Fragen gestellt, oder? Um mit ihrem Tod und deiner Erbschaft ins Reine zu kommen. Du warst nicht hier, als sie starb, du hattest nie eine Chance, deine Beziehung zu ihr zu reparieren, und du hast das Gefühl, dass du ihres Geschenks an dich nicht würdig bist.«

Es war eine trostlose Liste, und ich nickte ohne hinzuzufügen, dass ich als Sohn nicht einmal gut genug gewesen war, um ihren Anruf vor ein paar Wochen zu erwidern.

»Früher oder später musst du aufhören, Fragen zu stellen«, erklärte Val und hatte einen offenen, vernünftigen und besorgten Gesichtsausdruck.

»Selbst wenn ich keine Antworten bekomme?«

»Wer sagt, dass es auf so etwas Antworten gibt? Aber selbst wenn … Hast du *Arcadia* gesehen? Das ist das Stück von Tom Stoppard, sie haben es hier im Lincoln Center aufgeführt. Da sagt jemand, dass wir, nachdem wir herausgefunden haben, was das alles bedeutet, und alle Rätsel erklärt haben, ganz allein sein werden an einem leeren Strand.« Statt sich eine Szene des Stücks vor Augen zu halten, wandte sie ihre Aufmerksamkeit nun wieder mir zu und sah mich direkt an. »Möchtest du ganz allein sein?«

Unfähig zu sprechen, schüttelte ich den Kopf.

»Fahr nach Hause, Paul«, sagte sie sanft. »Fahr zurück nach Michigan.«

»Möchtest du nicht, dass ich bleibe – nicht mal ein wenig?« Ich fügte nicht hinzu, dass ich Libby kennen lernen wollte, denn ich war mir dessen nicht sicher.

Sie schüttelte den Kopf und blinzelte kurz. Um gegen Tränen anzukämpfen? »Was ich möchte, spielt jetzt keine Rolle«, sagte sie. »Es hat auch damals keine Rolle gespielt.«

Okay, die Tür stand also offen.

»Ich konnte damit nicht umgehen«, sagte ich und war entsetzt, wie weinerlich meine Stimme klang. »Ich konnte mich mit dem Holocaust nicht so befassen wie du. Ich ertrug es nicht, darüber zu reden. Ich bin nicht wie Simon, ich ertrug es nicht, davon umgeben zu sein. Es hat mich beschämt.«

»Aber du bist das Kind einer Überlebenden des Holocaust.«

»Das ist es ja! Das ist genau das, was ich hasse. Es explodierte damals in den Siebzigern, der Holocaust war überall – in den Nachrichten, Zeitschriften, Fernsehsendungen, die ganze Zeit kamen Bücher raus und in den Schulen redeten die Leute davon, ihn auf den Lehrplan zu setzen.« Und in Vals Zuhause wurde über das Thema nach wie vor offen gesprochen, und in unserem lauerte es, aber das brauchte ich nicht zu sagen. »Es hat mich ganz krank gemacht. All diese Juden, die in den Tod marschierten, nackt dastanden, an den Rändern der Gruben einzeln erschossen wurden. Diese erstarrten Gestalten, die hinter dem Stacheldraht in die Kamera stierten. Die Krematorien. Die Stapel Leichen. Immer, wenn ich mir eins dieser Fotos anschaute oder einen Film davon sah, wie die Alliierten die Lager entdeckten, dachte ich, ›Das bin nicht ich, das kann ich nicht sein. Ich bin kein Opfer.‹ Also bin ich weggelaufen. Ich wollte nicht, dass es zu einem Gefängnis für mich wird.«

»Aber das *ist* es. Hast du je über die Lager gelesen? Ich glaube nicht. Hast du *Schindlers Liste* oder *Das Leben ist schön* oder *Shoah* gesehen? Wenn du nach Amsterdam gereist bist, hast du das Anne Frank Haus gemieden, nicht wahr? Dann bist du jetzt schlechter dran als vorher. Du kannst es nicht loslassen.«

»Und du hast losgelassen?«, fragte ich trotzig.

»In gewisser Weise. Jahrelang dachte ich, es wäre das Wichtigste in meinem Leben, das, was meine Identität am stärksten ausmacht. Ich schloss mich einer Therapiegruppe von Kindern von Überlebenden und einer internationalen Organisation an, hab alles gemacht, was dazu gehört. Aber als ich meine Biografie fertig geschrieben hatte, erkannte ich, dass damit längst nicht alles über mich gesagt war. Ich bin mit diesem Teil meines Lebens im Reinen, aber er ist bestimmt nicht das, was mich zu der macht, die ich bin, oder mich zur Jüdin macht. Und es hat zu Hause nicht alles bestimmt, als ich aufwuchs – «. Sie sprach jetzt mit mehr Emphase. »Meine Eltern legen ein Verhalten an den Tag wie viele Immigranten, sind durcheinander, haben Angst, klammern sich an ihre Kinder und all das. Ich habe genug darüber gelesen und nachgedacht, um es klar zu erkennen und um – «

»Loszulassen?«, fragte ich, sie ein wenig streitlustig zitierend, aber sie war deswegen nicht gekränkt.

»Damit fertig zu werden, es anzunehmen und nüchtern und sachlich zu sehen.«

Das klang so sehr nach dem Geplapper eines psychologischen Scharlatans bei einer Sammelaktion des öffentlichen Rundfunks, dass es mir die Sprache verschlug. Ich verspürte den Drang, sie von mir zu wegzustoßen, indem ich eine wegwerfende Bemerkung machte, doch da waren ihr gewelltes rotes Haar und ihre sanften, mitfühlenden Augen, die gegen meine defensive Haltung ankämpften und mich entwaffneten.

Ich hielt mich zurück, und in dem Moment, als unser Thunfisch kam, fragte ich: »Worum geht's in deinem neuen Buch?«

Sie entspannte sich. Ihre Schultern hatten sich merklich verspannt und sich zu heben begonnen, als führe sie Stoßstange an Stoßstange in stockendem Verkehr, nun aber sanken sie wieder herab. »Ich bin mir noch nicht wirklich sicher. Ich möchte Überlebende interviewen, um herauszufinden, wie sie sich nach dem Krieg auf das Leben eingestellt haben, aber ich habe im Augenblick noch keine klare Vorstellung, und ich hab noch nicht mal ein Exposé für meinen Agenten erstellt.«

Sie hat einen Agenten, dachte ich und fühlte mich ausgeschlossen. Aber warum war ich überrascht? Sie hatte sicher alles, was man mit einer richtigen Karriere assoziieren würde. Und sie hatte eine Familie, eine Tochter. Ich hatte – wie hatte Mrs. Gordon gesagt? – *Bubkes*. Ich hatte nur Peanuts. Einen veritablen Berg Peanuts.

Valerie war erwachsen geworden, und ich nicht.

»Ich hoffe, mein Thema in den Interviews zu finden. Es ist noch nicht sehr durchdacht, aber – «

»Hast du Mrs. Gordon interviewt?«

»Ich breche gerade das Eis bei ihr. Manchmal geht es nur langsam voran, dann wollen die Leute nicht reden, aber sie wollen auch nicht *nicht* reden.« Sie schüttelte den Kopf und lächelte über die unbeholfene Syntax. »Sie müssen sich sicher fühlen und dazu bereit sein.«

»Hast du je versucht, meine Mutter dazu zu kriegen, mit dir über den Krieg zu reden?«

Sie sah mich mitleidig an, wies die Frage aber nicht zurück. »Das hat überhaupt nicht funktioniert.«

»Du hast sie oft gesehen. Glaubst du, sie war deprimiert?«

Valerie zögerte, als wäge sie die Bedeutung dieses Wortes ab, und die Hand, in der sie die Gabel hielt, verharrte über ihrem Teller. »Deine Mom war nie Betty Crocker.«

»Das weiß ich, und ich weiß auch, dass sie keine Antidepressiva nahm, aber ihr Arzt sagte, er habe sie ihr empfohlen. Er muss also so etwas wie eine Veränderung gesehen haben. Ging es ihr schlechter als sonst?« Während ich sie fragte, konnte ich beinahe das gelegentlich im Raum lastende Schweigen meiner Mutter spüren, wenn sie grübelnd am Küchentisch saß und scheinbar die Zeitung las, dabei aber eine Art düstere Hilflosigkeit ausstrahlte, als wäre sie in einen Sog geraten.

Val dachte darüber nach. »Deine Mutter las gerne meine Kritiken. Ich schnitt sie für sie aus. Aber meine Biografie konnte sie nicht lesen, und nachdem sie veröffentlicht worden war, hat sich etwas verändert. Sie war stolz auf mich, das hat sie gesagt, aber, oh, ich spürte, dass mehr Distanz zwischen uns herrschte, nachdem das Buch rausgekommen war.« Val bewegte sich unruhig in ihrem Stuhl hin und her, und ihr Blick verfinsterte sich. »Als ich ihr erklärte, was ich mit meinem neuen Buch vorhabe und dass ich Mrs. Gordon interviewen würde, der ich unten im Flur begegnet war, als sie sich mit deiner Mom unterhielt – « Sie sprach nicht weiter.

»Erzähl's mir«, sagte ich.

Val lehnte sich von ihrem Essen zurück. Sie seufzte, faltete die Hände und nahm sie wieder auseinander. »Ich hatte das Gefühl, sie dachte, ich würde sie hintergehen. Dass ich ihr zu nahe kam, sie beinahe zwang, über den Krieg nachzudenken.«

Dann wischte sie sich mit der flüchtigen Geste, mit der man Spinnweben wegwischt, mit der Hand über das Gesicht.

»Deine Mutter hat eine Menge durchgemacht, mehr, als wir jemals erfahren werden. Als dein Dad krank wurde, muss dasselbe Gefühl panischer Angst zurückgekommen sein. Ich rate hier nur, aber es macht Sinn für mich. Sie verlor wieder alles. Ich kann mir nicht vorstellen, jemandem, mit dem man verheiratet ist, dabei zuzusehen, wie er ins Meer hinaustreibt, Tag für Tag, und man kann es nicht aufhalten, kann ihn nicht zurückrufen und kann ihm nicht hinterher springen. Es gibt keine Rettung.«

Val schien jetzt zu weinen, und ich wollte aufstehen, mich neben sie setzen und sie in den Arm nehmen. Aber ich hatte Angst, sie würde denken, dass ich den Moment ausnutzte, also rührte ich mich nicht. Ich goss uns beiden nur ein weiteres Glas Wein ein, als ich sah, dass unsere Kellnerin herüberkam, um uns nachzuschenken und zu schauen, ob bei uns alles in Ordnung war. Ich schickte sie mit einer Handbewegung weg.

Ohne mich anzusehen und mit sehr leiser Stimme fuhr Valerie fort. »Ich weiß, es ist verrückt, aber als deine Mutter starb, fühlte ich mich irgendwie schuldig. Was, wenn mein Reden über den Krieg – auch wenn es nicht viel war, nicht viel, wirklich – was, wenn das schlecht für ihr Herz war? Vielleicht war es einfach noch eine Sache mehr, die sie fertig gemacht hat.«

»Du glaubst, was du getan hast, hat dazu beigetragen, sie umzubringen?« Ich wollte lachen, so ungeheuerlich war das. So sensibel konnte meine Mutter nicht gewesen sein, so offen für den Einfluss eines anderen, nicht einmal für den Valeries, auch wenn sie ihr in ihrem Leben mehr bedeutet zu haben schien als ihre eigenen Kinder. Ich hatte nicht vermeiden können, dass mir die Überraschung anzuhören war, und Valerie wurde zornig.

»Wenn man so gelitten hat wie sie, wie kann da jemand vorhersagen, was Auswirkungen hat und was nicht?« gab sie scharf zurück.

»Aber deinen Eltern geht es gut, oder? Dein Schreiben hat sie nicht verletzt, oder?«

Sie beugte sich vor und artikulierte so deutlich, als müsste ich es von ihren Lippen ablesen. »Sie - können - darüber - reden. Deine Mutter behielt alles für sich. Selbst dein Dad hat das einmal gesagt. Er hatte keine Ahnung, was deine Mutter durchgemacht hat. Sie weigerte sich, ihm irgendwas zu erzählen.«

Selbst Dad. Das erstaunte mich. Was sie erlitten hatte, war so schrecklich, dass sie selbst mit dem Mann, mit dem sie mehr als fünfzig Jahre verheiratet gewesen war, nie darüber hatte sprechen können. Die Widerwärtigkeit in Worte zu fassen war unmöglich. Was konnte so unvorstellbar schrecklich sein? Hunderte von Menschen, Tausende hatten über die Lager gesprochen, über sie geschrieben, waren für Filme interviewt worden.

Aber dann überraschte mich Val. »Weißt du, deine Mutter wurde auch vergesslich. Sie hat mir früher erzählt, sie hätte Angst, sie würde so enden wie dein Vater. Ich hab es nicht gesehen, aber vielleicht war sie wirklich vor der kleinsten Veränderung auf der Hut, weil ihr die Symptome vertraut waren.«

Wir sahen einander an und stellten uns das furchtbare Szenario vor, dass meine Mutter nicht an einem Herzanfall gestorben, sondern wie Dad geistig verfallen war, ihre Gedanken wirr wurden, sie taumelnd immer wieder den Zusammenhang verlor, bis die Frau, die sie gewesen war, nur noch flackerte und dann erlosch und eine leere Hülle in der Form eines Menschen hinterlassen hatte.

»So, wie sie starb, war es besser«, sagte ich widerwillig. Aber dann dachte ich daran, wie Menschen über den plötzlichen Tod sprachen, ihn eine Erlösung oder ein Glück oder einfach nannten. Alle diese Bezeichnungen waren unbeholfen.

»Wenn ich jemals anfangen sollte, den Verstand zu verlieren wie Dad, würde ich mich umbringen. Ich würde nicht warten.«

Val zuckte nicht mit der Wimper. »Wie würdest du es machen?«

Ich ließ mir spontan etwas einfallen, spürte aber sofort, wie perfekt meine Antwort passte. »Ich würde auf den Highway rausfahren, Vollgas geben und hinten in einen Laster reinkrachen.«

»Damit wäre ein gutes Auto verschwendet, oder?«

Ohne es zu wollen, fing ich an zu lachen. Nach fünfzehn Jahren war ich mit Valerie essen, die von einer noch strahlenderen Schönheit war als zuvor, und ich warf mit Bildern vom Tod, von Flammen und Zerstückelung um mich. Und sie konnte mich noch immer zum Lachen bringen.

»Du hast Recht! Ich hab mir gerade einen neuen Grand Prix gekauft – er ist fantastisch!« Als ich von dem Wagen schwärmte, stellte ich mir vor, wie wir beide darin mit offenem Verdeck in den Norden von Ann Arbor rasten und Vals Haare um ihren Kopf flatterten. Würde Libby dabei sein? Ich konnte mir nichts anderes vorstellen als eine Miniaturausgabe von Val.

Val sah, dass sie mich in Schwung gebracht hatte, und blieb dran. »Erinnerst du dich an diesen Witz im *Playboy*, den wir so mochten, über die Frau, die einer Freundin erzählte, sie sei ganz aufgeregt, weil es zum Grand Prix ging, und die Freundin sagte: ›Süße, als Erstes solltest du mal wissen, dass du das Wort falsch aussprichst.‹«

In den alten Zeiten konnte ich düster und verzweifelt sein, eine emotionale Version von *Inna-Gadda-Da-Vida* vor mich hin summen, und sie nahm dem mit einer Bemerkung oder einem doofen Gesicht die Wirkung und begegnete meiner Schwermut mit der Heiterkeit von Dr. Buzzard's Savannah Band.

»Du hast immer einen Weg gefunden, mich aufzuheitern«, sagte ich staunend. Sie sollte wissen, dass ich das zu schätzen wusste.

»Monsieur«, sagte sie in einem passablen französischen Akzent, »manche Dinge ändern sich nicht.« Das gallische Achselzucken, mit dem sie ihre Worte unterstrich, war herrlich, aber ich war plötzlich wieder überempfindlich und fragte mich, ob sie kritisch sein wollte, indem sie »manche Dinge« sagte.

Aber durch die Bemerkung, die sie gemacht hatte, bevor wir lachten, drängte sich mir eine Frage auf, die ich ihr stellen musste. »Hat meine Mutter je von Selbstmord gesprochen?«

Valerie nickte widerstrebend. »Sie interessierte sich für diesen Arzt bei euch in Michigan. Den, der früher Euthanasie praktiziert hat. Jack Kevorkian?«

»Dr. Death.«

»So wurde er genannt?«

Ich nickte, dann kam unsere Kellnerin, und wir verzichteten auf das Dessert, nahmen aber gerne noch einen Kaffee. Sie brachte unser Essen weg, und ich bezweifelte, dass einer von uns davon gekostet hatte.

»Wir haben früher viel von ihm gesprochen«, sagte Val.

Ich war neidisch. Ich hatte bestenfalls ein paar Mal im Jahr mit meiner Mutter telefoniert, und nur Plattitüden ausgetauscht.

»Für sie war er ein Held, und sie fand es furchtbar, dass er strafrechtlich verfolgt wurde.« Val sah so verwirrt aus und sah mich so offen an, dass ich über den Tisch griff und ihre Hände nahm. Sie zog sie nicht weg. Die Hände waren sehr warm, und Erinnerungen wallten in mir auf, wie ich neben ihr geschlafen hatte, wie warm und wohlriechend ihr Körper und wie wundervoll es gewesen war, sich an ihren vollen, runden Hintern zu schmiegen, mitten in der Nacht aufzuwachen, und eine Hand war zu ihrem Schritt hinuntergeglitten und mein Schwanz presste ihre Beine auseinander.‹‹

Ihre Augen wurden groß, als würde sie sich genau dasselbe vorstellen wie ich. Ich musste es nicht sagen, aber ich tat es.

»Ich brauche dich.«

Sie schüttelte den Kopf und ihre Hände entglitten mir.

»Valerie, erinnerst du dich nicht, wie gut es war?« Ich war nicht ihr erster Liebhaber gewesen, aber bald, nachdem wir angefangen hatten, miteinander zu schlafen, hatte sie mir erzählt, unser Sex sei so, wie ihn James Baldwin in *Another Country* beschrieben hat, eine dieser langen, langsamen Zugfahrten.

»Das hab ich nie vergessen.«

»Und? Gestern Abend sagtest du, ich wäre verzweifelt. Das bin ich nicht. Nicht jetzt. Ich liebe dich.«

Sie schien das nicht zu hören und über irgendetwas tief beunruhigt zu sein. »Es ist der falsche Zeitpunkt. Über deine Mutter und das Sterben und über deinen Dad zu reden ist wirklich nicht einfach.«

»Warum dann nicht – «

»Weil ich nicht Liebe machen will, um zu vergessen.« Sie zog ihre Hände zurück und legte sie ein wenig züchtig in ihren Schoß.

»Was soll das denn?«, fragte ich. Es war klar, dass wir nicht ins Bett gehen würden, wenn wir anfingen, uns darüber zu zanken, aber ich hatte mich verrannt und konnte nun nicht mehr anders.

Der Kaffee kam, aber wir griffen beide nicht nach unserer Tasse.

»Können wir nicht über was anderes reden?«, fragte sie.

»Es gibt nichts anderes. Nicht jetzt.«

»Du bist unglaublich. Du bist genauso arrogant wie Dina.«

»Quatsch.«

»Absolut. Vielleicht sogar noch schlimmer als Dina. Kein Wunder, das ihr beiden nie miteinander klargekommen seit.«

»Bist du jetzt meine Therapeutin?«

»Eine Therapie würde dir nicht schaden. Vielleicht würdest du aufhören, so viel davonzulaufen.«

»Wovor laufe ich denn davon?« fragte ich halsstarrig. Ich wollte fast, dass sie wütend auf mich war und mich beschimpfte. Das war wenigstens auch so etwas wie eine Verbindung zwischen uns, zwar nicht so heiß wie Sex, aber genauso elektrisierend.

»Gibt es irgendwas, wovor du nicht davongelaufen bist? Vor mir, deiner Familie, deiner Vergangenheit, deinem Zuhause, einem wirklichen Leben. Du hättest dein Gesicht sehen sollen, als ich Libby erwähnte. Du sahst aus, als wärst du starr vor Schreck. Mann, du läufst sogar vor einer Erbschaft davon. Wie verrückt ist das denn?«

Sie zog ein paar Scheine aus ihrer Brieftasche, mühte sich in ihre Jacke und sagte: »Du bist kein Kind mehr, aber du weißt immer noch nicht, was du eigentlich willst.«

»Ich will dich!«, zischte ich, vergeblich bemüht, die Situation zu entschärfen, da mir bewusst war, dass wir neugierige Blicke anderer Gäste auf uns zogen. »Geh nicht.«

Aber das tat sie, und ich dachte, nun habe ich sie endgültig verloren.

～

Im Taxi zu Moms Wohnung grübelte ich darüber nach, wie rätselhaft Vals Leben plötzlich geworden war. Sie hatte eine Tochter in – welcher – der ersten oder der zweiten Klasse? Nach wem war Libby benannt? Was für ein Kind war sie? Wie gingen sie und Val miteinander um? Ich hatte keinerlei Vorstellung. Und Val hatte bestimmt jede Menge mir vollkommen fremde Beziehungen zu anderen Eltern oder allein stehenden Müttern.

Dann jedoch fragte ich mich, ob sich Valerie vielleicht noch mehr zu mir hingezogen fühlte, als ich hoffte, vielleicht noch immer in mich verliebt war. Vielleicht schützte sie sich und Libby, indem sie ihre Tochter von mir fern hielt und so daran hinderte, dass sie eine Beziehung zwischen uns herstellte.

Dann vergaß ich Libby. Ich bat den Fahrer, das Radio abzustellen, weil ich angefangen hatte, mir über seltsame Momente und Bemerkungen beim Essen klar zu werden. Val wollte, dass ich zurück nach Michigan ging, dass ich aufhörte, Fragen zu stellen. Val und meine Mutter hatten über Beihilfe zum Selbstmord gesprochen. Der Arzt meiner Mutter sagte, sie sei deprimiert gewesen, und auch er hatte mich abgewimmelt. Und Val hatte sehr aufgewühlt ausgesehen, als sie von Jack Kevorkian sprach.

Alle sagten, ich solle nach Hause fahren, solle aufhören, Fragen zu stellen.

Hatte ich nicht gespürt, dass da etwas nicht stimmte, ohne genau sagen zu können, was es war? Was, wenn sich meine Mutter sicher gewesen war, dass sie sich in den ersten Stadien von Demenz befand und Selbstmord verübt hatte? Mit Hilfe von

Val, Mrs. Gordon oder des Arztes oder allen gemeinsam? Sie alle wollten, dass ich mit den Fragen aufhörte und mich anderen Dingen zuwendete oder sogar nach Hause fuhr – warum?

Das Taxi stank nach dem Kieferndunft eines Luftauffrischers, und ich fragte mich, ob sich in dem Wagen vor kurzem jemand übergeben hatte, und in der Tür vibrierte etwas wie eine Bohrmaschine, so dass ich, als wir den West Side Highway erreichten, Kopfschmerzen hatte. Hin und wieder tauchte etwas vor mir auf, das den Eindruck von Trostlosigkeit vermittelte: der Hubschrauberlandeplatz weckte den Wunsch in mir, zu fliehen; der Flugzeugträger, der am Intrepid Sea and Flight Museum anlegte, gab mir das Gefühl, zwergenhaft und schwach zu sein; die Müllkähne beim Amt für Stadtreinigung symbolisierten perfekt meine Situation.

Zurück in der Wohnung, rief ich sofort Simon an und redete mir all meinen Verdacht von der Seele.

»Bist du high?«, fragte er vorsichtig.

»Nein!«

»Nichts davon ergibt einen Sinn, Paul. Dr. Stein war also grob zu dir. Er hat viel zu tun, und du bist nicht mehr sein Patient. Beihilfe zum Selbstmord ist illegal.«

»Trotzdem kommt es ständig vor, und nicht nur in Michigan.«

Simon sprach in einem bestimmteren Ton als sonst, als wollte er mich aus einem Schwindelanfall herausreißen. »Wenn Mom sich umgebracht hat, geht uns das nichts an.« Er fuhr fort und sagte, dass es ihre Entscheidung gewesen wäre, wenn sie uns und einen Ehemann verlassen hätte, der sie nicht mehr erkannte. »Könnte man ihr das verübeln?«

Ich konnte in dieser Nacht nicht schlafen. Ich durchsuchte ihren Medizinschrank, um zu sehen, ob ich etwas finden könnte, das sie vielleicht genommen hatte, aber ich hatte nur äußerst vage Vorstellungen davon, welche Art von Tabletten einen umbringen konnte, und gab es dann auch auf, als mir bewusst wurde, dass meine Mutter intelligent genug war, um ihre Spuren zu verwischen. Der Gedanke an den Nachlass war noch schmerzlicher, als ich die hässliche Möglichkeit in Betracht zog, dass meine Mutter Selbstmord begangen, ihren Tod beschleunigt und dafür gesorgt hatte, dass ich früher erbte.

Ich lag im Bett und holte mir in der Hoffnung, es würde mich beruhigen, wild einen runter, stellte mir vor, dass Camilla es rittlings mit mir trieb, dachte aber immer wieder an Val. Ich hatte mir meine Chancen bei ihr verdorben, als ich sie zu sehr dazu drängte, mit mir zu schlafen, und sie dann von mir stieß, als sie nein sagte. Dina hat Recht, ich bin ein Arschloch, dachte ich, als es aus mir herausbrach wie aus einem Geysir und ich mit den Händen um meinen Schwanz einschlief.

Das Telefon weckte mich, und ich wankte zur Küche. Der Anwalt meiner Mutter rief mich zurück, und er war entweder in einem Pendlerzug oder steckte irgendwo im Verkehr. Ich fragte ihn, ob sie jemals über das deutsche Geld gesprochen und erklärt hatte, warum sie es mir hinterließ.

»Nein. Nie. Ich habe nur ihren Anweisungen entsprechend das neue Testament aufgesetzt, nachdem Ihr Vater krank geworden war.«

Sein Ton war abweisend und schroff. Einmal mehr wurde mir kalt angesichts der New Yorker Grobheit, die ich nach meinen Jahren in Michigan vergessen hatte.

»Wo liegt das Problem?«, fragte er, als ich mich nicht dazu äußerte.

»Es stört mich, dass ich nicht weiß, warum sie mir all dieses Geld vererbt hat.«

»Wollen Sie damit sagen, dass sie eine Million Dollar nicht wollen – dass sie mit einer Million Dollar ein *Problem* haben?« Er lachte verächtlich, und ich dankte ihm dafür, dass er sich die Zeit genommen hatte. Eine weitere Sackgasse. Es gab nichts, was mich beruhigen würde.

Ich duschte und machte mir in einer der alten gusseisernen Bratpfannen meiner Mutter Rühreier, stürzte den Orangensaft direkt aus dem Behälter hinunter, als wäre ich durch eine Wüste gekrochen. Unsere Mutter hasste es, wenn wir kein Glas benutzten, und es war sogar im Nachhinein noch ein gutes Gefühl, sich ihrer Missbilligung zu widersetzen. Als ich dort am Herd stand und die Eier aus der Pfanne aß, stellte ich mir vor, noch einmal Moms Arzt anzurufen und ihn zu fragen, ob sie Selbstmord begangen hatte. Er würde mir sagen, ich wäre verrückt, und wahrscheinlich damit drohen, mich zu verklagen. Es war sinnlos, ihn anzurufen.

Aber ich konnte Mrs. Gordon fragen. Ich war plötzlich überzeugt, dass sie mehr über meine Mutter wusste, als sie mir erzählt hatte.

»Noch eine Überraschung!«, sagte sie, als sie mich ein paar Minuten später einließ. »Wunderbar!« Ich lehnte die von ihr angebotene Schokoladen-*Babka* höflich ab, den Kaffee aber nahm ich an, und bald waren wir wieder in diesem übertrieben dekorierten, einem Museumsstück gleichenden Wohnzimmer und saßen auf denselben Plätzen wie am Tag zuvor.

»Ihre Schwester hat mich gestern Abend angerufen«, sagte sie in ihrem Stuhl. »Aber nicht so spät.«

»Dina hat Sie angerufen? Warum?«

»Sie wollte, dass ich Sie davon überzeuge, das Geld ihrer Mutter, das aus Deutschland kam, zu teilen.«

»Was?«

Mrs. Gordon beruhigte mich. »*Shah, shah.* Machen Sie nicht so ein *tsimmes* daraus.«

Ich war empört und verlegen, aber Mrs. Gordon schien amüsiert.

»Was haben Sie ihr gesagt?«

»Es war kinderleicht, sie loszuwerden.« Sie rieb sich zufrieden die Hände. »Ich hab jedem bisschen, was sie gesagt hat, zugestimmt. Bei so einem Mädchen führt es zu nichts, wenn man sich streitet. Man sagt, ja, Schätzchen, Sie haben Recht, und es geht ihr besser und sie hört auf, dir einen *tchynick* zu *hacken*.«

Ich übersetzte mir das Jiddisch: Krach zu schlagen. »Das war clever«, sagte ich.

»Hören Sie, Dina hat mir mal ein bisschen über ihren Mann und seine Familie erzählt, und sie tut mir Leid.«

Natürlich konnte sie mit Dina mitfühlen, sie gehörte nicht zu uns und war neutral. Ich bezweifelte, dass Dina auch mit Mom derart offen über Serge gesprochen hatte. Sie hätte sich vor einem heftigen »Ich hab's dir ja gesagt« oder irgendeiner anderen Anschuldigung gefürchtet. Dina hasste es, Unrecht zu haben.

»Wie war Ihr Essen mit Valerie?«, fragte Mrs. Gordon fröhlich. »So ein reizendes Mädchen. Sie hat mir erzählt, dass sie mit Ihnen ausgehen würde. Sie war sehr aufgeregt.«

Val war aufgeregt gewesen, und ich hatte sie total wütend gemacht.

»Nicht gut«, sagte ich und erhob mich, um zu gehen. Mrs. Gordon kämpfte sich mit Hilfe ihres Stocks hoch, aber ich sagte ihr, ich würde alleine hinausfinden.

»Ich bringe Ihnen später etwas *Babka* rauf«, hörte ich sie mit dünner Stimme aus ihrem Stuhl rufen, als ich in den Flur hinaustrat und mich in all meiner Erbärmlichkeit die Treppe hinaufschleppte. Was war ich doch für ein Versager. Ich hatte Recht gehabt, als ich über Vals erneutes Interesse an mir spekulierte, aber was hatte ich getan? Ich grübelte unaufhörlich über das deutsche Geld und den Tod meiner Mutter nach. Eine vergnügte Konversation, nach der einem garantiert jede Frau in die Arme fiel, besonders nach langer Abwesenheit.

Wie hatte ich nur so töricht sein können? Warum kaufte ich ihr keine Blumen? Oder überraschte sie, indem ich mit einer Flasche Champagner zu ihrer Wohnung kam? Nein, das wäre genauso protzig und übertrieben gewesen, wie sie zu drängen, mit zu mir zu kommen. Ich hatte gehofft, dass es etwas in ihr auslösen würde, wenn wir zusammen waren. Wenn dem so war, dann hatte ich es mit meiner Blödheit zunichte gemacht.

Und nun verdächtigte ich sie sogar, meiner Mutter dabei geholfen zu haben, Selbstmord zu begehen. Von der Geliebten zur Mörderin – das hatte die Merkmale eines Films auf dem Lifetime channel.

Wurde es nicht Zeit, aufzugeben und zu dem zurückzukehren, was ich mein Leben in Michigan nannte?

Simon hatte mir eine Nachricht hinterlassen, während ich bei Mrs. Gordon war: »Dina ist von Quebec runtergeflogen. Ich hole sie am Flughafen ab und wir kommen gegen Mittag vorbei. Sie hat mir nicht gesagt, was los ist.«

Weitere Melodramen wahrscheinlich.

Ich ging hinaus zum Broadway und kaufte mir eine *New York Times*, die dicker war als die überregionale Ausgabe, die ich manchmal las. Auf dem Rückweg erinnerte ich mich jedoch an die Schlüssel meiner Mutter und blieb bei Mrs. Gordons Wohnung stehen.

»Schlüssel?«, fragte sie verständnislos, hielt die geöffnete Tür fest und schielte zu mir auf, als wäre ich ein Fremder. »Was für Schlüssel?«

»Der Satz Schlüssel, den meine Mutter Ihnen für Notfälle gegeben hat.«

Sie blinzelte heftig, als versuchte sie, sie einfach so zwischen uns auftauchen zu lassen. »Na ja, Jungchen, ich bin mir nicht so sicher, wo ich sie hingelegt habe, aber ich schau mal nach.« Sie lächelte, als hätte sie sie eigentlich schon gefunden, und ich dankte ihr.

Als ich oben die Zeitung durchgelesen hatte, tauchten Simon und Dina auf. Sie trug ein strenges königsblaues Kostüm und Pumps, und ihr Gesicht war so verkniffen, als hätte sie eine Pistole in der Chanel-Tüte und es juckte sie, sie gegen mich einzusetzen. Auch ich war wütend, auf beide, weil sie mir nie erzählt hatten, dass Valerie eine Tochter hatte. Es war ja wohl ihre Schuld, dass ich bei unserem Essen davon überrascht wurde und die Mitteilung wie ein Überfall über mich kam.

Ich wollte etwas Gemeines zu Dina sagen, etwa, »Wie komme ich zu dem Vergnügen dieses Besuchs?«, aber ich gab mich mit einem Hallo zufrieden und folgte ihr einfach ins Wohnzimmer. Simon und ich sahen einander an, und er zuckte die Achseln.

Dina hockte sich, wütend wie sie war, auf eine Fensterbank, als wäre sie ein Richter, der einen Prozess eröffnet. Simon und ich setzten uns auf die Couch und warteten.

»Ich hab darüber nachgedacht, Paul. Ich hab mit Serge und mit unserem Anwalt geredet. Es ist ganz einfach. Wenn du das deutsche Geld nicht durch drei teilst, werde ich das Testament anfechten.«

Simon wurde blass.

»Damit wird für eine sehr lange Zeit keiner an den Nachlass rankommen«, sagte sie mit brutaler Genauigkeit, »und ich bin mir sicher, dass du dir einen Rechtsstreit nicht leisten kannst.«

Ich war sprachlos, Simon jedoch nicht. Diesmal spielte er nicht, wie er es bisher immer getan hatte, den Vermittler, sondern platzte heraus: »Du verlangst zu viel, Dina. Ich werde die Eigentumswohnung verkaufen und das Geld mit dir teilen – das habe ich dir bereits gesagt.«

Sie schüttelte den Kopf, die Lippen zusammengepresst, und ich konnte in ihren Augen sehen, wie aufgeregt sie war, konnte mir vorstellen, wie sie sich gewappnet hatte, um hierher zu fliegen und mit mir zu streiten.

»Aus welchem Grund?«, fragte ich. »Man muss einen Grund haben, um ein Testament anzufechten.«

»Mom fing an, Sachen zu vergessen. Wahrscheinlich hatte sie Alzheimer«, erwiderte Dina so kämpferisch, dass ich mich fragte, ob ich Unrecht gehabt hatte, als ich dasselbe annahm. Ich konnte mir nicht vorstellen, dass Dina Recht hatte; sie benutzte die Krankheit nur als Waffe, als einen Vorwand.

»Was ist dein Problem?«, fragte ich.

»Du bist mein Problem. Du bist nicht wirklich Teil der Familie, warum also solltest du behandelt werden, als wärst du was Besonderes? Weil du Mom ein paar Geburtstagskarten geschickt hast, wenn du vergessen hast, eine Nachricht auf ihrem Anrufbeantworter zu hinterlassen? Auf dem Anrufbeantworter! Du hattest keine Lust, direkt mit ihr zu reden. Du hast sie und Dad und uns im Stich gelassen, und jetzt willst du einfach so mit allem abhauen? Nein. Dazu wird es nicht kommen.« Ihre Lippen zitterten.

»Und du warst jahrelang in Boston und Montreal«, rief ich. »Was ist daran denn besser? Du hast einen Katholiken geheiratet! In einer Kirche!« Es war mir egal, aber ich musste ihr jetzt auch etwas vor den Kopf knallen. So bricht in Familien Gewalt aus, dachte ich. Ich spürte, wie mein ganzer Körper sich anspannte, ich kurz davor war, tätlich zu werden.

Simon griff nach meinem Arm, um mich zu beruhigen, aber ich war schockiert, als er zu Dina sagte: »Lass Paul in Ruhe.«

Sie starrte erst ihn und dann mich böse an. »Ihr habt euch gegen mich verschworen, stimmt's?«

Natürlich sagten wir beide gleichzeitig »Nein«.

Dina stapfte hinaus in die Diele, und wir trabten wie selbstverständlich hinter ihr her. An der Tür drehte sie sich um und sagte zu mir: »Jetzt weiß ich, warum du Val nie geheiratet hast und nie sesshaft geworden bist. Du bist wahrscheinlich auch bisexuell.« Sie wedelte mit einer Hand in unsere Richtung. »Und das hier ist sehr, sehr krank.«

Sie war aus der Tür, bevor ich vollständig registriert hatte, was sie damit andeutete, und ich krümmte mich vor Lachen, ließ all die Anspannung der letzten paar Tage so heftig aus mir heraus, dass ich bald auf der Suche nach einem festen Halt an der Wand der Diele lehnte. Simon schien beinahe besorgt.

»Wolltest du sie nicht zurück zum Flughafen bringen?«, fragte ich.

»Sie meinte, sie will in der Madison Avenue shoppen gehen.«

»Gott, stell dir bloß mal ihren Terminkalender für heute vor. ›New York: Simon und Paul ausschimpfen; Schuhe kaufen.‹«

Nun war es zur Abwechslung Simon, der die Beherrschung verlor und brüllte vor Lachen. Als er sich wieder im Griff hatte, umarmte ich ihn und dachte, wie seltsam es doch war, dass der Tod unserer Mutter uns einander offenbar näher gebracht hatte, während sich zwischen Dina und mir durch ihn eine tiefe Kluft aufgetan hatte. Wenn auch sonst nichts bei meiner Zeit in New York herausgekommen war, dann hatte sich doch immerhin unsere Beziehung intensiviert. Ich zerzauste ihm die Haare, und er sagte »Hör auf!«, und es war genauso wie damals, als wir klein waren.

»Wenn Dina das Testament anfechten lassen will, ist mir das egal«, sagte ich, als er ging. »Ich bin so verwirrt wegen des Geldes, ich hab keine Eile damit, es zu bekommen.«

»Das wird sie nicht«, prophezeite er. »Sie versucht nur, dir einen Schrecken einzujagen. Sie ist ein Tyrann.«

»Ich reise vielleicht morgen ab, soll ich meine Schlüssel einfach beim Hausmeister abgeben?«

Simon nickte und sagte: »Ruf mich an, wenn du wieder in Michigan bist.«

Das würde ich mit Sicherheit.

Schlüssel, dachte ich kurz darauf. Ich sollte nach unten gehen und Mrs. Gordon fragen, ob sie bei der Suche nach den Zweitschlüsseln Hilfe braucht.

Als ich bei ihr war, erklärte Mrs. Gordon vergnügt, sie hätte sie noch nicht gefunden. »Mein Kopf.« Sie deutete auf ihre Stirn und hörte sich an wie eine liebevolle Hundebesitzerin, die sich für die Schweinerei ihres Schätzchens entschuldigt.

Aber irgendwie glaubte ich ihr nicht. Ich kannte sie erst seit ein paar Tagen, aber sie hatte bis dahin immer sehr schlau gewirkt.

»Wie wär's mit etwas von Ihrer *Babka*?«, fragte ich, teilweise, weil ich ihr Widerstreben spürte, mich einzulassen. Ich folgte ihr in die Küche und half ihr, für jeden von uns ein paar Stücke auf einen Teller zu legen.

»Milch?«, fragte sie ein wenig zu höflich.

»Super.« Ich goss mir ein Glas voll und brachte das Essen hinüber ins Wohnzimmer, während sie sich mit ihrem Stock langsam und unsicher vorwärts bewegte.

Sie runzelte die Stirn und sah sich in dem überfüllten Zimmer um. »Ich wünschte, ich könnte mich erinnern, wo ich sie hingetan habe.«

»Ich könnte Ihnen suchen helfen.«

»Neiiin…. Sie wollen doch nicht die Sachen einer alten Dame durchsuchen.«

»Ich hab die meiner Mutter auch durchsucht«, entgegnete ich.

»*Nu*? Und warum probieren Sie nicht von dem Kuchen? Sind Sie jetzt plötzlich schüchtern?«

Ich breitete die dicke Serviette aus Leinen auf meinem Schoß aus, stellte den Kuchenteller ab und schnitt mit meiner schweren Silbergabel ein Stück ab. Es war so köstlich wie alles andere, was sie gebacken hatte, flockig, mit Schokolade und Rosinen gefüllt und durch die Milch perfekt abgerundet.

»Gut, gut«, sagte sie.

»Wann hat meine Mutter Ihnen die Schlüssel gegeben?«

Mrs. Gordon zuckte die Achseln. »Wer kann sich an so was schon erinnern?«

»Aber Sie wohnen hier noch nicht so lange.«

»Wenn Sie in mein Alter kommen, werden Sie erleben, dass sie sich an das, was gestern passiert ist, nicht erinnern können, aber bei dem, was Jahre her ist, ist die Erinnerung scharf wie ein Diamant.«

Ich beschloss damit aufzuhören, war mir nicht einmal sicher, warum ich sie wegen der Schlüssel drangsalierte. Es gab etwas Wichtigeres mit Mrs. Gordon zu besprechen.

»Ich werde morgen nach Hause fahren. Aber bevor ich abreise, möchte ich Sie etwas fragen.«

Ihre Hände erstarrten in ihrem Schoß, und ich hatte das sonderbare Gefühl, dass sie jede meiner Bewegungen beobachtete, als wäre ich gefährlich.

»Ich hab mich gefragt, wie meine Mutter gestorben ist.«

Sie zog aufmerksam die Augenbrauen hoch. »Ja?«

»Sie hatte vorher keine Herzbeschwerden. Sie ging jeden Tag spazieren. Aber sie war deprimiert. Ihr Arzt hat das gesagt. Und Valerie auch. Ich bin nicht sicher, wie, aber ich glaube, einer von ihnen könnte ihr geholfen haben, Selbstmord zu begehen, weil sie anfing, Sachen zu vergessen, und Angst hatte, so zu enden wie Dad. Vielleicht haben sie ihr beide geholfen, ich weiß es nicht, und es fängt an, mir gleichgültig zu werden. Sie ist tot, egal, wie es passiert ist.«

»Ja«, sagte Mrs. Gordon nüchtern, »sie ist tot.«

Ich dachte daran, wie ich Valerie erzählt hatte, dass ich in einen Lastwagen fahren würde, um mich umzubringen. Es kam mir vor wie pure Angeberei. »Ich glaube nicht, dass ich ihren Mut hätte.«

»*Mut?*« Mrs. Gordons Tasse klapperte ein wenig in der Untertasse.

»Um mich umzubringen. Selbst wenn jemand dabei helfen würde, wäre das schwer.«

Mrs. Gordons Gesicht verzog sich, als wäre sie im Begriff, etwas auszuspucken. »Valerie hatte nichts damit zu tun«, schnappte sie mit dünner Stimme. »Und der Doktor auch nicht. Ihre Mutter war keine Heldin. Sie hat keinen Selbstmord begangen. Sie ist einfach gestorben, das ist alles.«

Die Gefühle fingen an mich zu überwältigen und ich sagte: »Aber ich fühle mich schuldig. Ich war kein guter Sohn. Sie hatte mehr verdient.«

»*Bubbeh mysehs*! Unsinn. Sie haben keine Ahnung, was Ihre Mutter verdient hat.«

Ihr bitterer Ton verwirrte mich. »Hat sie Ihnen etwas über den Krieg erzählt?«

»Ha! Das soll wohl ein Witz sein. Es ist nicht das, was sie erzählt hat, wodurch ich davon weiß.«

Ich stellte meinen Kuchenteller zur Seite und legte die Stoffserviette weg.

Mrs. Gordons Lippen bebten, und sie hielt ihre Hände, als wollte sie verhindern, dass sie zitterten. »Als ich Ihrer Mutter zum ersten Mal begegnet bin, fragte ich sie: »›*Foon vanent koomt a Yeed*?‹ Wo kommen Sie her? Sie war hochnäsig. Hat gesagt, bei ihr zu Hause spreche man kein Jiddisch – nur Russisch und Polnisch.« Mrs. Gordon zuckte mit den Achseln. »Schön. Viele Juden haben sich über Jiddisch lustig gemacht, sie nannten es einen *Jargon*. Also fragte ich sie, wo sie her kommt. Bei dem Akzent, den sie hatte, dachte ich, sie wäre eine Litvak. Und sie sagte, aus der Nähe von Wilna. Viele Juden erzählen einem das, sie wollen damit angeben, dass sie bei der großen Stadt gewohnt haben, auch wenn das nicht stimmt. Ein bisschen Übertreibung schadet nicht. Das hat mich nicht gestört.«

Ich hatte keine Ahnung, wovon sie redete, und fragte mich, ob Mrs. Gordons Gedanken abschweiften. Es klang vernünftig, hatte aber keine Bedeutung.

»Also frage ich sie: ›Wo?‹ Sie erzählt mir, es sei ein nichts sagender Ort, einer, den wir ein *lochovich lochovitchky* nennen, ein richtiges kleines Kaff. Balbirishok. Dann frage ich sie nach ihrem Familiennamen, und sie sagt, Amdursky. Ich sage nichts. Ich geh nach Hause, ich setz mich hin und denke nach. Ich denke lange, lange nach.«

»Worüber? Was hat sie gestört an dem, was sie sagte?«

Mit zusammengekniffenen Augen beugte sie sich in ihrem Stuhl vor und packte den Griff ihres Stocks so fest, dass ihre Knöchel weiß wurden. »Sie wollen wissen, was mich gestört hat? Ich werd's Ihnen sagen. Balbirishok? Ich hatte Familie dort! Cousins. Ich war vor dem Krieg dort und hab Ihre Mutter nie gesehen.« Sie nickte grimmig. »Aber das ist noch nicht alles. Ihr Name sei Rose Amdursky? Aus Balbirishok? *Ausgeschlossen!* Ich war mit Rose Amdursky im Wilnaer Ghetto – und dem Lager in Riga – und dann in Stutthoff – dann in Magdeburg. Sie war meine beste Freundin im Ghetto. Und ich hab sie fast am Ende des Krieges mit meinen eigenen Augen sterben sehen. An Typhus.«

»Das muss jemand anders gewesen sein.«

Mrs. Gordon starrte mich wütend an. »Ich würde das vor Gericht beschwören. Glauben Sie, es hätte Hunderte von Rose Amdurskys aus Balbirishok gegeben? Da gab es kaum Hunderte von Juden!«

Wie betäubt fragte ich sie, was sie mir zu sagen versuche.

»Wer auch immer Ihre Mutter war, sie war *nicht* Rose Amdursky. Das weiß ich mit Sicherheit. Ich weiß nicht, warum sie sich diesen Namen gestohlen hat, aber ihrer ist es nicht. Hören Sie, Rose hat mir in einem Lager das Leben gerettet. Ich war krank, wir hatten nichts zu essen, sie ließen uns hungern, schlugen uns, warteten darauf, dass wir starben. Irgendwie hat Rose mir ein Stück Käse besorgt. Mehr hat es nicht gebraucht! Glauben Sie, ich würde eine solche Frau auch nur irgendwie vergessen?«

»Aber warum sollte meine Mutter vorgeben, jemand anders zu sein?«

»Genau. Warum? Das hab ich mich auch gefragt. Und ich dachte mir, wenn man sich den Namen eines anderen nimmt, hat man etwas, wovor man wegläuft. Dein eigener Name bedeutet Ärger, wer du *bist*, bedeutet Ärger. Warum also sollte das bei Ihrer Mutter so sein?«

Ich hörte ihr zu, aber die Worte schienen um meinen Kopf zu kreisen, ohne in ihn einzudringen.

»Also. Ihre Mutter hatte etwas zu verbergen.«

»Was?«

»Wissen Sie, am Ende des Krieges, als die Russen aus dem Osten kamen, sind die Nazis und ihre *farsholteneh* Gehilfen, die verfluchten Handlanger – Polen, Litauer, Ukrainer – alle wie die Hasen weggerannt, haben aber immer noch gemordet, jeden erschossen oder verbrannt, den sie erwischt haben. Manche warfen ihre Uniformen ab. Manche zogen zur Tarnung Lagerkleidung an. Die meisten sind geschnappt worden, weil sie jemand erkannt hat, aber nicht alle.«

»Nein.«

Sie zuckte die Achseln.

Mir war übel und ich fragte sie benommen, ob sie damit sagen wolle, meine Mutter sei so etwas wie eine Kriegsverbrecherin gewesen.

Mit Grabesstimme erwiderte sie: »Was sonst konnte sie sein, wenn sie darüber log, woher sie kam und wer sie war? Würde eine Jüdin vorgeben, eine andere Jüdin zu sein? *Narishkeit*! Wozu?«

»Das wissen sie nicht! Sie haben keinen Beweis!« Aber noch während ich das sagte, hatte ich das Gefühl, als zerrisse mir die Möglichkeit das Herz. Sie bedeutete, das der Grund für das lange zornige Schweigen meiner Mutter kein Trauma war, sondern *panische Angst*.

»Der Beweis ist das, was ich gesehen, was ich durchlebt habe. Mehr habe ich nicht gebraucht.«

Meine Mutter musste gefürchtet haben, dass jemand herausfinden würde, wer sie war. Und es hatte jemand herausgefunden. »Sie haben sie umgebracht«, sagte ich in diesem total überfüllten, zu voll gestopften Zimmer. Ich wartete darauf, dass Mrs. Gordon es abstreiten und sagen würde, ich sei hysterisch oder irgend so was. Sie fixierte mich mit einem so harten Blick, wie Dina ihn manchmal haben konnte.

»Ich weiß nicht, wer genau sie war, eine Art Aufseherin, hab ich mir vorgestellt, eine Litauerin, eine Polin, eine *blockowa*, die Verbrecher, denen sie die Aufsicht über die Baracken übertragen haben. Keine Jüdin. Warum sollte eine Jüdin sich verstecken wollen? Vielleicht war sie jemand, die in ihrem Leben mit Juden zu tun hatte, und dachte, sie könnte so tun als ob.«

»Nein.«

»Okay. Vielleicht war sie Jüdin, eine Kollaborateurin, eine, die den Nazis geholfen hat, um ihr eigenes Leben zu retten. Aber wer auch immer sie war – «

»Wie?«

»Mein Herzmittel. Ich hab die Tabletten zerstoßen und ihr einen Marmorkuchen gebacken. Ihre Mutter hat meinen Marmorkuchen geliebt.«

Bestürzt wandte ich mich meinem Teller zu.

»Bitte«, sagte sie. »Halten Sie mich für ein Ungeheuer? Gegen Sie hab ich doch nichts.«

»Wie konnten Sie sicher sein, dass es funktionieren würde?«

»Ich hab darüber in einem Buch gelesen. Einer der Krimis, die ich mir von Ihrer Mutter geliehen habe, hat mich auf die Idee gebracht.«

»Warum haben Sie sie nicht gefragt, was passiert ist? Warum haben Sie nicht herauszufinden versucht, wer sie wirklich war?«

»Warum, warum, warum. Glauben Sie, sie tut etwas so Verzweifeltes, nimmt von jemand anders den Namen und die Identität an, lebt ein ganzes Leben so und gesteht dann – bum! –, nur weil ich sage: »Entschuldigung, wer bist du nun also wirklich?‹«

»Sie hätten zur Polizei gehen können.«

»Und die würden einer verrückten alten Dame zuhören? Nein. ich musste genau das tun, für meine Freundin. Für meine Rose. Für niemand anders. Rose Amdursky hat mir das Leben gerettet, und ich würde jetzt zulassen, dass jemand anders ihres stiehlt? Und einfach so damit durchkommt? Niemals.«

Entsetzt versuchte ich mitten in diesem brutalen Alptraum etwas Hoffnung zu finden, aber ich war wie diese Leute in »Titanic«, die sich wild an die Reling klammern, als das Schiff umkippt und sie in den eisigen Nordatlantik wirft. Nichts konnte den Sturz verhindern.

»Aber wenn sie eine Schwindlerin war, wie hat sie das deutsche Geld gekriegt? Musste sie nicht Zeugen oder so was haben? Ich bin sicher, da gab es Leute, die ihre Identität beschwören mussten.«

»Kennen Sie diese Zeugen? Wissen Sie, wo die her kamen, was sie getan haben? Sind Sie ihnen je begegnet?«

Ich schüttelte den Kopf.

»Ich konnte nicht warten, bis es jemand anders herausfand. Es war so viele Jahre her. Und was, wenn mir etwas passiert wäre? Dann hätte es niemand gewusst, und sie wäre mit allem davongekommen.«

Ich schaffte es, zu fragen: »Haben Sie ihr erzählt, dass Sie es wissen?«

»*A voo den*? Natürlich! Sollte ich sie in Frieden sterben lassen? Es ging ihr nicht so gut, ich half ihr, sich hinzulegen, und dann, als sie nichts tun konnte, hab ich es ihr erzählt. Ich hab das für die wahre Rose Amdursky getan, meine Rose. Ich war es ihr schuldig.«

Ich saß da, und das Gewicht von Mrs. Gordons Enthüllungen zerquetschte mich wie ein Erdrutsch. Ich konnte spüren, wie es eng wurde in meiner Lunge, und jeder Atemzug bedeutete eine Anstrengung.

»Warum haben Sie mir das erzählt?«

Sie drohte mir mit einem knochigen Finger. »Diese Frau hat Ihnen das deutsche Geld hinterlassen, das sie der *wahren* Rose Amdursky gestohlen hat. Also sollten sie die *wahre* Geschichte kennen oder das, was wahrer ist als die Lügen. Das ist es, was ich Ihnen hinterlassen kann.«

»Mir die Wahrheit hinterlassen? Sind Sie krank? Sterben Sie?«

Sie lächelte reuevoll. »Damit würde ich es mir leicht machen, was? Nein, Schätzchen, ich werde vielleicht noch lange mit dem leben müssen, was ich getan habe.«

»Was hat sie gesagt?«

»Als sie starb?« Mrs. Gordon schüttelte den Kopf. »*Gornischt*. Nicht ein Wort. Aber ihre Augen, bevor sie geschlossen waren, ich sage Ihnen, *das* war vielleicht ein Blick, mit dem sie mich angesehen hat.«

»Sie haben zugesehen, als sie starb?«

Mrs. Gordon nickte.

Völlig am Boden zerstört, zwang ich mich dazu, aufzustehen und zur Tür zu gehen, und jede kleinste Bewegung war grauenhaft und unwirklich. Aber als ich einmal draußen im Korridor war, konnte ich mir nicht vorstellen, etwas so Gewöhnliches zu tun wie den Summer für den Aufzug zu betätigen, und der Gedanke, eine andere Person auch nur ansehen zu müssen, gab mir das Gefühl, innerlich verbrannt und nackt zu sein. Ich wankte zur Treppe hinüber, stieg ein paar Stufen hoch und dann setzte ich mich, und der abgetretene Marmor unter mir war erschreckend kalt und hart. Schmutziges Licht schimmerte durch das riesige undurchsichtige Fenster, und die Schmerzen beim Atmen nahmen zu. Ich wollte sterben. Ich dachte daran, das Fenster aufzureißen und mich in den Luftschacht zu stürzen, aber ich war nicht hoch genug, nur wenige Stockwerke. Ich malte mir aus, vor einem Auto auf die Straße hinauszutreten. In jeder dieser Vorstellungen war ich am Ende zerfetzt, blutete, war aber nicht tot, nicht tot. Und würde es überhaupt etwas ändern, wenn ich mich umbrachte? Dies war ein Horror, der über den Tod hinausgehen, mich in jede andere Welt verfolgen würde.

Nein, das war verrückt. Ich wollte leben und ich wollte abreisen. Ich merkte, dass ich mich danach sehnte, gleich jetzt zu Hause in Michigan zu sein, fort von kleinen alten Damen, die Geschichten von Mord und Rache erzählten, während sie einem Nachtisch servierten.

Aber würde ich jetzt jemals noch irgendwo ein Zuhause haben? Meine Mutter war Nazi gewesen oder eine Nazi-Sympathisantin, oder hatte ihnen geholfen, war jemand, der mit den Lagern zu tun gehabt hatte. Was sonst konnte es sein? Was sonst sollte sie dazu gebracht haben, den Namen einer anderen Frau zu stehlen? Kein Wunder, dass sie es hasste, wenn Simon über den Holocaust las, und wegging, wenn Leute davon redeten, und sich gegen Dads Drängen wehrte, Reparationen zu beantragen. Sie riskierte, entlarvt zu werden. Aber wie hatte sie Leute ausfindig gemacht, die zu schwören bereit waren, dass sie jemand war, der sie nicht war? Wer waren sie – wo kamen sie her?

Ihr Blut, das Böse in ihr waren unabänderlich Teil von mir. Und wie konnte ich für den Rest meines Lebens mit dem Wissen oder auch nur dem Verdacht leben, dass meine Mutter Juden schikaniert hatte? Und nicht nur war sie nicht diejenige, die sie zu sein behauptet hatte, vielleicht war sie nicht einmal Jüdin gewesen, was genau genommen bedeuten würde, dass ich auch kein Jude war.

Dass Mrs. Gordon mir die Wahrheit erzählt hatte, hatte brutal wie ein Irrer, der mit einem Hammer auf eine berühmte Skulptur losgeht, große Stücke aus meinem Leben herausgerissen. Ich schauderte. Meine Mutter war ermordet worden. Ich hatte mit einer Mörderin da gesessen. Einer freundlichen, charmanten Mörderin mit weißen Haaren in einem Scheiß-Trainingsanzug aus Nylon, die aussah wie Tausende von Frauen ihres Alters.

Ich hörte Schritte unter mir. Jemand ging die Treppe hoch, und ich eilte blindlings davon zu Moms Wohnung, fühlte mich wie Herkules in dem vergifteten Hemd, das sein Fleisch verbrannte.

Ich ging direkt zu der Flasche Scotch, die ich entdeckt hatte, und kippte die Hälfte von dem runter, was da war, ließ zu, dass es meinen Hals versengte. Ich versuchte Valerie anzurufen, legte aber auf, als ich ihren Anrufbeantworter hörte. Es gab nichts, was ich mir vorstellen konnte, auf ihr Band zu sprechen, nicht jetzt.

Was sollte ich tun? Die Polizei rufen? Würden sie mir glauben, wenn Mrs. Gordon es abstritt? Würden sie die Leiche meiner Mutter exhumieren? Es war grauenhaft, unglaublich, und ich taumelte durch die Wohnung und wollte schreien, wollte mir Mrs. Gordons Worte aus dem Hirn reißen.

Denke, denke, befahl ich mir, aber ich konnte nicht. Ich fühlte mich wie ein Gefangener im Mittelalter, dessen Gliedmaßen an vier Pferden befestigt sind. Wenn ich noch einen Moment länger blieb, würde es mich in Stücke reißen. Ich warf meine

Kleider und Toilettenartikel in meine Tasche, verschloss die Flasche Scotch, räumte so gut ich konnte in der Küche auf und machte mich bereit, aus der Wohnung zu fliehen, die ich nie wieder zu sehen hoffte. Aber bevor ich sie verließ, ging ich zum Anrufbeantworter meiner Mutter und löschte ihren Text. Ich wusste nicht, wann Simon ihn ändern würde, aber ich wollte ihre Stimme nie wieder hören. Ich sprach selbst eine kurze Nachricht aufs Band. Ich nahm die Schlüssel mit, entschied, sie Simon aus Michigan zu schicken, schloss ab und rannte die Treppe hinunter, um mir draußen auf der West End Avenue ein Taxi zu suchen, das mich zum Flughafen La Guardia bringen würde.

Am Flughafen machte ich langsamer. Ich musste. Am Northwest-Schalter stand eine gewaltige Schlange, und mitten in der Menge konnte ich seltsamerweise denken. Nachdem ich meinen Flug umgebucht hatte, rief ich Simon an, sagte ihm wegen der Schlüssel Bescheid und dankte ihm dafür, dass er ein so wunderbarer Bruder war. Die Worte kamen nur schwer heraus, und als ich auflegte, dachte ich, er könnte sie kitschig oder steif finden, aber irgendwo musste ich anfangen.

Und dann rief ich Valerie an, und diesmal legte ich nicht auf, als ihr Anrufbeantworter einsetzte.

»Val, kannst du mir verzeihen? Ich habe zu sehr gedrängt, weil ich dich liebe. Ich habe dich immer geliebt. Der schlimmste Fehler meines Lebens war, New York und dich zu verlassen. Ist es zu spät? Willst du mich heiraten?«

Ein in der Nähe stehender, etwa dreißig Jahre alter Sicherheitsbeamter mexikanischer Herkunft in einer schlecht sitzenden Uniform drehte sich auf meine Frage hin um, grinste und streckte den Daumen nach oben.

Zurück in Ann Arbor, bat ich um ein paar weitere Tage frei und sah dabei fraglos so schwer gezeichnet und verzweifelt aus wie ein flüchtiger Rechtsbrecher. Anschließend raste ich in den Norden nach Old Mission, das ich spät am Abend erreichte. In der Hütte meines Kollegen rief ich bei Valerie an und hinterließ meine Nummer. Dann versuchte ich es noch drei-, viermal und erinnerte mich an die schreckliche Szene in *Swingers*, wo John Favreau seine Aussichten auf eine Beziehung durch seine paranoide Bedürftigkeit zunichte macht, aber ich konnte mich nicht beherrschen. Ich musste ihre Stimme hören, und eine auf Band aufgenommener Text würde für ein Weilchen reichen. Auf die eine oder andere schusselige Art sagte ich jedes Mal, dass ich es sei und dass ich sie liebe.

Jedes Mal, wenn ich es sagte, kämpfte ich gegen den Horror des Todes meiner Mutter an, wie sie, von ihrer Freundin hintergangen und deren klammheimlicher Schadenfreude ausgesetzt, hilflos da lag. Ich wusste nicht, wer sie wirklich war oder was sie getan hatte, aber ich fühlte mich angesichts der Tatsache, wie hilflos sie am Ende gewesen war, verloren. Meine stolze, starke Mutter, zur Strecke gebracht durch den Marmorkuchen einer kleinen alten Dame.

Und auch die Hütte wirkte auf mich wie ein Gefängnis. Ich kam mir leichtsinnig und dumm vor. Ich hatte keinen Plan gemacht. Was sollte ich tun? Am Flughafen hatte ich nach Old Mission zurückkehren wollen, so wie romantische, einsame Menschen sagen, sie würden gern einmal Venedig sehen, aber ich war *hier*, hatte den Boden meiner Wohnung in Ann Arbor kaum betreten, die auf obszöne Weise jungfräulich aussah, so unberührt von der Katastrophe wie dieses eine Haus oder Silo, das der Wut des Tornados zu entkommen scheint und aus der Mitte ganzer Landstriche voller Trümmer hervorschaut. Ich war wieder oben im Norden, aber was nun?

Es war plötzlich schwer, meine Zufriedenheit, meine Vision von Old Mission wiederzufinden. Ich wollte all die Komplikationen und meinen Schmerz über Bord werfen, hatte aber das Gefühl, darin eingeschlossen zu sein. Ich stürmte aus der Hütte in die Dunkelheit und stolperte den Hügel hinunter zu der riesigen blauen Bucht. Ich riss mir meine Trainingsklamotten vom Leib und die Laufschuhe von den Füßen, stürzte mich verzweifelt in das eisige, aufspritzende Wasser, und Steine umklammerten meine Füße. Wütend stieß ich die Arme hinein und schwamm hinaus, hinaus in die Bucht, bis ich erschöpft war, und als ich kurz davor zu sein glaubte, alle Kraft und jedes Gefühl in den Armen zu verlieren, langsam, mit letzter Anstrengung zurück. Ich stolperte aus dem Wasser, fiel mit dem Gesicht nach oben keuchend in den Sand, und die eiskalte Luft saugte an meiner Haut.

Meine Mutter war tot. Es war sehr gut möglich, dass sie eine Mörderin, eine Kriegsverbrecherin war. Nichts Geringeres als das konnte sie dazu gebracht haben, eine Identität zu stehlen und sich Jahrzehnte dahinter zu verstecken.

Mit geschlossenen Augen, um den unglaublich hellen Himmel nicht an mich heranzulassen, lag ich dort auf dem von den Sternen in ein silbernes Licht getauchten Strand, und in meinem Innern brüllten der Tod meiner Mutter und Verrat. Ich war Dad nicht nahe genug gewesen, um wirklich anzufangen, ihn zu vermissen, obwohl er so lange krank und nicht da gewesen war, aber sie, oh, sie hatte ich maßlos geliebt und gehasst in der stillen Extravaganz der Verzweiflung.

Wellen des Schmerzes durchzuckten meine Brust, und ich hatte das Gefühl, als würde das deutsche Geld mich versengen, das zu beantragen sie gedrängt worden war und mir vererbt hatte. Aber warum? Was war es, woran ich mich erinnern, was ich denken und fühlen sollte? Bestimmt nicht dies. Ich konnte mich vor diesen Rätseln nirgends verstecken, nicht einmal auf Old Mission.

Als ich wieder in der Hütte war, musste ich Val anrufen. Libby nahm ab und sprach, als sei ihr beigebracht worden, am Telefon sehr klar und höflich zu sein: »Hal-lo. Wer ist da, bitte?«

Ich zögerte und konnte hören, wie Val sie im Hintergrund ermunterte: »Schatz, frag noch mal.«

»Hallo? Wer ist da?« Ihre Stimme war dünn und zart, und ich sah plötzlich Simon vor mir, wie er als kleiner Junge, den riesigen Hörer in beiden Händen haltend, einen Anruf entgegennahm.

Das Telefon gab ein dumpfes Geräusch von sich und Libby erhob ihre Stimme: »Mammi, da ist niemand!«

Val übernahm den Hörer. »Wer ist da?«, fragte sie argwöhnisch.

»Ich bin's!«

»Oh, Paul – warum hast du das nicht gesagt?« Ich hörte, wie eine Tür sich schloss.

»Ich war überrascht. Ich hab nicht damit gerechnet, dass Libby ran gehen würde.« Was für ein Idiot ich doch war – warum hatte ich nicht versucht, mit Vals Tochter zu sprechen?

»Na ja, sie lebt hier, oder?«

Und würde das noch Jahre, dachte ich. Ich hatte die Gelegenheit, Valerie für mich zu haben, versäumt. Ich versuchte, mir etwas Liebenswürdiges oder Lustiges einfallen zu lassen, hatte aber überhaupt keine Idee.

»Paul, deine Nachricht hat mich überrascht.«

»Die erste vom Flughafen? Als ich dich bat, mich zu heiraten?«

»Ja, die meine ich. Was ist los? Warum bist du so schnell abgereist?«

»Es wurde Zeit.« Ich versuchte, neutral, aber nicht kalt zu klingen und sagte: »Es fing an, mich fertig machen, dass ich in der Wohnung meiner Mutter gewohnt habe.«

»Das kann ich verstehen.« Das bisschen Wärme in ihrer Stimme genügte, und ich war den Tränen nahe. Ich schwieg, aber sie musste etwas gespürt haben, denn sie fragte: »Bist du okay?«

»Ich bin total im Arsch. Ich muss dich sehen.«

»Kommst du zurück?« Sie klang skeptisch.

»Ich werde damit im Moment nicht fertig. Die Wohnung, Dina, alles. Mein Gott, New York. Würdest du auch nur in Erwägung ziehen, hierher zu fliegen?«

Sie atmete langsam ein. »Na ja, es könnte sein, dass ich etwas freie Zeit für einen Besuch rausschlagen kann. Einen kurzen.«

»Wann? Wie wär's mit diesem Wochenende? Könntest du nicht deine Leute bitten, Libby zu nehmen?«

»Dieses Wochenende? Puh! Vielleicht haben sie schon was vor. Ein Kind unterzubringen ist was anderes als Gepäck aufzugeben. Es braucht Zeit, und meistens ist es ziemlich frustrierend.«

»Na ja, falls es doch klappen sollte, wann würdest du es wissen? Morgen?«

»Wenn ich denn kommen sollte, müsste ich mich sofort drum kümmern.«

»Bitte …«

»Okay, ich werd's versuchen. Ich verspreche nichts. Aber ich werde sehen, ob ich ein Ticket kriegen kann. Und wenn ich irgendwann kommen sollte, könnten wir dann diesmal ein bisschen weniger über den Tod und deine Mom reden?«, fragte sie.

～

Val rief mich später an diesem Abend an und sagte, es seien an diesem Wochenende tatsächlich mehr Plätze frei als an jedem anderen im kommenden Monat. »Ich weiß nicht, warum«, sagte sie, »aber so hat es sich ergeben.«

Ich bemühte mich, vor Freude nicht zu jauchzen.

Als ich in dem Wissen ins Bett ging, dass sie am übernächsten Nachmittag über Detroit nach Traverse City fliegen würde, fragte ich mich, was Valerie vorhatte. Flog sie nur her, um einen genaueren Blick auf mich zu werfen, mich fern von meiner Familie und New York und unserer Vergangenheit zu inspizieren? War es einfach nur krankhafte Neugier?

Trotz meiner Sorge wegen Val und meiner Szene an diesem Morgen mit Mrs. Gordon wusste ich, dass ich die Nacht durchschlafen würde, denn ich war völlig erschöpft. Ich träumte von meiner Mutter in ihrem Bett, Mrs. Gordon schwebte über ihr wie ein Geier, und die beiden waren in stillem Hass gefangen.

Am Morgen konnte ich, da glücklicherweise eine Stornierung vorlag, eine der Suiten im Erdgeschoss des Chateau Chantal für uns buchen.

Ich traf Freitag früh mit einem Strauß weißer und roter Nelken auf dem winzigen Flughafen von Traverse City ein. Ich hatte erst an Rosen gedacht, aber die Assoziation mit meiner Mutter war zu schrecklich.

Val tauchte an der Spitze einer Schlange fetter, griesgrämig aussehender Reisender auf, lächelte mich an, nickte angesichts der Blumen und vergrub ihre Nase in ihnen. Menschen starrten uns an, fragten sich vielleicht, warum wir uns nicht umarmten, aber ich hielt mich zurück, wollte mich ihr nicht in irgendeiner Weise aufdrängen. Es stand jetzt zu viel auf dem Spiel. »Wundervolle Blumen. Wie Zimt«, hauchte sie.

Ich bot an, ihr die riesige schwarze Umhängetasche abzunehmen, aber sie erhob Einwände.

»Du siehst toll aus«, sagte ich, und sie schien fürs Reisen perfekt gekleidet zu sein. Sie trug bequem aussehende, schwarze Wanderschuhe, eine salbeifarbene Steppjacke und ein dazu passendes, schwarzes und salbeifarbenes Paisley-Kleid.

»Ich hab die Paisley-Muster nur für dich angezogen, und die warme Jacke wegen Michigan.«

Als wir auf den ziemlich leeren kleinen Parkplatz zugingen, schienen mir die typischen Banalitäten, die wir über ihren Flug austauschten, von Romantik erfüllt zu sein. Ich stellte mir vor, ihr so für den Rest unseres Lebens zu begegnen, von dem wir viel damit verbringen würden, über die einfachsten Dinge zu reden. Das war es, wonach ich mich sehnte: nach Einfachheit, mit ihr.

Aber sie hatte Libby, und das war alles andere als einfach.

Val ging um meinen hellblauen Grand Prix herum und stieß einen bewundernden Pfiff aus. »Wow«, sagte sie, und ich fühlte mich plötzlich in der Defensive.

»Du findest ihn doch nicht zu protzig oder so was?«

»Würdest du ihn verkaufen, wenn es so wäre?« Ich muss überrascht ausgesehen haben, denn sie klopfte mir auf die Schulter. »Das war ein Scherz. Der ist richtig heiß.«

Ich wurde rot vor Freude und öffnete die Türen. Valerie warf ihre Reisetasche auf den Rücksitz, legte die Blumen aber hin wie ein schlafendes Kind. Als wir losfuhren, erzählte ich ihr von der Suite im Chateau Chantal und dass wir in getrennten Betten in getrennten Zimmern schlafen konnten. Ich wollte nichts überstürzen.

»Ich möchte nur in deiner Nähe sein. Das ist alles.«

Sie sah nach unten, nahm diese Bemerkung in sich auf. Ich betrachtete ihre sommersprossige Wange, ihr lockiges Haar, die Art und Weise, wie ihr Chiffonschal um ihren Hals zu schweben schien.

Wir nahmen die landschaftlich schöne Strecke auf der kurvenreichen Uferstraße, die, wie ich ihr erzählte, sechsunddreißig Meilen lang war.

»Das ist zweimal *chai*!«, rief sie aus.

»Was?«

»Du weißt doch. *Chai* ist das hebräische Wort für ›Leben‹, und sein Zahlenwert ist, zählt man die Buchstaben zusammen, achtzehn.«

»Oh, richtig.« Simon hatte mir das schon einmal erklärt.

»Zweimal chai bedeutet, dass man sehr viel Glück hat.«

Diese Neuigkeiten bedeuteten mir nichts weiter, aber ihre Aufregung machte mich so kribbelig, als hätte ich die verfluchte Straße selbst gebaut und dafür gesorgt, dass sie genau diese Länge hatte.

Val lobte immer wieder den Blick auf das Wasser, die Hügel, die großen und kleinen, versteckt im Wald liegenden oder direkt am Ufer stehenden Häuser und lachte dann über ihre Freude. »Es ist wirklich herrlich. Ich hatte ja keine Ahnung. Wenn du Michigan sagst, denke ich an Autos und Detroit. Das ist so ziemlich alles.«

Ich erzählte ihr, dass sie im Mai über Old Mission erstaunt sein würde, wenn überall auf der Halbinsel die Kirschbäume blühten. »Das ist wie ein gewaltiger Festwagen. Der Rose Bowl. Oder ein riesiger Geburtstagskuchen mit einer Milliarde Kerzen.«

Val nahm meine Hand und drückte sie. »Was zum Teufel tust du bloß in einer Bibliothek?«, fragte sie. »Du solltest Autor sein oder so was.«

»Ich sollte definitiv irgendwas sein.«

Als wir an diesem Nachmittag über Old Mission fuhren, spürte ich, dass uns jede Bemerkung, jede Beobachtung, jede Meile um Lichtjahre von dem Durcheinander bei unserem Essen drei Tage zuvor und den verpassten Gelegenheiten, eine Verbindung zwischen uns herzustellen, wegbrachte. Wir unterhielten uns hauptsächlich über das, was wir sahen – die sich ständig ändernde Aussicht, die nagelneuen, im viktorianischen Stil gehaltenen Häuser, die Obstgärten –, und der natürliche Fluss, der sich zwischen uns entwickelte, war, als würden starke Hände einem den Nacken massieren und jedem verspannten und müden Muskel Erleichterung verschaffen.

»Ich hab uns einen Tisch für ein frühes Essen reservieren lassen«, erzählte ich ihr. »Wir könnten sofort zum Restaurant fahren und später in der Pension einchecken. Es geht da nicht förmlich zu. Das ist das Nette hier oben, man kann in guten Restaurants essen, muss sich aber nicht fein machen.«

»Klingt großartig. Ich bin hungrig.«

Wir hielten vor dem Bowers Harbor Inn, einem alltäglich aussehenden großen weißen Holzhaus mit einem der besten

Restaurants von Nordmichigan. Wir hatten den dunklen, prächtigen Speiseraum für eine Weile ganz für uns, und es war so intim und entspannend, als wären wir in jemandes Boudoir. Valerie bestand darauf, den Wein auszuwählen, und wir tranken zu unserer Entenwurst, die wir als Vorspeise nahmen, und der Platte mit Wild einen wunderbaren Gigondas.

So wie wir ganz alleine abseits in einer durch einen Vorhang gut abgetrennten Ecke saßen, hätten wir keinen privateren Ort zum Reden finden können, und das Erste, was Valerie mir erzählte, war, dass Dina sie angerufen hatte.

»Dina ruft jeden an«, schnappte ich.

Sie runzelte die Stirn. »Wen denn noch?«

»Mrs. Gordon.« Ich hoffte, dass meine Augen in diesem Moment nichts verrieten.

»Na ja, Dina rief an, um sich für ihren Streit mit dir und Simon zu entschuldigen. Ich meine, sie hat nicht gesagt, dass sie deshalb anruft, aber so war es. Sie hat sich richtig schuldig gefühlt.«

»Das sollte sie auch. Sie hat damit gedroht, das Testament meiner Mutter anzufechten, weil sie einen Teil des deutschen Geldes will.«

Valerie legte ihre Gabel hin. »Okay – von wie viel Geld reden wir hier?« Ich sagte es ihr, und sie war schockiert. »Eine Million Dollar könnten mich auch ein bisschen verrückt machen. Aber ich würde mir wegen Dina keine Sorgen mehr machen. Sie denkt daran, sich von Serge scheiden zu lassen, und sie wird eines Tages einen Haufen Geld haben, das sie mit niemandem wird teilen müssen.«

Dina konnte mir nicht Leid tun, zumindest noch nicht. Ich konnte Mom vor mir sehen, wie es in ihr wühlte, als wollte sie sagen: »Ich hab's dir ja gesagt.«

Der Wein war schnell alle, wir bestellten eine zweite Flasche, und Valerie wirkte immer entspannter. »Ich hab vor Jahren damals wahrscheinlich wirklich zu viel über den Holocaust geredet, oder?« fragte sie.

Ich nickte, war ihr für ihr anmutiges Eingeständnis dankbar.

»Ich konnte nicht anders«, bemerkte sie. »Ich musste das damals einfach abarbeiten, und das war nur der Anfang. Seit ich die Biografie geschrieben habe, hat sich das geändert.«

»Ich würde sie gerne lesen«, sagte ich. »Wenn du denkst, dass ich so weit bin.«

Sie nickte. »Weißt du, ich hab dich dafür gehasst, dass du gegangen bist«, sagte sie. »Beim ersten Mal. Und ich dachte, all dies Zeug über den Holocaust wäre Quatsch, dass eigentlich ich es war, nur ich, von der du weg wolltest.«

»*Nein* – «

Sie unterbrach mich mit einer Handbewegung. »Ich wollte dich komplett vergessen.«

»Hast du es versucht?«, fragte ich.

»Ich bin nicht so das kämpferische Mädel – ich lasse andere weiter für die sexuelle Revolution kämpfen. Die Therapie hat mich davor bewahrt, bitter zu werden. Du bedeutest mir immer noch eine Menge. Das hat sich nicht geändert.«

»Aber *du*. Du hast eine Tochter.«

»Stört es dich – bist du neidisch? Auf Steve?«

»Nein. Ich bin neidisch auf *dich*. Ich bin weggegangen, du aber bist vorangekommen.«

Val fragte, was ich mit meiner Erbschaft machen wolle, und als ich antwortete, wusste ich, dass sich noch etwas, worin ich mir unsicher gewesen war, geklärt hatte: »Ich möchte mir hier oben ein Haus kaufen.«

»Und deinen Job kündigen?«

»Ja.«

»Was würdest du tun? Würdest du das ganze Jahr über hier leben? Die Winter müssen heftig sein.«

Ich antwortete nicht, und Val trank noch einen Schluck Wein, bevor sie sagte: »Du solltest es für einen Teil des Jahres mit Florida versuchen. Es ist nicht schlecht, und wenigstens ist es warm. Meine Eltern bieten mir immer wieder an, mir irgendwo eine Zweizimmerwohnung zu kaufen, damit ich Ruhe habe und schreiben kann, wenn ich sie besuche.«

Fragend begegneten sich unsere Blicke, und ich sprach als erster. »Ich bin nicht scharf auf New York, aber für dich würde ich versuchen, dort zu leben.«

»Wir könnten es mit allen drei Orten versuchen – New York, Michigan *und* Florida – um irgendwie anzufangen.«

»Würde es funktionieren?«, fragte ich.

Val war vorsichtig. »Wenn wir es wollen. Ich kann mir auch vorstellen, hier oben ein Buch zu schreiben. Es ist so friedlich.«

»Was ist mit Libby – ist sie zu jung, um mit all dem fertig zu werden?«

»Sie ist stark, und wenn wir schließlich hierher ziehen sollten, würde sie sich darauf einstellen, denke ich. Aber bei Kindern weiß man nie.« Sie lächelte. »Libby hat mich gefragt, warum du mich so oft angerufen und so viele Nachrichten hinterlassen hast. Sie hat gefragt, ob du ein Schauspieler wärst, der für ein Stück probt.« Val schüttelte amüsiert den Kopf.

»Kann ich ihre Fotos sehen?«

»Später. Ich hab ein Album mitgebracht. Ein kleines Album.« Sie zuckte die Achseln.

Ich lächelte. »Ein Album wäre großartig. Auch ein Video. Hast du Libby erzählt, dass du mich besuchen kommst?«

»Ich sagte, du wärst ein alter Freund.«

»Glaubst du, sie würde mich mögen?«

»Das ist eine gute Frage. Das ist die große Frage. Wir werden es herausfinden müssen.«

»War es schwer, sie alleine aufzuziehen?«

»Kinder aufzuziehen ist immer schwer. Und aufregend - schön - traurig.«

»Warum traurig?«

»Weil sie gerade, wenn du das Gefühl hast, du kennst sie, oder damit zurechtkommst, so wie sie sind, diese Phase hinter sich lassen. Aber so ist das Leben, oder?« Sie zuckte erneut die Achseln.

Als ich aufwuchs, hatte ich mir nie vorgestellt, einmal Vater zu sein, und selbst als ich mit Valerie zusammen war, hatte ich nicht an Kinder gedacht. Aber sie war anders jetzt, und mit ihr zusammen würde ich erwachsen werden müssen. Es würde keine Hollywood-Romanze, sondern Arbeit sein, und ich musste mich ihr und Val voll und ganz verschreiben.

Das Dessert und den Kaffee schenkten wir uns, und als wir zum Auto taumelten, wusste ich, dass es Zeit war, meinen Arm um sie zu legen.

»Der Himmel ist so hell«, staunte sie. »Man kann die Milchstraße sehen.« Ich war so stolz, als hätte ich eine Mariachi-Band bestellt, um ihr ein Ständchen bringen zu lassen.

Ich war ziemlich ausgelaugt, und auf dem Rückweg über die Halbinsel zum Chateau Chantal fuhr ich sehr vorsichtig. Die schmale, zu der Weinkellerei hinaufführende Straße war lang und kurvenreich, und aus irgendeinem Grund machte uns der langsame Anstieg beide albern. Als wir die massiven Türen aufmachten und hineingingen, kicherten wir hilflos und rannten durch die zwei Stockwerke hohe Halle den Korridor hinunter zu unserer Suite, als würden wir jemandem einen Streich spielen.

Drinnen schloss ich die Tür ab, ging in unser privates Wohnzimmer zu Valerie und aalte mich in ihrem Parfüm und ihrem nach Wein riechenden Atem, als wir uns küssten. Wir versuchten unsere Kleidung abzustreifen, während wir gegeneinander stoßend zum Bett taumelten, und ich wühlte in meiner Tasche nach einem Kondom. Val zerrte die teuer verarbeitete grüne Brokatdecke zurück, schleuderte die Zierkissen durchs Zimmer und lachte, als sie mit nach oben gereckten Armen, zappelnden Fingern und nackten Beinen nach hinten fiel.

»Wir haben deine Blumen im Auto vergessen«, sagte ich.

»Wage es bloß nicht, mich jetzt zu verlassen«, warnte sie und richtete sich mit trüben Augen auf, als suchte sie nach etwas, das sie nach mir werfen könnte.

»Komm her.«

Gehorsam folgte ich ihren Befehlen und meinem Ständer zum Bett. Sie riss meine Hose auf und streckte die Hand nach dem Kondom aus, das sie geschickt auspackte und sich in den Mund steckte. Ich zitterte, als sie mir das Kondom langsam und gekonnt überstreifte, und ihr Mund war so warm, dass ich dachte, ich würde auf der Stelle kommen. Als sie fertig war, fiel ich hungrig über sie her, ihre Beine schlossen und öffneten sich über meinem Hintern, und sie stöhnte. Mein Kopf war in ihrem Nacken vergraben und ich atmete den Geruch ihres Schweißes und ihrer Haare ein, als würde jeder Atemzug meine Rettung bedeuten.

Ich war zu erregt, um meine Wirkung zu berechnen, um an Bewegungen und Stellungswechsel zu denken, einem Plan zu folgen. Ich hielt mich einfach an ihr fest, während wir uns auf dem Bett hin und her bewegten, ohne dass ich das Gefühl hatte, von ihr getrennt zu sein oder dass ich sie und mich selbst von fern beobachtete.

Nach nur wenigen schweißtreibenden Minuten in ihr konnte ich spüren, dass Vals Schenkel zitterten, und wusste, dass sie kurz vor dem Höhepunkt war. Ich wollte unbedingt warten. Dann stöhnte sie: »Oh, ich liebe dich …« Das törnte mich endgültig an und ich kam mit ihr. Wir lagen ineinander verschlungen und gesättigt da und atmeten tief.

»Genau wie bei einem der ersten Male«, sagte sie schläfrig. »Erinnerst du dich? Wir schafften es kaum, uns auszuziehen.«

»Tut mir Leid, dass es so schnell ging.«

»Schnell? Es hat 15 Jahre gedauert, hier anzukommen …«

Ich löste mich vorsichtig von ihr und zog das Kondom ab, während sie sich aus dem Rest ihrer Kleider mühte. Ich deckte sie zu, löschte die Lichter im Zimmer und wusch mich kurz. Als ich fertig war, fiel mein Blick auf mein Spiegelbild in dem großen barocken Spiegel, und ich war mir plötzlich bewusst, wie sehr ich selbst mit gerötetem und entspanntem Gesicht meiner Mutter ähnelte.

»Wo zum Teufel bist du?«, rief Val, die jetzt schon fast schlief, als ich das Badezimmerlicht ausmachte. Ich schlüpfte hinter ihr ins Bett, schmiegte mich an ihren warmen Rücken, den weichen Hintern und die langen Beine, genoss die Gefühle, die noch genau so unterschwellig entzückend waren, wie ich sie in Erinnerung gehabt hatte.

Wir waren fünfzehn Jahre älter, aber ich fühlte mich wieder wie ein geiler, glücklicher Bursche, verliebt in die Liebe, in ihren und meinen Körper und darüber hinaus in all die Möglichkeiten, die sich in jedem Kuss, jedem Scherz, jeder Berührung durch ihre Hand eröffnet hatten.

»Du hast mir gar nicht gesagt, ob du mich heiraten möchtest oder nicht«, flüsterte ich an ihrem Ohr, und die uns umgebende Wärme unserer Körper war so dicht wie das Dickicht um Dornröschens Schloss.

»Sei still – vielleicht – wenn bei uns alles gut klappt«, murmelte sie.

Ich lächelte und hörte zu, wie ihre Atmung sich verlangsamte, tiefer, gleichmäßiger und hypnotisch wurde. Ich wusste, dass ich sehr bald einschlafen würde, wenn ich diesem Rhythmus folgte.

Vor ihrem Geständnis hatte Mrs. Gordon gesagt, würde ich das Geld meiner Mutter annehmen, würde das Schreckliche noch zu etwas Gutem führen. Das stimmte nun mehr als vorher. Ich würde mir damit ein ganz kleines Stück von Old Mission Peninsula kaufen. Ich würde einem Job entkommen, der steril war und ohne Reiz, und sehen, was meine Zukunft für mich bereithielt. Ich würde meinen ganzen Mut zusammennehmen und tun, wonach ich mich gesehnt hatte, als ich noch ein Junge war: schreiben. Ein Buch über Old Mission, über die Hügel und Obstgärten, den Wein und die Ufer.

Es war nicht zu spät, mir mit Valerie und Libby ein neues Leben aufzubauen. Ich dachte an jene Zeile aus Jodie Fosters *Contact*: »Das Einzige, was die Leere erträglich macht, sind die anderen.«

Dann stellte ich mir vor, wie meine Mutter starb und Mrs. Gordons unversöhnliches Gesicht das letzte war, was sie sah. Hatte sie an mich gedacht, sich gewünscht, ich wäre da, oder sich gefragt, wie ich über das deutsche Geld dachte? Ich konnte ihr angewidertes Gesicht vor mir sehen, das sie gezogen hatte, als ich mit Valerie Schluss gemacht und einen Beruf gewählt hatte, der in die Sackgasse führte. Vielleicht hatte sie mir deshalb die Erbschaft vermacht – um mich von meinen Fehlern zu befreien. Bestimmt hatte sie das deutsche Geld belastet, und vielleicht hatte es sie befreit, dass sie es mir vererbt hatte.

Aber ich konnte Val oder Simon und Dina niemals alles erzählen, was mir Mrs. Gordon über meine Mutter in einem, wie mir nun schien, anderen Leben, einer anderen Welt offenbart hatte.

Als ich endlich mit Valerie in meinen Armen da lag, war mir sonnenklar, dass ich zu viel von meinem Leben mit dem Versuch verschwendet hatte, den Kräften zu entfliehen, die mich zu dem gemacht hatten, der ich war. Ich hatte endlich aufgehört, davonzulaufen. Ich war bereit für das Leben, für Valerie, und sogar bereit, meinen Weg als ein Elternteil zu finden.

Und bereit, eine fremde neue Wirklichkeit anzunehmen.

Was auch immer das deutsche Geld bedeutete, ich war wahrhaft der Sohn meiner Mutter.

Auch ich hatte ein Geheimnis.